Meißner, A

C000150967

Gesammelte Schrifer
von Alfred Meißner

Meißner, Alfred

Gesammelte Schrifen und Dichtungen von Alfred Meißner

Inktank publishing, 2018

www.inktank-publishing.com

ISBN/EAN: 9783750112537

Gesammelte Schriften

von

Alfred Meißner.

Siebenter Band.

Neuer Adel.

Erster Band.

Leipzig,
Verlag von Fr. Wilh. Grunow.
1872.

Neuer Adel.

Roman

von

Alfred Meißner.

Erster Band.

Leipzig,
Verlag von Fr. Wilh. Grunow.
1872.

Vorspiel.

Erstes Kapitel.

In der Smetschka.

Die „Smetschka" in Prag war noch vor nicht allzu langer Zeit eine verrufene Gasse. Obwohl sie auf einen großen, modernen Platz, den Roßmarkt, unweit von der St. Nepomukstatue ausmündete und ringsumher der Geist der Zeit am Aufbau großartiger Wohnhäuser, ebener und gepflasterter Straßen arbeitete, schien sie allein den traurigsten Stillstand darzustellen. Ein staubiger, bei Regenwetter sumpfiger Weg mit einem fußtiefen Graben führte an elenden Häusern und baufälligen Hütten mit durchlöcherten, moosgrünen Schindeldächern hindurch. Die Bewohner, die man erblickte, boten das Bild der größten Armuth und Verkommenheit, und ihre Nachkommenschaft, die vor den Häusern halbnackt schrie und sich auf der Erde wälzte, konnte man dreist in Gassenbuben und Betteljungen eintheilen. Unter den Gewerben, denen die Alten oblagen, war noch der Stand der Schuhflicker, Orgeldreher und Waschfrauen der ehrbarste, denn alle verächtlichen Metiers hatten dort ihre geheimen Werkstätten, und das Laster, nicht selten im Bunde mit dem Verbrechen, fand dort passende Schlupfwinkel.

Es war natürlich, daß man damals zur Nachtzeit bei der Beleuchtung, die zwei trübe Oellampen spendeten, nur mit einiger Besorgniß hindurchging und mit einer Hand die Börse beschützte, während die andere Hand den Stock schlagfertig hielt.

Das hat sich seitdem geändert. Die Straße wurde nivellirt, gepflastert und auf Befehl der Baucommission von den halbeingestürzten Häusern gesäubert. Die Besitzer derselben, meist mittellose Leute, zogen, nachdem sie die Ruinen als Bauplätze verkauft hatten, fort und nahmen einen guten Theil des Proletariats mit, das sie so lange beherbergt hatten. Speculirende Privatleute bauten in kürzester Zeit große geschmackvolle Gebäude hin und mochten sich versprechen, daß Familien aus dem höheren Bürgerstande einziehen und die Unternehmung sich gut verzinsen werde. Dazu war alle Aussicht da, denn die Nähe des Roßmarktes schien anziehend und auch alle Nachbarhäuser hatten eine zeitgemäße Umgestaltung erfahren. Die Gasse war sogar umgetauft worden, damit die berüchtigte Smetschka ganz verschwinde, und man nannte sie fortan die „Gartengasse", um es ihr gleichsam zu erleichtern, unter einem andern Namen ein neues und besseres Leben zu beginnen.

Aber die Speculanten hatten sich bitter getäuscht. Die guten Familien, auf die man beim Bau der Häuser gezählt hatte, zogen nicht ein, obwohl inzwischen ein bei Weitem anständigeres Publikum die Nachbarschaft zu bilden anfing. Drei bis vier dieser, gerade in der Mitte der Straße gelegenen Häuser blieben jahraus jahrein leer, und die verzweifelten Besitzer konnten nur mit Mühe von dem Ertrage die Steuersumme erschwingen. Sie entschlossen sich daher, die Zimmer einzeln abzusperren und an Studenten monatweise zu vermiethen. Sie fuhren anfangs gut dabei, Prag hatte damals einen bedeutenden Zufluß von fremden Doctoren, die die medicinische Facultät anzog, und diese bildeten den größten und zahlungsfähigsten Theil der Miethsleute. Da kam das Jahr Achtundvierzig und lenkte den Fremdenzug gänzlich hinweg. An die Stelle reicher Russen, Schweizer und Norddeutschen traten unbemittelte Landeskinder, Studenten, unbesoldete Amtspraktikanten, und man kann kaum sagen, ob von ihrem Einzuge der beginnende Verfall datirte, oder ob dieser ihn wirklich herbeiführte. Zur Zeit da unsere Geschichte zu spielen beginnt, finden wir in den Häusern meist arme Schlucker, die zwar alle einen Marschallstab in der Tasche tragen, aber augenblicklich ein sehr knappes Einkommen haben. Besser gestellte Leute werden zur Seltenheit. Die bunte Wirthschaft eines Studentenviertels entwickelt sich in der ehemaligen Smetschka und lockt wahrscheinlich die große Anzahl von Modistinnen herbei, die an den Fenstern im Erdgeschosse sitzen und ein Auge auf die Arbeit, das andere auf die Gasse werfen.

Mit dieser Sorte von jungen Leuten müssen die Hausherren fürlieb nehmen. Nur selten ist eins der Monatszimmer unbesetzt, aber nur allzu oft zieht der Miethsmann aus und bleibt dem Besitzer den Zins ganz oder theilweise schuldig, der Reparaturen nicht zu gedenken, die nach dem Auszug dieses wegen Ordnung nicht berühmten Völkchens unvermeiblich sind. Manche haben dort ein Jahr und darüber gewohnt, ohne einen ihrer Nachbarn gesehen, gesprochen und kennen gelernt zu haben. Aus allen Gegenden zusammengewürfelt, haben sie ihren Anhang alle außer dem Hause. Früh fliegen sie aus, verrichten ihre Berufsgeschäfte, speisen auswärts und kehren erst mit oder nach Einbruch der Dunkelheit zurück. Viele kommen erst aus dem Wirthshause vor oder nach Mitternacht heim, schlüpfen in ihre Zellen und begraben ihre Sorgen im Bette. Manche treffen sich da und dort und erfahren dann zu ihrer Verwunderung, daß sie seit Monaten Nachbarn sind, Andere bringt nur das seltsamste Zufallsspiel bisweilen zusammen...

An einem der ersten Herbsttage des Jahres 1853 lag der Abendschimmer auf einem der neuen und doch schon verkommen aussehenden, großen und doch pooren Häuser der ehemaligen Smetschka und spielte in allen den vielen, theilweise erblindeten Fenstern, die sich gegen den Hof hin öffnen. Das Haus war groß und dreistöckig und hatte einen kurzen Seitenflügel, der den Hof auf einer Seite begrenzte und mit einer fensterlosen, rückwärtigen Mauer plötzlich in einem Gartengrund aufhörte. Neben diesem Hause, das bei der hohen Lage der Smetschka aus den Hoffenstern des dritten Stockwerkes einen Blick über die ganze Stadt bis zum Hradschin hinauf gewährte, stand ein alter, verwitterter, einstöckiger Ueberrest der alten Epoche mit hohem und plumpem Giebel, wunder-

lichen Dachfensterbrüstungen und grotesken Schornsteinen und
sandte gleichfalls seinerseits einen Flügel hinaus. Zwischen
beiden Häusern, dem neuen und dem alten, dem hohen und
dem niedern, lag, wie schon gesagt, ein Garten, in welchem
aber nur noch ein paar Obstbäume, die jetzt schon alle Farben
des Herbstes zeigten, ihr Leben fristeten, das zartere Geschlecht
der Sträuche und Blumen aber bei Mangel an Pflege längst
schon zu Grunde gegangen war. Diese Obstbäume, die kränk-
lich und lebenssatt aussahen, hatten es längst in ihrer Schwermuth verlernt, Früchte zu tragen und Kindern eine Freude
zu machen, sie sahen todesmüd der Stunde entgegen, wo man
sie zu Brennholz schneiden werde, und dienten einstweilen
nur noch dazu, die Stricke festzumachen, an welchen Frau
Zabera, die Hausmeisterin, ihre und ihrer Familie zerrissene
Wäsche aufhing.

Aus einem Fenster im dritten Stock des großen Hauses
klagt heute eine Violine in die abendlich stillen Lüfte hinaus.
Auf dem Hofe und auf den Gängen, welche den Tag über
der Tummelplatz einer Schaar lärmender Rangen sind, ist's
still geworden — von der benachbarten Stephanskirche läutet's
zum Ave Maria und man hört im Erbgeschoß ein paar Kinder-
stimmen beten — die Violine läßt sich dadurch nicht stören,
sie versucht sich in immer kühneren Passagen, sie jauchzt, sie
weint, sie lacht, sie wimmert, sie klettert empor, sie steigt her-
nieder, sie wiegt sich und tanzt. Und die Violine bleibt nicht
allein. Aus einem andern Fenster — fern im Seitenflügel —
tönt bald eine zweite Geige. Sie ist offenbar ein Neuling,
ein unflügger Vogel. Doch mischt sie sich in die Serenade.
Auch sie hat vom Born der Klage getrunken, auch sie ist
elegisch, wenn auch ihr Mund nicht mit gleicher Beredsamkeit
zu singen weiß. Sie ist bescheiden, sehr bescheiden. Sie sucht
ihre Schwester drüben nicht zu stören, noch viel weniger wagt
sie sie zu unterbrechen, sie unterordnet sich, sie giebt die Terz,
die Sert an und imitirt die Gänge der ersten mit Vorsicht,
oft mit Glück.

Die beiden Violinen im Hofe des großen Hauses in der
Gartengasse waren schon längst mit einander bekannt, obwohl
die Violinisten sich nicht kannten. Felix Wildengrün, ein

jugendlich strebender Maler, hatte längst schon gefragt, wer
der Virtuos drüben sei, der ihm so beredt zu antworten
wisse. Man hatte ihm gesagt, es sei ein Jurist, der Horsky
heiße. Auch dieser hatte sich nach jenem erkundigt und Aus-
kunft erhalten. Doch suchte Keiner den Andern auf. Die
Violinen begegneten sich von Zeit zu Zeit, doch weiter als
bis zu dieser Unterredung in Tönen war es nicht gekommen.

Da — eines Tages — hatte es eine große Ueberraschung
gesetzt! In das Duett der ersten und zweiten Violine hatte
sich ein neuer, unerhörter, seltsamer Gesang gemischt, der Gesang einer Bratsche. Bei ihrem plötzlichen Erscheinen — sie
schien im dritten Stockwerk heimisch zu sein — wunderte sich
die erste wie die zweite Violine, hielt eine Weile inne und
ermunterte sie dann mit einem collegialischen Gruß, der ebenso erwidert ward. Dann verstummte sie plötzlich in der
Mitte ihres Liedes. Als Wildengrün nachfragte, wer wohl
der Bratschist sein möge, wurde ihm die Antwort: es müsse
der Doctor der Medicin Kral sein, der gerade über ihm wohne.
So war es auch. Mehrere Abende hörte man die Bratsche,
wenn auch nur in kurzen, meist in volksthümlichen Weisen;
der, der sie spielte, war durch seine Liebe zur Musik den Uebrigen etwas näher gerückt, aber zur Begegnung war es nicht
gekommen, noch weit weniger zur Bekanntschaft.

An jenem Abend im September — es war eben ein
Sonntagsabend von besonders milder Schönheit — lockte nun
ein Instrument das andere wieder einmal hervor. Die erste
Violine hatte ein bekanntes Thema aus der Nachtwandlerin
angegeben, bald ging die zweite darauf ein, auch die Bratsche
blieb nicht aus, und sofort ging das Terzett auf eine so überraschende Weise von Statten, daß man es zu wiederholen anfing. Aber schon in die ersten Tacte mischt sich ein neuer,
ein fremder Ton hinein. Es ist ein Cello, das offenbar in
der Dachstube des niedrigen alten Nachbarhauses sein Quartier hat. Es folgt zur freudigsten Verwunderung der Mit-
wirkenden zuerst ganz richtig weiter; plötzlich vergallopirt es
sich in falschen Gängen, verwirrt sich vollständig, will sich
wieder auf den guten Weg aufraffen, stolpert aber auf's Ent-
setzlichste und bleibt zuletzt ohnmächtig liegen. Es war sonnen-

klar, daß das arme Cello von einem vom besten Willen beseelten Stümper gespielt wurde.

Wie auf den Wink eines Kapellmeisters verstummten die übrigen Stimmen sofort, und kaum waren sie stumm, als gegenüber im Seitengebäude die Gestalt eines alten Mannes mit langem, grauem Haar sich am Fenster zeigte, eine alte aber kräftige Stimme Bravo rief und ein paar weithin schallende Hände zu applaudiren begannen. Dies mußte wie ein Hohn klingen, da doch noch niemals bei den gelungensten Executionen ein Beifallszeichen erfolgt war. Halb lachend, halb ärgerlich legten die Musiker ihre Instrumente für diesmal bei Seite.

Als am andern Morgen der Maler Wildengrün ausging, kam ihm ein junger Mann entgegen, der sich ihm als der Sprachlehrer Kunosch vorstellte und um Entschuldigung bat, daß sein Cello das gestrige Concert gestört habe. Er nannte sich mit richtiger Selbsterkenntniß einen Pfuscher und erzählte, daß seit einiger Zeit ein alter Herr aus Triest, Appellationsrath Eschburg, mit Wildengrün und den anderen Zwei in demselben Hause wohnhaft, ein Musikenthusiast, sich an dem musikalischen Wettstreit schon oft still ergötzt habe und lebhaft wünsche, die Bekanntschaft der Tonkünstler zu machen. Dieser sei's auch gewesen, der, am Fenster stehend, applaudirt habe.

Schon am folgenden Tage gaben sich die vier Dilettanten mit dem Rath Eschburg in einem Kaffeehause ein Rendezvous. Sie gefielen einander und fühlten schon nach der ersten Begegnung, daß sie nicht blos musikalisch, sondern auch als Menschen ganz leiblich zusammenstimmen würden. Sie beschlossen daher, wöchentlich einmal zusammenzukommen und untereinander Abendunterhaltungen zu veranstalten. Abwechselnd sollte Einer nach dem Andern den Wirth machen. Es kam zur Ausführung.

Dieser wunderliche und für die Hauptstadt eines so musikalischen Landes charakteristische Zufall brachte die Leute immer näher an einander. Bald beschränkte sich der Verkehr nicht mehr auf die Concerte, man besuchte sich bei Tage, man fand sich des Abends auch auswärts zusammen, vertraute sich den

Kummer und lüftete die schönen, oft hochfliegenden Zukunfts=
pläne. Man begriff nicht mehr, wie man so lange hatte zu=
sammen, so nahe an einander wohnen können, ohne sich zu
kennen, und bedauerte, daß man aus Rücksichten und aus der
Gewohnheit der Absperrung so viel Genüsse einer freundlichen
Geselligkeit entbehrt. Alle Vier waren am Beginne ihrer
Laufbahn, deren Ziel sie mit verschiedenen Mitteln, aber gleich
unsicheren Chancen verfolgten, so daß sie sich gewissermaßen
als Reisegefährten erkannten, die an denselben Abgründen den
schmalen Weg des Glückes hinwandeln.

Das Gegentheil von ihnen, die Alle emporzukommen strebten,
war der Fünfte, der in den Bund trat, der Rath Eschburg.
Er war ein Siebziger, hatte eine ehrenhafte Laufbahn
hinter sich, und das Alter begann schon ihn von der
Mitbewerbung am Leben auszuschließen. Sein Gemüth hing
jedoch an der Welt noch mit den zähesten Wurzeln, und seine
nervöse Charakterkraft ließ ihn noch mit den Bestrebungen
und der Thatenlust der Jugend wetteifern. Da natürlich seine
Anläufe unfruchtbar bleiben mußten, schien ihn oft das dunkle
Bewußtsein seiner Ohnmacht zu beugen und ihm tiefe
Schmerzenlaute zu entlocken. Ein sich müde hetzender An=
theil an Allem, was eine edle Wißbegierde sucht, trieb ihn
den Tag über rastlos umher und die Lectüre raubte ihm noch
den besten Theil des Schlafes. Er stürzte aus einem Hörsaal
in den andern, wie Jemand, der eilig eine Carrière machen
will, oder vielmehr wie Einer, der dunkel fühlt, daß seine
Tage zu Ende gehen. Dieses Ringen machte ihn der Jugend
verwandt, er liebte seine neuen Genossen, die ihn aus seiner
Einsamkeit gerissen hatten. Seit seiner Pensionirung hatte
er in verschiedenen Städten der Monarchie gelebt und wollte
eben wieder von Prag nach Dresden übersiedeln, als er den
unverhofften Anschluß an seine vier Nachbarn fand, der ihn
wieder auf's Neue an Prag fesselte. Er fühlte, eine Stütze
an ihnen zu besitzen, obwohl er es sich leugnete und es in
der Welt allein aushalten zu können glaubte. Seine ver=
zehrende Unruhe, die sich bis zur Exaltation steigerte, schien
aus dem Zerwürfniß mit seiner Vergangenheit hervorzugehen,
wenn sich in ihr nicht eine vornehmen Naturen eigene Trauer

verhüllte, die Trauer, daß man auf Erden nach siebzig Jahren so wenig erreicht und von dem Erreichbaren höchstens ein Bruchstück besitzt...

Ein halbes Jahr lief um, seit dieser kleine Club entstanden war... Der Mai flog wieder auf Flügeln milder Lüfte heran. Wir finden die Gesellschaft enger an einander geschlossen als jemals, dennoch sind die Bindemittel noch immer lockerer Art, nach der Natur aller Jugendbekanntschaften. Noch verbindet sie nichts als dasselbe Quartier, der Geselligkeitstrieb, die Gewohnheit, kleine Schulden, ein Pack Musikalien. Noch hat Keiner eine Ahnung davon, daß der Augenblick, da sie zu den Instrumenten griffen und das erste Quartett spielten, schicksalsschwer war und daß die nächste Zeit mit Ereignissen schwanger geht, die ihre liebsten Interessen berühren und ihre Zukunft bestimmen werden. Keines Phantasie kann ihm noch sagen, wie ihre Lebenszwecke, die sie auf den verschiedensten Wegen zu verfolgen haben, jemals zusammengehen oder in Collision gerathen können. Noch wissen sie nicht, wenn sie lachend um einen Tisch sitzen, wer von ihnen sich als Freund bewähren und wer den Verräther am Andern spielen werde. Keiner hat noch erfahren, daß das Leben Ketten zerreißt und Spinnfäden in Ketten verwandelt, und daß das irdische Glück nicht der unausbleibliche Lohn des Edeln und Tüchtigen, doch auch nicht ein blinder Zufall ist.

―――――

Zweites Kapitel.

―――――

Der Fünfbund.

Auf die beschriebene Weise hatte sich der Fünfbund gebildet, der, treu den ursprünglichen Bestimmungen, in fester Reihenfolge allwöchentlich zusammentrat. Er hatte bereits den

Winter und einen Theil des Frühjahrs überbauert, ohne daß sich das geringste Symptom der Lockerung kundgegeben hätte.

An einem der ersten Tage des Mai sollte sich die Gesellschaft der fünf Freunde wieder einmal in der Wohnung des Doctor Kral zusammenfinden. Die Notenpulte und die Instrumente der vier Musikjünger wurden von der Hausmeisterin, Frau Zabera, schon im Laufe des Nachmittags hingebracht, und Kunosch, der Sprachlehrer, der seit einiger Zeit seiner dürftigen Einkünfte wegen mit Kral zusammenwohnte, war, als der Abend herankam, vollauf beschäftigt, die beiden Zimmer in Stand zu bringen und die nöthigen Teller und Trinkgefäße herbeizuschaffen.

Die Wohnung des Doctor Kral war eigentlich eine höchst seltsame Localität, um Soireen zu geben. In dem größeren Zimmer, das dem Doctor allein gehörte, nahm ein breiter, offener Schrank, mit Büchern vollgepfropft, die ganze längere Seite ein. Oben auf dem Schranke stand ein hölzernes Gestell mit Reagenz-Gläsern, noch halb oder ganz mit verschiedenfarbigen Flüssigkeiten angefüllt, daneben lagen Knochen von Menschen und Thieren, aus der Zeit, wo sich der Doctor mit vergleichender Anatomie beschäftigt hatte; weiterhin sah man eine Reihe dicker, plumper, mit Blasen zugebundener Gläser, worin die verschiedenartigsten Präparate in Spiritus schwammen: Embryonen mit Glotzaugen und wuchtigen Köpfen, fatale Mißgeburten, halb unterscheidbare, groteske, eigentlich nur in eine Hexenküche gehörige Dinge. Blätter eines chirurgisch-anatomischen Atlas bedeckten die Wände. Auf einem Tischchen am Fenster sah man ein Frauenhofer'sches Mikroskop, dessen einzelne Bestandtheile, sorgsam geschützt, aus den sammetgepolsterten Vertiefungen des Etuis hervorblitzten, daneben Glasscheiben, Pincetten, Uhrgläser, in welchen kaum unterscheidbare Dinge in Wasser schwammen. In einer Ecke des Zimmers, den Winkel ausfüllend, stand ein Skelet auf schwarzem Gestell und hatte die Hausmütze des Doctors auf dem blanken, weißleuchtenden Schädel. Ein Tisch, ein Secretär und einige Stühle bildeten das übrige Ameublement. Hier pflegte Kral, der seit drei Jahren die Secundärarztstelle im Krankenhause aufgegeben hatte, zu studiren und seine eben

2*

nicht zahlreichen Patienten zu empfangen. Diese unheimliche Zimmerausstattung mit Kral's finsterbrütendem, tiefverschlossenem Wesen zusammengehalten, fachte nur allzu sehr die Phantasie der Besuchenden an, und die Freunde witzelten oft: Der Doctor mißbrauche seine Kunst zu allerhand schaurigen Zwecken Dazu aber fehlte wahrlich jeder Anhaltspunkt. Eins war unzweifelhaft, daß Kral ein tüchtiger Kopf, den der tiefste Ernst für seine Wissenschaft ganz erfüllte, so zwar, daß er dadurch von einer gewinnreichen Praxis, wie sie manche seiner ehemaligen Studiengenossen bereits besaßen, abgeleitet wurde.

Zu dieser concentrirten Natur, die beinahe den schrecklichen Ernst ihres Lebensberufes darstellte, bildete Kunosch, der Zimmercollege und Aftermiether, einen gerade komischen Gegensatz. Kunosch war ein lustiger Vogel, ein Sanguiniker vom reinsten Wasser, der sich über Alles freute, sich Alles zutraute, Alles ergriff und Nichts erreichte. Ursprünglich hatte er Forstmann werden wollen, diente auf einer kaiserlichen Herrschaft, verließ aber vor Ablauf eines Jahres diese Stellung und wollte, weil er einiges Talent zum Zeichnen hatte, Maler werden. In Kürze fiel ihm wieder ein, daß die Kunst in einer Zeit wie die unsrige ein schlechtes Brod sei, und er warf sich auf Geometrie, um ein Ingenieur zu werden. Plötzlich fiel er wieder ab und trat als Schriftsteller in einem Journal ein, das jedoch sein Talent nur für die Rubrik der Unglücksfälle und Stadtereignisse verwenden konnte und ihn schlecht bezahlte. Schnell gab Kunosch die Registrirung der Unglücksfälle auf und gerieth nun fast in Verlegenheit, was zu ergreifen sei. Aber er war voll Einfälle. Erstlich hatte er vor Jahren noch etwas Italienisch verstanden und sogar gesprochen. Sein Vater, der seit Jahren todt war, hatte an der Moldau, nahe beim Kloster der Barmherzigen, seitwärts von der Kaserne, wo damals ein italienisches Regiment lag, eine kleine Weinschenke gehabt. Dort wollte Kunosch den Soldaten, die ein Glas Wein oder Liqueur zu trinken kamen, in unglaublich schneller Zeit ihre Sprache abgelernt haben. Er hörte ferner, daß englische Sprachlehrer gesucht würden, und seine Wahl war kurz. Er sprach zwar kein Wort Englisch, jedoch wie lange, sagte er, kann ein Kopf, wie der meinige, brauchen,

um Herr und Meister einer Sprache zu werden, wäre es so=
gar die chinesische! Eine Woche später kündigte der Anzeiger
an, daß Wilhelm Kunosch Unterricht in der italienischen und
englischen Sprache ertheile, und es gelang ihm in der That,
einige Schüler und, was ihm noch lieber war, einige Schüler=
innen zu finden. Von diesen Stunden lebte er nun seit Mo=
naten und war durch seinen Privatfleiß nahe daran, sich auch
als Professor der französischen Sprache zu proclamiren. Er
trug sich auch mit der Idee, eine vergleichende Grammatik
dieser drei Sprachen zu schreiben. Diese unerhörten, ewigen
Standeswechsel hatten ihn keinen Augenblick an einer seiner
Fähigkeiten irre gemacht, sondern ihn nur in der Ueberzeugung
bestärkt, daß er Alles verstehe und Alles bewältigen könne.

Auch konnte Niemand dem gutmüthigen Menschen trotz
seiner vielen kleinen Schwächen ernstlich gram werden und
keiner der Freunde hätte ihm je ein hartes Wort sagen mögen.
Seine Gesichtsbildung, voll Ebenmaß, die blauen, beweglichen
Augen, der frische, jugendliche Teint, die glatte, kinderähnliche
Stirn machten den freundlichsten Eindruck. Gutmüthigkeit
sprach aus allen seinen Zügen. Seitdem er Schülerinnen
hatte, verrieth sein Aeußeres das wohlgemeinte Bestreben, ein
Stutzer zu werden, obwohl dem armen Burschen die Aus=
stattung dazu von der Cravatte bis zum Stiefel hinab gänz=
lich mangelte. Seine natürlich gelockten, hellblonden Haare
waren nun immer mit großer Sorfalt geordnet und das co=
quette Schnurrbärtchen steif gewichst. Nur war der Hut meist
in der Mode zurück, Rock und Beinkleid schienen oft im
grellsten Contrast zu der eben herrschenden Jahreszeit oder
Temperaturbeschaffenheit zu stehen.

Während in Kral's Arbeitszimmer Alles in ausschließlichem
Bezuge zur Medicin stand, bot das anstoßende Gemach, wel=
ches Kunosch gehörte, den Anblick eines bunten Wirrwarrs
und eines Magazins der disparatesten und futilsten Dinge.
Auf dem Schreibtisch lagen zwanzig Bücher, die über die wi=
dersprechendsten Fächer belehrten, aufgeschlagen, ein altes, viel=
fach abgerissenes Sopha, tagüber mit Stößen von Papier be=
deckt, diente zur Nachtzeit als Lager. Zwei alte Hüte, mit
Sand gefüllt, standen in der Ecke und vertraten die Stelle

von Spucknäpfen; auf diese wies eine von Wildengrün mit schwarzer Kreide an die Wand gezeichnete Hand mit ausgestrecktem Zeigefinger hin.

Aber auch die gegenüberliegende Hälfte des Zimmers hatte eine wunderliche Ausstaffirung. Dort, auf einer breiten, altmodischen Commode von Nußbaumholz, die einen Aufsatz mit verschiedenen Fächern trug, war Kunosch's Raritätensammlung aufgestellt. Er hatte nämlich eine Passion für Alterthümer und hatte sich im Laufe der Zeit eine Masse der seltsamsten Geräthe anzuschaffen gewußt.

Statuetten von Thon, Figuren, die Kunosch für altböhmische Götzenbilder erklärte, Medaillen, ein altes Trinkhorn, eine serbische Gusla waren auf der Commode aufgestellt zu schauen, darüber hingen einige alte Waffen, denen er einen ungemeinen Werth beilegte. Der Witz besuchender Freunde hatte jedes dieser Waffenstücke und auch viele der übrigen Dinge mit den seltsamsten Namen bezeichnet. Man erblickte dort den Harnisch des Romulus, den er im trojanischen Kriege getragen, einen Tscherkessensäbel, den man aus der Lava von Pompeji ausgegraben, die Pickelhaube Julius Cäsar's und die wurmstichige Büchse mit rostiger Zündpfanne, mit welcher Conradin, der letzte Hohenstaufe, erschossen worden war. Ebenso wurde unter den Curiositäten auf der Commode ein Backenzahn Zizka's von Trocnow gezeigt, den ihm Theophrastus Paracelsus ausgezogen hatte. Zwischen diesen unschätzbaren Alterthümern sah man merkwürdige, barocke Pfeifen, einen Tschibuk mit elastischer Röhre, Kochtöpfe und eine alte Kaffeemaschine.

Acht Uhr hatte geschlagen, die Stunde, in welcher sich die Freunde zu versammeln pflegten, war gekommen. Kunosch hatte schon Alles geordnet, um die Gäste würdig zu empfangen. Sein Schreibtisch war in die Mitte des Zimmers gestellt und mit fünf Stühlen umgeben. Zwei Studirlampen, die darauf standen, erhellten die Räume in höchst feierlicher Weise. Zwischen den Lampen stand auf einem blechernen Theebrett die Theekanne, eine Flasche mit Rum und ein Gefäß mit Zucker, um das Lieblingsgetränk der Fünfbündler zu bereiten. Ueber dem Tische bot ein Pfeifengestell alle Arten

von Köpfen von Thon und Porzellan, sogar von Meer=
schaum an.

Als Kunosch mit den Vorbereitungen fertig war, fühlte
er sich schon ganz unglücklich, daß die Freunde ihn warten
ließen. Er konnte, wie alle oberflächlichen Naturen, es nicht
allein aushalten. Ungeduldig griff er nach seinem Cello und
begann seinen Part im Haydn'schen Quartett, das für heute
angesagt war, durchzugehen. Er hatte kaum einige Tacte
gespielt, als Wildengrün, der Maler, mit dem Juristen
Horsky eintrat.

„Sind wir die Ersten?" fragte Wildengrün, ein Jüngling,
der vor Kurzem erst die Zwanzig überschritten.

„Ist Kral im Nebenzimmer?" fragte Horsky.

„Noch Niemand ist da!" gab Kunosch zur Antwort.
„Raucht indeß eine Pfeife, sie werden wohl gleich er=
scheinen."

„Wie festlich heute die Gemächer prangen!" rief der
heitere Wildengrün. „Wie phantastisch die Lampe das un=
schätzbare Raritätencabinet beleuchtet! Freund," sagte er, indem
er eine feierliche Miene annahm, „lange schon habe ich darnach
gestrebt, diesem glänzenden Museum auch einen Tribut darzu=
bringen! Nach jahrelangem Suchen bin ich nun eines Gegen=
standes habhaft geworden, den ich seiner durchaus würdig
erachte."

„Nun, nun, was bringst Du?" fragte Kunosch neugierig,
als dürfe er wirklich ein ernstgemeintes Geschenk und nicht
einen bloßen Scherz erwarten.

Wildengrün zog ein in viele Papiere gehülltes Object
aus der Tasche, wickelte es langsam und vorsichtig auf und
stellte es zu den übrigen Curiositäten. Es war ein gläsernes
Tintenfaß von wunderlicher Form.

„Empfange hier," sagte er, „das Tintenfaß Homer's, das
ehrwürdige Gefäß, in welches der Sänger von Chios so oft
die göttliche Feder getaucht! Etwas von der Tinte ist noch
vertrocknet unten auf dem Boden zu sehen. Dies Kleinod
gelangte nach langen Irrfahrten in den Besitz des Königs
Mithridates, der es in einem goldenen Kästchen im National=
museum von Pontus aufstellte. Ein englischer Krimkrieger

fand es, erkannte es sogleich nach der Beschreibung, die Anarimander von Milet davon gegeben, behielt das Kästchen —"

„Und tauschte," vervollständigte Horsky die Erzählung, „das Kleinod gegen ein Gemälde von Wildengrün ein."

Kunosch lachte und bemerkte, das Tintenfaß sei in der That barock genug und müsse ein ansehnliches Alter haben.

„Als Wildengrün," begann Horsky wieder, „bei mir eintrat und mir das unschätzbare Juwel zeigte, das er Dir zu überreichen gedachte, schmerzte es mich um so mehr, daß ich bisher noch keine ähnliche Gabe zum Museum beigesteuert. Ich entschloß mich daher, mich von einer andern Seltenheit, die in meinem Besitz war, zu trennen und sie Dir gleichzeitig zu überreichen. Sie möge neben Homer's Tintenfaß als ebenbürtige Rarität prangen."

Er zog ein Stück Pappendeckel hervor, das sich als eine Visitenkarte repräsentirte. Darauf standen die zwei Worte:

Christophoro Colombo.

„Bemerke," sagte Horsky, „unter diesem seltenen Autograph die drei Buchstaben:

p. p. c.

Sie bedeuten pour prendre congé, und geben der Visitenkarte erst ihre unendliche Bedeutung! Mit dieser Karte nahm Christoph Columbus vom Dogen von Genua Abschied, als er ausging, die neue Welt zu entdecken!"

„Mögen beide Stücke," rief Wildengrün, „zum unveräußerlichen Inventar des Kunosch'schen Museums gehören!"

„Ihr seid tolle Käuze!" sagte der Angeredete, „und doch müßt Ihr gestehen, daß Ihr mich um meine Rüstungen und Waffen, besonders aber um meine altböhmischen Götzen beneidet!"

Horsky warf sich auf's Sopha, stopfte sich eine Pfeife und sagte: „Ich weiß wirklich nicht, wie ich dazu komme, heute solche Dummheiten zu treiben! Ich bin eigentlich recht verdrießlich und sollte den ganzen Abend meinen Mund nicht aufthun. Denkt nur! Ich bin schon wieder wegen unbefugter Rechtsvertretung denuncirt, wegen Rückfall verwarnt und mit einer Geldbuße belegt worden. Was hilft das Alles? Ich muß die Strafe hinnehmen und werde es morgen wieder

riskiren. Wovon soll ich leben und wie den Doctorhut er=
langen, wenn ich mir nicht als Winkeladvocat etwas zusammen=
scharre?"

Er stieß einen schweren Seufzer aus, den jedoch mehr
Zorn und Unmuth, als irgend eine Verzweiflung hervorbrängte.
Er war eine energische Natur, die schwer zu entmuthigen war
und zu praktisch bachte, um sich vom Leben einen andern Be=
griff zu machen, als von der Erde selbst, die ja auch nicht
blos aus Ebenen mit gebahnten Wegen besteht, sondern von
Gräben und Abgründen, von Flüssen und Meeren, von Wüsten
und Gebirgen durchschnitten ist.

„Tröste Dich, Horsky!" rief Wildengrün. „Die Laufbahn
anderer Leute ist noch dornenvoller. Du bist wenigstens so
weit, unbefugt Processe führen zu können. Dir fehlt das Recht
der Unterschrift, doch Du findest Leute, die Dir ihre Sachen
anvertrauen. Wie aber soll sich ein angehender Künstler das
Geld zu seiner Ausbildung verdienen? Wer kauft die Ge=
mälde eines Anfängers, um ihn mit Mitteln auszustatten,
die Hochschule von Florenz und Rom zu besuchen?"

Statt aller Antwort sah ihn Horsky mit Bedauern an,
während die Sorge, die um seinen Mund und aus den Augen
spielte, nur seinen Interessen galt. Da mischte sich Kunosch
hinein und sagte mit dünkelhafter Ueberlegenheit:

„Was ich verdiene, beträgt kaum so viel, als was Wilden=
grün von Haus erhält. Mit Horsky's Verdienst kann ich
mich vollends nicht messen. Wer hat mich schon klagen oder
mich beschweren gehört?"

„Du hast ein seltenes Talent, ein Diogenes zu werden,"
warf Horsky hin und fragte ablenkend: „Wo bleiben heute
Kral und der Rath?"

„Es ist fünf Minuten über Neun," sagte Wildengrün,
seine altmodische silberne Uhr hervorziehend. „Es reißt eine
üble Gewohnheit des Zuspätkommens ein."

„Ich erinnere mich wirklich nicht," sagte Kunosch, „daß sich
Einer von uns je verspätet habe, seit der Fünfbund besteht.
Kral ist übrigens heute Morgen um sechs Uhr geholt worden
und seitdem nicht zu Hause gewesen. Was er getrieben hat

wird Niemand erfahren. Diese Heimlichthuerei ist abscheulich, Freunden gegenüber, wie wir es sind."

„Was Dich die Neugierde plagt!" rief Horsky. „Ein Arzt und ein Anwalt müssen verschwiegen sein. Ihr Geschäft beruht auf Vertrauen. Uebrigens hat es Kral nur Dir zu verdanken, daß allerhand nachtheilige Gerüchte über ihn in Umlauf sind. Weil Du selbst Alles ausplauderst, glaubst Du, daß Andere nur dann verschwiegen sind, wenn sie ein Ver= gehen verhehlen."

„Ich weiß doch, was ich weiß!" erwiderte Kunosch.

„Du weißt gar nichts," sprach Horsky mit der Energie, die alle seine Behauptungen kennzeichnete, „sonst würdest Du es nicht so lange für Dich behalten."

Wildengrün lachte und winkte Horsky zu, dem Freunde nicht weiter zuzusetzen.

Eine Pause trat ein, man hörte vom Stephansthurm halb Zehn schlagen.

„Halb Zehn!" rief Kunosch. „Das ist das erste Mal, daß unsere Soiree in die Brüche geht. Vater Haydn bleibt liegen. Bis jetzt waren wir Alle so pünktlich, nicht wahr?"

„Ja, daß wir uns oft schon darüber wunderten," bemerkte Wildengrün.

„Ich halte es für eine Vorbedeutung," meinte Kunosch. „Gebt Acht, der Fünfbund besteht nicht lange mehr!"

„Bah!" rief Horsky.

„Du sollst es sehen, ich weiß keinen vernünftigen Grund dafür, aber ich fühle es, daß die heutige Störung ihre Folgen hat."

„Du bist ein Phantast," fertigte Horsky ihn ab und fuhr im lustigen Tone fort: „Die Zeit läuft hin, thun wir lieber, was die Abwesenden thäten, wenn sie an unserem Platze säßen."

„Ja wohl, eingeschenkt!" rief Wildengrün.

„Kunosch," sagte Horsky, „mache die Hausmutter und braue das Gebräu!"

Kunosch that, wie man ihm hieß, und bemerkte: „Die Zwei kommen heute ohnehin nicht mehr!"

Er mischte die Ingredienzen nach den Verhältnissen, wie

es ihm Kral mit chemischer Genauigkeit gelehrt hatte. Bald füllte die schöne nußbraune Flüssigkeit die Gläser der Dasitzenden.

Horsky erhob das Glas und brachte den Trinkspruch: „Auf den Fortbestand des Fünfbundes, allen bösen Weissagungen zum Trotz!"

„Ich stoße von Herzen darauf an!" rief Kunosch.

Da polterte es draußen auf der halb dunkeln, nur von einer matten Oellampe beleuchteten Treppe. Die Tritte waren von einer Stimme begleitet, die bald Ausrufe that, bald murmelte, bald einen unverständlichen Wehruf, bald ein energisches Hohngelächter ausdrückte.

„Wer kommt da?" rief Kunosch.

„Du frägst!" sagte Horsky. „Wer anders kann es sein, als unser alter Rath, unser König Lear, wie ihn Wildengrün so treffend getauft hat. Hört doch, wie er aufbraust! Heute ist er beinahe schon Lear auf der Haide!"

„Der hat auch etwas auf dem Herzen," sagte Kunosch, „was er Niemandem lüftet, Niemandem zeigt. Wissen wir doch — nach einem Jahre — noch nichts über ihn, als daß er aus Triest ist. Horsky wird freilich diese Verschwiegenheit loben —"

Da öffnete sich die Thüre, der Rath kam zum Vorschein. Er war ein großer, hagerer Mann im langen, hellgrauen Ueberrock, ein interessanter Siebzigerkopf mit lichtem, weißem, langherabhängendem Haar, einer edeln Stirn, einer scharfgezogenen Nase und einem wehmüthigen Ausdruck der schönen, grauen, tiefliegenden Augen.

„Da bin ich, Kinder!" sprach er, abgerissen und athemlos, ob seine Aufregung Folge irgend eines eben erlebten Ereignisses, oder nur der Hast war, mit welcher er oft nach Hause zu rennen pflegte. — „Guten Abend, Kinder, guten Abend!"

Die jungen Leute sprangen auf und bewillkommneten den Alten auf's Freundlichste. Ohne darauf viel Rücksicht zu nehmen, fuhr der alte Herr, die Thüre hinter sich zuschlagend, fort:

„Ich bin außer mir! Es ist nicht zu sagen, was man

auf dieſer Welt erlebt! Im ſiebzigſten Jahre hören die Ueber=
raſchungen noch immer nicht auf. Immer neue Scenen,
immer höher ſich ſteigernde Auftritte! Leider übergipfelt ſich
nur das Böſe, die Heimtücke, die Habgier, die Unmenſchlich=
keit —!"

Er brach ab und maß, ſeine Entrüſtung vor ſich her mur=
melnd, das Zimmer, ohne den Fragen der Anweſenden Rede
zu ſtehen. Plötzlich begann er wieder:

„Ich bin alt. Zwei Drittheile meines Lebens ſind mit
der Aburtheilung von Verbrechen aller Art hingefloſſen.
Wie werdet erſt Ihr, junge Leute, es aufnehmen, wenn ich
Euch die Geſchichte erzähle? Ich wohnte in Trieſt in einem
Hauſe mit einem alten Herrn zuſammen, der kinderlos war.
Der Mann war ſehr reich, aber ich beneidete ihn um nichts
weiter, als um ſeinen Diener, einen freundlichen, prächtigen
Burſchen. Vor meiner Abreiſe hieher begegnete ich ihm und
machte ihm den Antrag, mit einer bedeutenden Lohnerhöhung
in meinen Dienſt zu treten. Er erwiderte, daß er ſeinem
Herrn ſo viel Wohlthaten danke und der Lockung widerſtehen
müſſe, um ſo mehr, da er erfahren, daß ſein Herr im Teſta=
mente für ſeine Zukunft geſorgt habe. Da — eben, im
Kaffeehauſe leſe ich Schwarz auf Weiß, daß der Burſche,
der das Glück, das ihm am Todestage des Erblaſſers zufallen
ſollte, nicht erwarten konnte, um ſich die Erbſchaft nahe zu
rücken, Gift in die Chocolade ſeines Herrn gemiſcht hat.
Genug, genug! Keine Ausmalung! Leſt die Zeitung, leſt die
Zeitung!"

Er fuhr in größter Exaltation über das Zimmer hin.

„Das wäre ein ſchrecklicher Reiſegefährte für Sie geweſen!"
meinte Kunoſch.

„Mir wäre es wahrſcheinlich nicht geſchehen!" antwortete
der Rath kurz und trocken. „Bei mir hätte die Verführung
gefehlt: das Teſtament! Freilich iſt es pſychologiſch wahrſchein=
lich, daß er vielleicht ein ähnliches Verbrechen blos um meiner
Uhr oder meiner Ringe wegen begangen hätte. Höchſt wahr=
ſcheinlich —"

Er verſank in tiefes Nachdenken.

Horſky benutzte den Augenblick, ſeinem Nachbar Kunoſch

in's Ohr zu flüstern: „Du, von nun an glaube ich fest, daß der Rath Vermögen besitzt."

„Weshalb?" fragte Kunosch.

„Du frägst!" rief Horský. „Dann bist Du kein Menschenkenner."

„Du meinst, weil ihn diese Zeitungsgeschichte so beunruhigt?"

„Allerdings."

„Laß Dich nicht auslachen. Doch sei's, uns kann es Alles eins sein."

„Das wohl!" erwiderte Horský. „Es kann uns auch Alles eins sein, ob der Jupiter vier Monde um sich hat oder nicht. Für mich aber hat es doch Interesse."

Er drehte ihm den Rücken und murmelte Wilbengrün in's Ohr:

„Dieser Kunosch wird doch täglich alberner."

„Eine gute Haut bleibt er doch," meinte Wilbengrün, wie Einer, der eigentlich in eine ungünstige Meinung schonungsvoll einstimmt.

Inzwischen war der Rath Eschburg an das Fenster getreten und hatte eine Zeitlang in den nächtlich blauen, sternenvollen Himmel geblickt. Es fiel Wilbengrün auf, daß er zuweilen die Hand auf die linke Seite der Brust stemme und mit zusammengebissenen Zähnen in der Haltung eines Leidenden emporschaue. Da es schnell vorüberging und Eschburg gleich darauf wieder auf die Fensterscheibe zu trommeln anfing oder eine Prise aus der Dose hervorholte, legte der junge Künstler kein Gewicht darauf und enthielt sich jeder Bemerkung.

„Heute," hob der Rath, mit einer unerwarteten Wendung an den Tisch zurückkehrend, an, „habe ich einen herrlichen Spaziergang gemacht. Ich war schon vor Sonnenaufgang draußen. Ich glaube in meinem ganzen Leben die Sonne nicht majestätischer aufgehen gesehen zu haben. Da hab' ich in ihrem Angesichte mein Morgengebet verrichtet. Das schöne Gestirn! Man weiß ja nicht, wie oft es uns noch leuchtet! Ich ging über Karolinenthal nach Holeschowitz, und auf dem rechten Moldauufer über Bubenz zurück."

Es war ein Weg von etwa vier Stunden.

„Ich sage immer," bemerkte Horsty, „daß Sie auf Ihren weiten Touren die Kräfte überanstrengen."

„Ei!" rief der Rath, „eine solche körperliche Anstrengung gehört mit zu meiner Lebenserhaltung. Je mehr ich laufe, besto länger schlafe ich. Schlaf fehlt mir, das thut mir nicht gut, ich grüble zu viel, ich lebe innerlich zu heftig. Als ich letzthin den Kosmos las, so eifrig, daß ich manchen Tag nicht einmal in's Kaffeehaus kam, da verursachte mir der Mangel an Bewegung oft gänzliche Schlaflosigkeit."

„Damals überspannten Sie sich geistig," meinte Wildengrün. „Was eine so große Fußtour betrifft, wie die heutige, so heiße ich das sich körperlich überspannen; beides ist schädlich."

„Letzteres gebe ich nicht zu," versetzte der Rath mit seinem gewohnten Ungestüm. „Je müder ich werde, besto fester schlafe ich, besto jünger stehe ich auf. Ihr jungen Leute seht zu viel auf meine grauen Haare und wollt mich immer als einen morschen Greis betrachten. Ich bin eigentlich noch ziemlich jung für mein Alter. Da fällt mir etwas ein. Sonntag ist mein siebzigster Geburtstag. Ich gebe zwar nichts darauf, aber wir wollen ihn auf Burg Karlstein feiern. Früh gehen wir aus, Ihr seid meine Gäste. Wer hat etwas einzuwenden?"

Alle nahmen es freundlich an. Er fuhr fort:

„Das ist eine große Partie, immer bergauf. Da will ich Euch zeigen, daß ich Schritt halten kann. Aber wo bleibt heute unser Doctor?"

„Wer weiß das?" gab Kunosch eilig zur Antwort. „Seine Gänge sind ewig räthselhaft."

„Armer Krall!" rief der Rath mit sanftem Wohlwollen. „Tag und Nacht muß er auf den Füßen sein, um ein paar lumpige Gulden zu verdienen."

„Ei, er verdient viel!" fiel Kunosch in's Wort.

„Doch nicht für sich," versetzte der Rath im Tone einer heftigen Zurückweisung. „Er ist ohne Bedürfnisse; was er sich abgeizt, opfert er seiner Wissenschaft. Ueberhaupt schätze ich Euch Alle und bin Euch von Herzen gut. In Eurer Gesellschaft fühle ich mich, wie wenn ich unter den Meinigen wäre, ohne Euch wäre ich vielleicht ruhelos von einer Stadt in die andere fortgestürmt. Eingeschenkt! Leeren wir das Glas! Stoßt mit Eurem Freunde, mit Eurem alten Vater an."

Schwungvoll hoben sich alle Gläser und fuhren hellklingend aneinander. Wildengrün bemerkte abermals, wie der Rath beim Zutrinken plötzlich innehielt und sich wieder an die linke Seite griff. Er wollte eine Frage thun, aber der Rath hatte sich schon an den Tisch gesetzt und das Wort ergriffen. Er sprach mit einem Anflug von Heiterkeit, in die sich jedoch viel Wehmuth mischte:

„Erst jetzt fühle ich mich glücklich, erst jetzt, seit Ihr meine Kinder geworden seid! Ihr seid gut, gefällig, gewiß auch jedes Opfers fähig. Ihr seid tausendmal besser, als jene, deren wirklicher Vater ich war!"

Er senkte den Kopf, trübe Erinnerungen fuhren wie Schatten über sein Gesicht hin.

„Sie waren stets so sparsam mit Ihren Mittheilungen," sagte Horsky, „wenn sie Ihr Privatleben betrafen, daß wir ganz überrascht sind, zu hören, daß Sie verheirathet gewesen sind."

„Meine Frau ist zehn Jahre todt, sagte der Rath. „Sie war mein Alles. Seitdem bin ich ein vom Stamme gerissener, dürrer Ast. Dennoch bin ich froh, daß sie zu rechter Zeit dahingegangen. Sie hat die Augen mit der Ueberzeugung geschlossen, daß unsere zwei Kinder meine Stütze, mein Trost, mein letztes Glück geworden. Sie sind es nicht geworden, obwohl sie mit allen Eigenschaften ausgestattet schienen, die die Natur den Geschöpfen verleiht, um sie selbst und Andere zu erfreuen."

Er brach ab und fuhr gleich darauf wieder hastig, mit tonloser Stimme fort:

„Meine Tochter heirathete wider meinen Willen, wurde unglücklich und starb nach wenigen Monaten. Mein Sohn, ein paar Jahre jünger, widmete sich dem Handelsstande. Kaum sechzehn Jahre alt, verräth er eine abenteuerliche Sucht, ferne Länder kennen zu lernen. Ich widersetzte mich lange seiner romantischen Reiselust, endlich gab ich nach und verschaffte ihm einen Platz in einem Handlungshause in Nau=

plia. Kurz darauf verläßt er heimlich die Stellung und tritt eine neue in Alexandrien an. Mehrmals schrieb er mir von dort, endlich schwieg er, und die Geldbriefe, die ich ihm von Zeit zu Zeit als Unterstützung zusandte, kamen uneröffnet zurück. Endlich hörte ich, daß er gestorben sei. Diese Schläge waren schrecklich, zu schwer, und rasch folgten sie auf einander. Ich ging wie betäubt, wie geistesabwesend umher. Zwei Jahre hielt ich es in Triest aus, endlich beschloß ich abzureisen, denn wo ich hinkam, sah ich die bunten Türken und Griechen, deren farbiges Costüm auf die jugendliche Einbildung meines Sohnes einen so verderblichen Zauber geübt hatte; auch sah ich das türkische Meer und hörte es Tag und Nacht brausen, das Meer, welches mir auf seinen Wellen mein letztes Kind auf immer, auf immer davongetragen!"

Eine stumme Rührung hielt die Zuhörer gefangen, als der alte Herr wieder auffuhr, sich streckte und mit kalter Fassung sagte:

„Das ist vorbei. Maschallah! muß man wie ein Muselman rufen."

Es war inzwischen Mitternacht geworden, die Stephansuhr schlug Zwölf.

Wildengrün rückte Horsky näher und flüsterte:

„Sein Beiname war kein Spiel der Einbildung. Er ist wirklich ein armer, alter, unglücklicher Lear!"

Der Rath war inzwischen aufgestanden oder vielmehr aufgesprungen und an's Fenster getreten. „'s ist heute nichts mit dem Quartett," murmelte er, „der Vierte fehlt, auch könnte ich heute nicht Musik anhören." Er brummte dann abgerissene Sätze vor sich hin, was aber nicht auffiel, da man es von ihm gewohnt war. Die plötzlich aufzuckende Lebhaftigkeit, mit welcher er von einem Gegenstande zu einem andern flog, zeigte eine tiefaufgewühlte Seele an, die den noch immer rüstigen Leib noch nicht in Mitleidenschaft gezogen zu haben schien.

„Kommt her!" sprach er, zum Himmel aufblickend.

Die jungen Leute traten herbei, um zu sehen, was er ihnen zeigen werde.

„Seht," sprach er „dieses Heer von Sternen! Hoch am

westlichen Horizont muß Euch ein Stern auffallen, der so gelb glänzt, anders als alle ringsumher, so gelb wie eine Todtenblume."

„Wir sehen ihn," sagten die Freunde.

„Es ist der Saturn. Würde es Euch interessiren, einmal seine sieben Monde zu sehen?"

Die Freunde bejahten es freudig.

„Ich habe ein herrliches Teleskop gekauft. Ich will es gleich holen."

Rasch wandte er sich um und wollte gehen, blieb aber plötzlich, sich an die Brust greifend, stehen und rief:

„Ich habe heute auf der linken Seite geschlafen, und nun schmerzt es mich hier. Das ist immer die Folge davon."

„Sie sind doch sonst nicht unwohl?" fragte Wildengrün beunruhigt, da er sich erinnerte, wie oft der Rath im Laufe des Abends an die Herzgegend gegriffen hatte.

„Es ist nichts — höchst unbedeutend."

Er hatte es kaum gesagt, als er sich auf den nächsten Stuhl niederlassen mußte. Die Stiche wiederholten sich und schienen gar nicht unbedeutend, wenn man nach den tiefen, unterbrochenen Athemzügen schloß.

„Ich muß zu Bett," sagte der Rath und erhob sich plötzlich.

„Ich will bei Ihnen wachen!" rief Kunosch. „Ich thue es von Herzen gern."

„Danke!" sprach der Rath mit wohlwollendem Lächeln, Kunosch die Hand drückend. „Seid unbesorgt, dieses Stechen habe ich mehrmals im Monat, allemal, wenn ich links gelegen bin. Gute Nacht."

Er schoß zur Thüre hinaus, ohne auf die Anreden, die von allen Seiten an ihn ergingen, im geringsten zu achten.

„Er wird doch nicht —" sagte Wildengrün mit tiefem, sorgenvollem Bedenken.

„Erkranken meinst Du?" fragte Horsky. „Ich habe diesen Zustand oft an ihm bemerkt, wenn auch weniger heftig als heute. Gehen wir schlafen."

Er sagte es und ergriff seinen Hut. Wildengrün that ein Gleiches.

Da polterte Jemand die Treppe eilig herauf, die Thüre wurde aufgerissen, Kral trat ein.

„Ihr geht auseinander?" sagte er. „Nun, ich fordere Euch nicht auf, zu bleiben. Ich bin sehr müde und darf höchstens einige Stunden schlafen."

„Wo steckte heute den ganzen Tag unser geheimnißvoller Doctor?" fragte Kunosch scherzhaft, doch mit wirklich großer Neugierde.

„Brauchst nicht Alles zu wissen," trumpfte Kral ihn ab. „Wie schläfrig ich bin!"

Er riß den Rock vom Leibe herunter und warf ihn einige Schritte weit über eine Stuhllehne. Die schwer gefüllten Taschen zogen ihn aber gleich auf den Boden herunter. Beim Fall erklangen aneinander schlagende Silbermünzen.

„Ho! was ist das für ein Klang?" rief Kunosch, der selten Geld hatte, mit angenehmem Schrecken, daß Alle auf= lachen mußten, mit Ausnahme Kral's, dem es unangenehm schien, denn er antwortete, den Rock aufhebend:

„Du thust, als ob mir der Satan selbst in den Taschen rasselte. Da, sieh!"

Er entlud die Taschen und legte etwa zwanzig Kronthaler auf den Tisch. „Sie sind redlich, aber sauer verdient."

Horsky und Wildengrün verließen das Zimmer.

Drittes Kapitel.

Rath Eschburg.

Am andern Morgen waren die Freunde über das Un= wohlsein des alten Herrn außer aller Sorge, da sie vom Hausmeister, der ihn bediente, hörten, daß er rüstig, wie ge= wöhnlich ausgegangen sei.

Spät am Abend desselben Tages ging Kunosch, von seinem Tagewerk ermüdet, aber heiter wie gewöhnlich, die Treppe hinauf und pfiff ein Liedchen. Da hörte er die Stimme des Rathes, der, wie wir wissen, im Seitenflügel des ersten Stockwerks wohnte, aus dem Hintergrunde des Corridors den Hausmeister rufen. Dienstbereit, wie es in seiner Natur war, lief Kunosch sogleich zum Rath, ihm zu sagen, daß er den Mann selbst holen wolle. Das Wort versagte ihm im Munde, als er den alten Herrn erblickte, der mit einer Nachtlampe in der Hand, ganz ausgekleidet und barfuß auf den kalten Ziegelsteinen in der kalten Nachtluft stand.

„Sind Sie es, Kunosch?" rief der Rath.

„Wie können Sie so unvorsichtig sein, so hinauszugehen!" rief der Angeredete, indem er den Rath in's Zimmer zurückdrängte.

„Sie haben Recht," sprach der Rath und kehrte in's Bett zurück. „Ich hätte liegen bleiben sollen. Aber was soll ich thun? es giebt keinen Glockenzug in diesem verfluchten Hause! Ich wollte den Hausmeister heraufcitiren. Ich habe mich doch erkältet und möchte schwitzen — Ich habe mich schon um Sechs zu Bett begeben..."

„Sie sind doch nicht ernstlich krank?" unterbrach ihn Kunosch.

„Bewahre!" sagte der Rath lächelnd. „Ich bin nur übertrieben vorsichtig — muß vorsichtig sein in meinen Jahren! Ich hatte dem Hausmeister aufgetragen, mir warmes Wasser zu bereiten — da, als er hinausging, glaubte ich bemerkt zu haben, daß er irgend etwas aus meinem Kasten mit fortnahm. Um mich zu überzeugen, sah ich nach und vermisse nun die Blechbüchse, in der ich meinen Kaffee bewahre."

In diesem Augenblicke trat der Hausmeister ein und brachte das Fußbad. Es war ein Mann von etwa vierzig Jahren mit schwarzem Haar und Backenbart, dessen gemeines, abstoßend häßliches Gesicht mit der platten, breiten Nase finster und frech in die Welt schaute. Er war pockennarbig, hieß Zabera und war seines Zeichens ein Schuhflicker.

„Sie haben meinen Kaffee fortgenommen?" sagte der Rath.

„Ja," gab der Hausmeister zur Antwort. „Der Herr

3*

Rath befehlen oft Nachts eine Taſſe. Es ſchien mir gerathen, mich vorzuſehen, damit Sie nicht lange warten dürfen. Denn, liebſter Herr Kunoſch," wandte er ſich an den Genannten, „ich halte den gnädigen Herrn für recht krank. Ich habe es meiner Frau geſagt. Der gnädige Herr iſt recht krank."

„Schwätzen Sie nicht ſo dummes Zeug!" ſagte der Alte.

Auf Kunoſch machten die Worte des Hausmeiſters einen überraſchenden Eindruck. Er ſah den Rath ſcharf an und wunderte ſich, zuvor ſo blind geweſen zu ſein. Die Augen des alten Herrn leuchteten ſo feucht, ſeine Wangen glühten tief geröthet, während alle übrigen Theile des Geſichts bläſſer als ſonſt erſchienen und das Kinn zuweilen zuckte, wie wenn den Kranken fröſtle.

„Ihr habt Recht, Zabera," flüſterte Kunoſch dem Haus= meiſter zu, „der alte Herr iſt kränker, als er denkt."

„Freilich, freilich," ſagte dieſer leiſe. „Sie ſehen es, Sie ſind ein grundgeſcheidter Herr! Krank iſt er, aber ſeien Sie unbeſorgt. Ich werde ihn pflegen."

„Sollte ich nicht Kral rufen?" fragte Kunoſch, „oder einen andern Arzt?"

„Das würde ihn nur erſchrecken," entgegnete der Haus= meiſter. „Laſſen Sie ihn nur einſchlafen. Sollte es ſich verſchlimmern, will ich ſogleich Sie und Herrn Kral herunter= rufen."

„Ihr mögt Recht haben," antwortete Kunoſch, der leicht zu überzeugen war, und wünſchte dem Rath gute Nacht.

Er ging auf ſein Zimmer. Dort, auf ſeinem alten Kanapee ſitzend, konnte er lange nicht mit ſeinen Gedanken von dem alten Manne loskommen, der, ſo allein, kinderlos, bei mangelhafter Pflege in der fremden Stadt krank zu werden drohte. Es war Elf, ehe er in's Bett kam. Er hatte be= reits feſt geſchlafen, als er durch das Eintreten Kral's geweckt wurde.

„Du kommſt wieder ſehr ſpät," ſprach Kunoſch ſchläfrig. „Heut iſt's gewiß wieder Mitternacht, wie geſtern."

Kral lachte, während er die Ledertaſche, in welcher er ſeine Inſtrumente trug, auf den Tiſch legte, und ſagte dann:

„Mitternacht meinst Du? Du wirst Dich wundern, wenn ich Dir sage, wie viel Uhr es ist. Halb Fünf Morgens!"

„Nicht möglich!" meinte Kunosch. „Aber sage mir nur, Mensch, wo Du so die ganze Nacht steckst, was Du treibst?"

„Freund," sagte Kral, „daß ich nicht zum Vergnügen die Nächte wegbleibe, magst Du glauben!"

„Halb Fünf," sagte Kunosch und rieb sich die Augen. „Da sollte ich ja aufstehen. Um sieben Uhr soll ich schon eine Lection geben, drüben auf der Kleinseite..."

„Rath Eschburg ist auch schon aufgestanden," sagte Kral. „Ein sonderbarer, ruheloser alter Mann! Eben begegnete mir der Hausmeister auf der Treppe. Er trug schon seine Kleider und Stiefel herab, um sie zu putzen."

„Ei, das freut mich!" gab Kunosch zur Antwort. „Er war unwohl und ich wurde schon recht besorgt. Stände es nicht gut mit ihm, so würde der Hausmeister Dir etwas gesagt haben."

Kral legte sich nieder, von seinen geheimnißvollen Gängen erschöpft, und auch Kunosch schlummerte wieder ein.

Der Tag ging vorüber, ohne daß man vom Rathe Nachricht hatte. Kunosch, der es verschlafen hatte, mußte eiligst zur Kleinseite hinüber, wo er eine Stunde zu geben hatte, von da in die Judenstadt, in's Karolinenthal. Er wollte heimkommen, doch unerwartete Störungen hinderten ihn daran, brachten ihn auf andere Gedanken. Als er endlich Abends wieder heimkam, traf er den Hausmeister mit einer Cigarre im Munde vor der Hausthüre.

„Der Rath ist wohl nicht zu Hause?" fragte er ihn.

„Er ist zu Hause," gab Zadera mit seltsamer Verlegenheit zur Antwort. „Er ist eigentlich gar nicht ausgegangen."

„Was Ihr da sagt," rief Kunosch. „Ich glaubte —"

„Es ist gar nicht schlimm," beruhigte ihn der Hausmeister. „Uebrigens hat er alle Pflege von mir und meinem Weibe, der liebe, alte Herr." —

Kunosch hätte sich vielleicht mit diesen Worten abfertigen lassen, wenn ihm nicht plötzlich die feine Cuba-Cigarre aufgefallen wäre. Es war die Sorte, die der Rath rauchte.

„Raucht Ihr so theures Zeug?" fragte er den Hausmeister.

„Warum nicht," erwiderte dieser mit Humor, „wenn ich es geschenkt kriege."

„Sie ist vom Rath Eschburg, ich erkenne sie."

„Richtig!" sagte Zabera und wandte Kunosch den Rücken.

Das fiel ihm auf und erinnerte ihn an die Kaffeebüchse, die der Hausmeister eigenmächtig hinabgetragen. Mit den Cigarren konnte dasselbe der Fall sein. Er nahm sich vor, der Sache auf die Spur zu kommen.

Als Kunosch in das matt erleuchtete Zimmer des Raths eintrat, hörte er den seltsam rasselnden Athem, der selbst dem Laien als das Zeichen einer bedenklichen Krankheit erscheinen mußte.

Rath Eschburg schlief, der Wand zugekehrt. Kunosch näherte sich ihm leise, auf den Fußspitzen, und beobachtete ihn aufmerksam. Auf der schönen, breiten, edlen Stirn des Greises stand der Schweiß in hellen Tropfen und feuchtete die Locken seines silberweißen Haares. Die Brust hob sich schwer und heftig. „Er ist sehr krank! Ich will Kral holen!" sagte Kunosch zu sich und wollte sich ebenso leise wieder entfernen.

Da schlug der Rath die Augen auf.

„Gut, daß Sie da sind!" sagte er, und man sah, daß ihm jedes Wort Mühe kostete. „Sie können mir am besten sagen, warum Kral nicht kommt."

„Haben Sie nach ihm verlangt?" fragte Kunosch erstaunt, „dann wäre er da! Ich glaube, er weiß kaum, daß Sie seiner bedürfen."

„Ich bin krank," seufzte der Rath, „kränker, als ich glaubte. Es liegt mir schwer auf der Brust, wohl ein zurückgeschlagener Husten." Die Worte erstickten ihm im Munde. „Ich fühle auch Stiche in der Brust," sagte er und fuhr schmerzlich seufzend über die schweißbedeckte Stirn.

„Und der Hausmeister sagte nichts!" rief Kunosch mit Zorn und Schrecken. „Gleich hole ich Kral, und ist er nicht zu Hause, einen andern Arzt."

Er wollte fortfliegen, doch der Rath hielt ihn noch fest. „Ich will Kral haben, Niemand als Kral. Hören Sie, lieber warte ich bis Mitternacht."

Kunosch hatte kaum die Thüre hinter sich geschlossen, als der Hausmeister eintrat. Er hielt die brennende Cigarre noch zwischen den Fingern.

„Gnädiger Herr, wie geht's?" fragte er.

„Sind Sie da?" sagte der Rath, einen langen Blick auf ihn heftend. „Warum haben Sie nicht, wie ich schon befahl, Kral gerufen?"

„Ach, mein Gott," murmelte der Hausmeister verlegen, „der Kral ist ein junger Doctor, der den Teufel versteht. Ich wollte lieber warten —"

„Wenn ich Kral haben will," sagte der Rath, wild mit der Faust an die Bettwand schlagend, „so haben Sie kein Recht, mir einen andern Arzt zu holen."

„Wenn Sie meine gute Meinung so verkennen — —" versetzte Zabera in einem kalten und anmaßenden Tone.

Kral, von Kunosch und Horsky begleitet, traten ein.

„Gottlob!" rief der Rath, die Eintretenden erblickend, „ich bin doch nicht allein! doch nicht ganz allein! Allein und krank in der Fremde, ist ein Vorgeschmack des Grabes!"

Kral ergriff die Hand des Kranken und untersuchte ihn auf das Genaueste. Dann wandte er sich an seine Begleiter:

„Eine Erkältung, die sich auf die Brust geworfen. Es war die höchste Zeit, einen Arzt zu rufen, doch ist's noch nicht zu spät."

„Sie halten es nicht für gefährlich, Doctor?" sagte Eschburg leise, mit keuchender Stimme.

„Gar nicht, Herr Rath, gar nicht!" war die Antwort.

„Das hab' ich auch gesagt," ließ sich Zabera von hinten grob vernehmen, „das hab' ich auch gesagt."

„Ihr habt hier gar nichts zu sagen!" rief ihm Kral zu.

„Und Sie haben mir den Kukuk zu befehlen, wissen Sie das?" entgegnete der Hausmeister, ohne Rücksicht auf den Kranken.

Da mischte sich Horsky hinein. „Und obendrein untersteht Ihr Euch," sagte er, „eine brennende Cigarre in's Krankenzimmer mitzunehmen?"

„Ohnehin ist es mir gar nicht klar, wie Ihr zu Cuba-Cigarren kommt," bemerkte Kunosch sehr gereizt, indem er einen Blick auf das Kästchen warf, das halboffen auf dem Secretär stand.

„Da machen Sie die Augen auf!" rief Zabera und zeigte die Cigarre hin.

„Das ist nicht mehr dieselbe!" erwiderte Kunosch. „Ihr sagtet, der Rath habe Euch eine geschenkt."

„Das hab' ich gesagt," sprach der Hausmeister, „weil Sie mich fragten, was Sie nichts anging, statt Sie um die zwei Gulden zu mahnen, die Sie mir noch für's Kleiderputzen schuldig sind!"

„O Du Lump!" rief Kunosch, und ihm versagte die Stimme. Da trat Kral, der indessen mit dem Rathe einige Worte gewechselt und dennoch Alles mit angehört hatte, vor und sagte zum Hausmeister:

„Mich habt Ihr auch belogen, als ich Euch heute früh begegnet bin. Der Rath ist gar nicht aufgestanden und seine Kleider von vorgestern liegen noch ungereinigt da. Was habt Ihr da fortgeschleppt? das wird untersucht werden. Hieher thut Ihr keinen Schritt mehr! Da sind zwei Gulden!"

Er schob den wuthschnaubenden Kerl zur Thüre hinaus und warf ihm den Zweiguldenzettel nach.

Das geschah Alles, während der Rath ruhig zuzusehen schien, oder auch in fieberischer Aufregung theilnahmlos blieb.

„Wie kannst Du einem solchen Schuft Geld schuldig bleiben!" wandte sich Kral mit hartem Vorwurf an Kunosch. „Ich bin ein anständigerer Gläubiger!"

Kunosch stand beschämt.

„Ich schreibe ein Recept. Lauf in die Apotheke, Kunosch!" sagte Kral. Er schrieb, und der Sprachlehrer flog diensteifrig davon. „Auch Eis muß geholt werden!" fügte er hinzu, und Horsky übernahm diesen zweiten Auftrag.

Eine Viertelstunde später hatte der Rath Eschburg seine Arznei und Eisumschläge um den Kopf. Kral saß noch immer auf dem Stuhl neben dem Bette und hielt den Puls des Kranken unter seinem Finger fest.

„Mir geht ein Licht auf!" sagte er dann, sich erhebend, zu den beiden Freunden mit leiserer Stimme. „Der Hausmeister wollte den armen Rath in der Stille ohne Pflege zu

Grunde gehen laſſen, um ihn zu beſtehlen. Ich traute ihm längſt nicht mehr."

Da räusperte ſich der Rath und rief: „Kunoſch! Ich bitte Sie, legen Sie mir meinen Pelz auf die Füße, die Bettdecke iſt ſo kurz."

Der Gerufene ſuchte den Pelz, der Rath begann wieder: „Meine Bruſt iſt ſchrecklich beklemmt. Ich fühle zum erſten Mal, wie verlaſſen, wie hülflos ich wäre, wenn ich Euch nicht hätte! Verlaßt mich nicht! Ich bin am Körper gepeinigt, hätte ich nicht Freunde um mich, müßte ich in Kleinmuth und Verzweiflung vergehen!"

Kunoſch, der den Pelz geſucht und nirgends gefunden, ſagte zu Kral: „Der Pelz iſt nicht da!"

Kral eilte hinaus. Der Rath ſchien wieder einzuſchlummern.

„Freund!" ſagte Horsky zu Kunoſch, „der Rath gefällt mir nicht — ich fürchte, ich fürchte! —"

„Denke an meine geſtrige Prophezeiung!" ſeufzte Kunoſch, „der Fünfbund war zum erſten Mal unvollzählig, und das hat wirklich was zu bedeuten!"

„Es trifft beinahe ein; der Aberglaube droht zu ſiegen!" ſagte Horsky traurig.

In dieſem Augenblicke trat Kral mit dem Pelz ein. Er breitete ihn auf die Füße des Schlummernden aus und ſagte zu den Freunden leiſe, mit einer Stimme, die vor Entrüſtung bebte: „Der Schuft! der Elende! Er hat den Pelz hinuntergenommen, um ihn den Sommer über vor Motten zu ſchützen! Gerade ein Kleidungsſtück hat er gewählt, von dem er glaubte, man werde es nicht vermiſſen!"

Die Aufmerkſamkeit auf den Kranken unterbrach den Erguß ſeines Zornes. Kral betrachtete ihn eine Weile, wie er ſchwer und raſch athmete, und ſagte, ſeine Freunde bei Seite nehmend:

„Unſer armer, alter Freund iſt ſterbenskrank! Eine Lungenentzündung iſt da. Ich weiß nicht, ob wir ihn durchbringen. In dieſem Alter und bei ſo reizbaren Nerven — — Ich fürchte, ich fürchte!"

„Was Du ſagſt!" rief Kunoſch und fuhr vor Schreck zu-

sammen. Naturen, wie die seinige, wehren sich lange, das
Schlimmste zu denken."

Horsky wiegte den Kopf sorgenvoll und firirte den
Kranken. Kral, der indeß ein neues Recept geschrieben, trat
wieder an Kunosch und sagte: „Hole noch dies aus der
Apotheke! Ich warte, bis Du kommst."

Kunosch ging, Kral und Horsky warfen sich auf das
kleine, enge, beinahe wie eine Steinbank harte Sopha, das
dem Bette gegenüber stand, und schwiegen, ihren trüben Ge=
danken überlassen.

Plötzlich wurden sie von einem Hustenanfall des Kranken
aufgestört, Kral eilte an's Bett. Müde, abgehetzt, erschöpft
sank der Kranke endlich auf's Kissen und jammerte: „Ich
leide! Ich leide!" Gleich darauf fiel er in seinen früheren
schlafähnlichen Zustand zurück.

Kral sagte zu Horsky:

„Höre nur, wie der Athem von Minute zu Minute drang=
voller geht, sieh wie die Hitze steigt! Sein Puls jagt rasch,
kaum zu zählen!"

Kunosch kam zurück, Kral gab dem Kranken die Medicin
ein; er ließ es willenlos geschehen.

„Es ist unmöglich," sagte Kral zu den Freunden, „daß
wir ihn auch nur eine Minute allein lassen. Ich habe zu
thun, muß wieder fort, doch nach Mitternacht bin ich wieder
da. Ihr müßt einander ablösen und diese Nacht wachen."

„Ich wache und wenn diese Nacht tausend Stunden hätte!"
rief Kunosch. „Verlaß Dich darauf!"

Ebenso bereit erklärte sich Horsky, und Kral, nachdem er
Beiden Instructionen auf alle Fälle bezüglich gegeben, ent=
fernte sich.

Eine lange Zeit ging hin. Die beiden Freunde saßen
meist schweigend in der eigenthümlich aufgeregten Erwartung
und bangen Spannung da, welche das Gemüth des Nahe=
betheiligten am Krankenbette überkommt. Die Stille des matt
erhellten, düstern, unfreundlichen Gemachs wurde nur von
den rasselnden Athemzügen des Kranken und dem Picken der
auf dem Tische liegenden Cylinderuhr unterbrochen. Sobald
der Rath eine Bewegung machte, fuhren die Freunde empor,

ihn zu bedienen, es erwies sich jedoch immer als unnütz, und sie nahmen mit neuer Beunruhigung wieder die alten Stellungen ein.

Mitternacht war nahe, der Rath hatte in dem so tiefen und doch unruhigen Fieberschlafe, in welchem er balag, nichts verlangt, nichts gesprochen. Plötzlich murmelte er: „Wasser!"

Kunosch sprang herbei, der Kranke schien jedoch schon vergessen zu haben, was er verlangt. Kunosch setzte sich, nachdem er das Glas an seine Lippen geführt und ihn vermocht hatte, ein paar Tropfen zu trinken, wieder auf den früheren Platz. Da schlug die Uhr der Stephanskirche Zwölf, und kaum hatte es ausgeschlagen, als der Rath mit stärkerer Stimme als bisher, ganz laut fragte: „Wer hat geklingelt?"

Kunosch sprang auf, um zu antworten, der Kranke aber, ohne ihn zu beachten, fuhr fort:

„Niemanden einlassen! Ich will ganz allein sein! Ich hätte doch in Triest bleiben sollen!"

„Er beginnt zu phantasiren!" flüsterte Horsky seinem Nachbar zu.

„Ich wollte, Kral käme!" antwortete Kunosch.

„Niemanden einlassen!" wiederholte der Kranke.

Gleichzeitig war es den Beiden, als wenn Jemand an der Thüre vorbeigestreift wäre.

Horsky ging hinaus. Als er wiederkam, sagte er:

„Ganz richtig! Der verwünschte Rabe patrouillirt da draußen herum!"

„Rabe?" fragte Kunosch.

„Wo ist Dein Mutterwitz? Ich meine den Hausmeister."

In diesem Augenblicke kamen Schritte die Treppe herauf, die Thüre öffnete sich behutsam, Kral trat ein.

„Wie steht es?" fragte er die Freunde leise, und seine großen, schwarzen Augen gingen ernst und traurig vom Einen zum Andern.

Die Freunde zuckten die Achseln und wiesen auf den Kranken; dieser bewegte sich, that die Augen auf und sagte:

„Ihr wacht? Geht schlafen, Kinder! Geht schlafen! Bis Morgen ist Alles vorüber!"

Kral näherte sich ihm und begann einige Fragen an ihn zu richten: der Kranke hielt keiner Frage Stand. Kral verschrieb ein neues Mittel und Kunosch lief zum dritten Mal in die Apotheke.

„Horsky," sagte der Doctor, „man muß auf das Aergste gefaßt sein. Puls, Beklemmung, alle Symptome haben sich inzwischen verschlimmert. Phantasirt er nicht?"

Da begann der Kranke wieder verständlich und unverständlich durcheinander zu reden.

„In Karolinenthal ist soeben ein Haus eingestürzt — aber um einen alten Mann ist nicht Schade. Ein Sprichwort, schon abgedroschen, sagt, Alter sei eine Krankheit. Man sagt zwar — daß Thiere nie krank werden, weil sie keinen Kummer haben. Wir verlieren Söhne und Töchter! — Und das zieht uns in's Grab. — Ich konnte nicht sagen: wohl dem, der Freude erlebt an seinen Kindern; zwar, mein Gewissen ist rein, denn ich habe Vater und Mutter geehrt. — Ich habe sie nicht in Schwermuth gestürzt! Ich kann froh sein. — Es ist eine schöne Genugthuung. Kann das Jeder von sich sagen? — Und doch — ist meine Brust mit Centnern belastet und geht schwer — wie ein Roß im Sande! Alte Leute! —"

Er verstummte plötzlich.

„In diesen Irrereden," sagte Kral, „abgesehen vom ärztlichen Symptom, lüftet sich ein innerer Jammer, den er bei Bewußtsein immer verschwieg."

„Ich fürchte," versetzte Horsky, „daß wir unsern guten Alten verlieren!"

„Als Arzt," antwortete Kral, „kann ich es noch nicht sagen, als Freund habe ich wenig Hoffnung."

Eine Weile später erschien Kunosch. Kral nahm ihm die Medicinflasche gleich aus der Hand, um den Kranken einnehmen zu lassen, und weckte den Rath, der ihn erst lange mit irren, fieberglänzenden Augen ansah. Er machte eine abwehrende Bewegung, als man den vollen Löffel dem Munde näher brachte, und sagte in einem Tone, der einen tiefen Unwillen ausdrückte: „Das war recht zur Unzeit!"

Kral entschuldigte sich, seinen Antrag wiederholend, und

rebete bem Kranken zu, während Horsky zu Kunosch bemerkte:

„Er kennt uns, er ist doch nicht so tief bewußtlos —"

Der Rath wies abermals mit derselben Bewegung den Löffel des Arztes zurück und sagte mit angestrengter, beinahe barscher Stimme:

„Plagen Sie mich nicht, Kral! Und Ihr, geht schlafen!" Er hielt ein wenig inne und fuhr dann weich und freundlich fort: „Eigentlich ist es mir lieb, daß Ihr herunterkamt, den Alten zu sehen. Nur seid Ihr sehr zur Unzeit gekommen! Wäret Ihr nur ein paar Minuten später eingetreten, wäre es besser gewesen!"

Die Freunde sahen sich bei diesen räthselhaften Worten verwundert an, doch keiner von ihnen konnte glauben, daß aus der Rede des Raths volle Besinnung spreche.

Er hatte inzwischen sein Gesicht mehr hinübergewendet. Die Augen waren geschlossen, durch den halboffenen Mund jagte der schwache Athem, die Fieberröthe gab dem greisen Antlitz mit dem grauen, lang herabwallenden Haar einen unnatürlichen, aber auch erstatischen Ausdruck. Die Freunde blickten eine Zeitlang sprachlos auf ihn nieder. Da begann plötzlich das Gesicht sich zu beleben, jede Miene schien einen beredten Zug zu gewinnen, der Mund öffnete sich zum Sprechen, es war, als hätte er etwas Ungewöhnliches, aber beinahe Freudiges zu sagen. Endlich sprach er, die Augenlider flüchtig hebend:

„Ich habe den Knaben wiedergesehen! Laßt mich, ich werde ihm noch in's Gesicht schauen können! Ich bin nicht krank, aber er führt mich irre und ich werde so athemlos davon... Von Berg zu Berg gehe ich ihm nach, ich steige in Schluchten, krieche an Abhängen, springe klaftertief. Was ist das? Kauert dort nicht Jemand? Ja so, ein Hirt seid Ihr? Weidet die Schafe? So seid Ihr meinem Knaben wohl begegnet? Nein. Nun, da kann ich mich bei Euch nicht aufhalten. Lebt wohl, ich muß fort... Ha! jetzt bin ich so hoch, daß das Meer hier dreimal größer aussieht, als vom Ufer; ich sehe alle Inseln, Nauplia liegt unten am Strand, wie ein Häuflein Steine! Ich kehre nicht um, ich werde den Knaben umgehen und sein

Geſicht ſehen... Die blaue Tuchjacke, die helle Hoſe — die
Mütze erkenne ich ganz gut, auch iſt es Victor's Geſtalt, nur
verjüngt, wie ſie vor ſechs Jahren war. Er iſt es! Wenn
ich um jene Bergſpitze komme, muß er mir in die Arme laufen!
Nur zugeſprungen! Um den Buſch herum — leck das Geröll
hinab — die Wand hinan — leck über die Spalte hinweg,
den Baum gefaßt — am Abgrund vorüber — nur Alles
ohne Schwindel — — — Weh mir! Ich bin zu erſchöpft,
die Kniee zittern mir — ich muß ausruhen — ausſchnaufen!
O, der böſe Knabe! Er hat den Vorſprung wieder, ich werde
ihm nie nachkommen — aber die Verfolgung geb' ich nicht
auf! Auf, nieder, geſprungen, gerutſcht, im Galopp — er iſt
dicht vor mir — er muß mich hören! Victor! Victor!" — — —

Die letzten Worte ſchrie er faſt. Kral faßte ihn an und
hob ihn empor, um dieſem wilden, ängſtlichen Delirium auf
gewaltſame Weiſe ein Ende zu machen. Es wirkte. Nach
und nach beruhigte ſich der Kranke und lag bald regungs=
los da.

Kral flüſterte ſeinen Freunden zu: „Eine höchſt bedenkliche
Affection des Cerebralſyſtems — ich fürchte das Aergſte."

Er ging an's Bett und beobachtete den Kranken. Dieſer
lag in tiefem Schlafe da, das Delirium ſetzte aus. Dieſer
Zuſtand hielt ein paar Stunden an. Kral verließ das Bett
nicht und that Alles, was ein Arzt vermag, um die Lage
und den Zuſtand des Unglücklichen wenigſtens erträglich zu
machen.

Es dämmerte draußen der Morgen bereits, die Lampe
begann das Zimmer immer matter zu erleuchten. Da erſt
begab ſich Kral zu den Freunden, die auf dem Sopha neben=
einander ſaßen und, ohne ein Wort zu wechſeln, nach dem
Kranken hinübergeblickt hatten. Er ſagte:

„Die Lungeninfiltration iſt unaufhaltbar. Der Puls
ſtockt, bleibt zuweilen ganz aus, das Gehirn iſt mitafficirt.
Ich bereite Euch mit traurigem Herzen auf einen büſtern Aus=
gang vor."

„Ach — wer weiß!" fuhr es über Kunoſch's Lippen. Es
war mehr Faſſungsloſigkeit, als Zweifel an der Diagnoſe.

„Du glaubſt?" ſprach Horsky, ernſtlich ergriffen.

„Ich glaube es fest," versetzte Kral, „und halte die Gefahr
für so nahe, daß Einer von Euch Wildengrün holen sollte,
damit er uns hinterher keinen Vorwurf macht."

„Entsetzlich!" rief Kunosch, griff in seiner unerschöpflichen
Dienstgefälligkeit nach dem Hute und eilte fort, um Wilden=
grün herbeizurufen. Als er das Zimmer verlassen hatte, sagte
Kral zu Horsky:

„Der Arzt ist zu spät gerufen worden. Wenn zu helfen
war, so hätte mit der Hülfe gleich am Morgen, der unserem
Clubabend folgte, begonnen werden müssen. Ich halte den
Tod für gewiß."

Horsky stand einen Augenblick stumm da, von der furcht=
baren Naturnothwendigkeit, die Tod heißt, gebeugt. Dann
sagte er:

„Wenn der traurige Fall eintritt, muß man das Eigen=
thum unseres alten Freundes vor den Geierklauen des Haus=
meisters schützen. Der Schuft hat die Krankheit ohnehin so
verderblich lange verhehlt und ist vielleicht Schuld an seinem
Tode."

Da verlangte der Kranke sein Tuch. Horsky ging, es
ihm zu reichen. Bei der Gelegenheit gelang es, ihm die Me=
dicin noch einmal zu verabreichen. Der Rath seufzte, blickte
die Freunde an und sagte: „Ich glaube, Ihr seid die ganze
Nacht dageblieben?"

„Pflicht der Freundschaft!" murmelten Beide. „Sie wären
von gleicher Theilnahme gegen uns gewesen."

„Wollt Ihr Euch nicht Kaffee machen?" fragte er und
schlummerte sofort wieder ein.

Horsky, von neuer Hoffnung erfaßt, da er den Kranken
über solche Kleinigkeiten reden hörte, flüsterte: „Sollte es
wirklich so schlimm stehen?"

Kral zuckte die Achseln und antwortete: „Als Arzt kann
ich noch nicht anders reden. Bei mir richten Symptome,
nicht Worte."

Der Rath war indeß wieder in tiefen, fiebervollen Schlaf
versunken und hatte in demselben eine Zeitlang zugebracht,
als Kunosch und Wildengrün eintraten.

Der junge Künstler, der von der ganzen Katastrophe nichts

geahnt und den die Kunde derselben mit niederschmetternder Ueberraschung traf, als er eben aufstand, um an die Staffelei zu gehen, wollte dem Drange seines Gemüths folgen und an das Bett des Kranken stürzen. Kral hielt ihn noch rechtzeitig zurück, indem er ihm vorstellte, wie verderlich jede Aufregung auf den Leidenden wirken müsse.

Der Tag war inzwischen angebrochen, es wurde im Hause lebendig, man löschte die Lampe aus. Das Athemholen des Kranken ward immer heftiger und beschwerdevoller, die tiefe Röthe des Gesichts behauptete sich mit gleicher Intensivität. Plötzlich machte er eine Bewegung und äußerte den Wunsch, daß man ihm das Kopfkissen zurechtlegen möge. Als es gethan war, fiel sein Auge auf den Maler, der in schmerzvollem Schweigen, die Hände ineinander gefaltet, dastand, und sagte sanft und ruhig:

„Grüß' Sie Gott, Wildengrün!"

Freude fuhr in die Anwesenden, und der Genannte eilte an's Bett, um die Hand des lieben Alten zu fassen. Er richtete eine Menge von Fragen an ihn, der Rath beachtete keine, vielmehr schien ihn der Schlaf wieder übermannt zu haben. Plötzlich, erst unverständlich, dann mit angestrengter Stimme und deutlich fing er zu murmeln an:

„Ich sehe ihn wieder! Er steht auf der Bergspitze! Wie malerisch der Berg beleuchtet ist! Er wartet, er wartet! Fort! Ihm nach, im Sturm, bergauf, bergauf! zum Gipfel! Victor! Victor!"

Die letzten Worte verhallten beinahe. Die Lebhaftigkeit der Vision, die früher dagewesen, kam nicht wieder zum Vorschein. Endlich sagte er, noch schwächer, fast flüsternd: „Energie! viel Energie! immer Energie! Ich bin auf dem Gipfel! Victor ist mein! Da hab' ich ihn! Ich bin Dein Vater! Die Schwester ist todt. Fremde sind meine Kinder! Mein Sohn bringt mich von Athem! Das Wiederfinden endet — im Blutsturz! Zu Hülfe Wildengrün, Kral — Kunosch! —"

Die letzten Worte sprach er nicht mehr ganz aus. Stumm und regungslos lag er wieder da und bot nur das Bild der im Kampfe ringenden physischen Natur. Kral hatte nach seinem Puls gegriffen und den Freunden einen bedenklichen Seitenblick zugeworfen. Diese stellten sich näher an's Bett. Im Moment der ängstlichsten Spannung knarrte die Thüre, der Hausmeister kam zum Vorschein. Er flüsterte mit gefalteten Händen und geheucheltem Schmerz:

„Ich muß meinen guten, lieben Herrn noch einmal sehen. Ich weiß, daß es schlimm steht. Ich hab' es gleich gesagt. Meine Frau —"

Aber die Situation erlaubte nicht, daß einer der Freunde seinen Gefühlen beim Anblick der widrigen Erscheinung Luft mache.

Soeben hatte der Puls ausgesetzt, einige leichte, flüchtige Athemzüge glitten noch über die Lippen. Plötzlich stand die Maschine still...

Der Rath war todt. Es war sieben Uhr.

Viertes Kapitel.

Am Begräbnißtage.

Als der Rath die Augen geschlossen hatte, waren natürlich die Pflichten der Freunde für den Verstorbenen noch nicht zu Ende. Mit trauererfüllten Herzen theilten sie sich in die vielen Gänge, die ein Begräbniß in großen Städten nöthig macht. Keiner duldete, daß die Bereitwilligkeit eines zweiten seinen Antheil mit übernehme. Kunosch machte die Wege auf die Pfarre, das Kirchenamt und den Kirchhof; Wildengrün besorgte die Todesanzeige und die Fiaker, die die Leidtragenden auf die entlegene Grabesstätte führen sollten; Horsky avisirte das Gericht, um das herrenlose Eigenthum versiegeln zu lassen; Kral endlich, der den Todtenschein ausgestellt, bedung sich ausdrücklich, den Sarg zu bestellen. Um die Mittagszeit des

britten Tages war Alles geordnet. Auf vier Uhr Nachmit=
tags war das Begräbniß angesetzt.

Die irdische Hülle des Rathes, bereits eingesargt und
mit Kränzen decorirt, war in ein leerstehendes Zimmer des
Hofgebäudes geschafft worden und erwartete nur noch die
Geistlichen und die Leichenträger.

Die Freunde, schwarz gekleidet, saßen oben auf Kral's
Zimmer versammelt und machten dem bedrängten Gemüthe
durch Gespräche Luft, die sämmtlich um den Todten sich be=
wegten. Sie führten sich die schönen Züge des Verstorbenen
vor die Seele, zergliederten seine Eigenthümlichkeiten und
Widersprüche, die sich jedoch leicht in Einklang bringen ließen,
seit er ihnen den im Mittelpunkt des Herzens liegenden Va=
terschmerz gezeigt hatte. Da bekam seine umherfahrende Un=
ruhe einen Sinn, denn er suchte ja etwas, was nicht vor=
handen war; da bekam die stürmische Jagd von einem Ge=
genstande zum andern eine Bedeutung; er wollte ja seiner
Erinnerung entkommen und etwas Unvergeßliches vergessen.
Dieser erfolglose Kampf war der tragische Grund aller seiner
Handlungen und Schritte. Sogar auf dem Sterbelager, als
der Leib kaum eine Bewegung mehr machen konnte, jagte
noch seine unglückliche, einsame Seele in ihren Visionen
über die Bergkämme der Küste von Nauplia, wo die letzten
bekannten Fußstapfen seines Sohnes eingedrückt waren.

Es war ein schöner, sonniger Maitag, der Himmel blau,
die Luft so weich. Die Schönheit des Tages wirkt eigens
auf den Trauernden, das Herz will sich freuen und sieht, wie
schwer es ist. Es gleicht einem Gefangenen. Der Sonnen=
strahl und das säuselnde Lüftchen bringen zu ihm und bringen
ihm die Kunde, wie herrlich es draußen und wie reizlos es
in seiner Zelle ist!

Auch der Hausmeister Zabera war nicht in seiner alltäg=
lichen Gemüthsstimmung. Darunter ist nicht blos der Zwang
und die Anstrengung zu verstehen, deren er bedurfte, um über
den Tod seines Miethsherrn ein recht trauriges Gesicht zu
zeigen und den Leuten überall zu erzählen, wie nahe er dem
Verstorbenen gestanden, wie er ihn besonders gern bedient
und wie wenig er davon gehabt habe.

Er hatte sein Mittagessen bereits eingenommen und saß am offenen Fenster, um den Rock eines Herrn, dessen Kleiderputzer er war, zu flicken; sein Weib wusch beim Ofen die Teller ab. Die Frau war ebenso verstimmt, wie der Mann, sie trauerte, daß sie aus dem Todesfalle keinen Nutzen gezogen, und schürte mit ewigen Bemerkungen ihres Gatten gekränkte Habsucht zu immer helleren Flammen an, indem sie behauptete, daß er sich von den jungen Leuten habe verdrängen lassen.

Der Hausmeister hörte lange schweigend zu. Schließlich warf er den Rock bei Seite, fuhr mit der Nadel in die Luft und schrie:

„Schweig endlich, schweig! Der Teufel hole Alles! Kein Wort mehr!" Darauf nahm er seine Arbeit resignirt vor.

Das Weib gab keine Ruhe, sondern wußte ihn durch eine neue Wendung immer wieder aufzustacheln.

„Lachen würde ich aber," sagte sie mit der gemeinsten Schadenfreude, „wenn die Gerichtsherren das Zimmer des Raths wieder entsiegeln und all' die schönen Sachen unter die vier Kerle vertheilen würden!"

„Du bist recht dumm!" gab der Mann zur Antwort. „Dann müßte etwas Schriftliches darüber da sein. Das giebt es nicht! Ich rührte mich bei der gerichtlichen Aufnahme nicht von der Stelle. So viel ich weiß, hat er auch gar keine Verwandten. Es werden die Sachen an's Armenhaus kommen. Das ist mein Trost, daß die Vier auch nichts kriegen. Ich hab' auch, als der alte Herr krank war, die ganze Nacht aufgepaßt, daß sie nichts fortschmuggeln."

„An die Armen kommt es also!" seufzte das Weib. „Die schönen Sachen! die vielen Kleider und, nicht wahr, außer der Uhr noch vier große Goldringe?"

„Ja," gab der Hausmeister düster zur Antwort, „und eine silberne Dose. Jetzt aber schweig und mache mich nicht rebellisch!" fügte er in einem wilden Tone hinzu.

„Das hätt' ich besser angestellt," sagte das Weib schnippisch. „Dann sagtest Du, wäre eine Brieftasche voll Banknoten dagewesen..."

„Freilich," brummte der Mann, „es waren dreihundert

4*

Gulden darin. So viel wird aber das heutige Begräbniß kosten. Man glaubte immer, er habe Geld, es hat sich aber gezeigt, daß er nur von der Pension gelebt hat."

„Nun, wir müssen uns damit trösten," sprach das Weib, „daß wir wenigstens 'was bei Lebzeiten genossen haben. Seit der Rath in's Haus gekommen, haben wir keinen Kreuzer für Zucker und Kaffee ausgegeben."

„Und ich hatte meinen Tabak und Cigarren," setzte der Hausmeister mit einer gewissen ruhigen Genugthuung hinzu.

Da klopfte es, die Thüre ging fast gleichzeitig auf, und ein jugendlicher Männerkopf, von einem schwarzen Hut bedeckt, blickte herein.

„Wohnt," fragte der Fremde mit freudiger Hast und vornehmer Nonchalance, „in diesem Hause der pensionirte Rath Eschburg?"

„Nur eintreten!" sagte der überraschte Hausmeister, sich der Thüre nähernd. Der Fremde begnügte sich, die Thüre mehr zu öffnen und wiederholte die Frage.

Der Hausmeister musterte ein wenig den Besucher und gab dann zur Antwort: „Der Herr, nach dem Sie fragen, Rath Eschburg, ist todt."

Der junge Mann erblaßte und fuhr, die Hand, mit der er die Thüre hielt, an den Leib ziehend, sichtbar zusammen.

„Auch uns geht es sehr nahe," sprach der Hausmeister, dem die Gemüthsbewegung des Fremden nicht entging. „Er ist todt."

Der Fremde schien es kaum zu hören. Er hatte den Hut abgenommen und die Hand an die Stirn gelegt, wie wenn er nachdächte oder den Kopf halten wollte. Statt aller Antwort nickte er stillschweigend und machte die Thüre unverhofft zu.

„Wer mag das gewesen sein?" fragte der Hausmeister sein Weib. „Der war wirklich durch und durch getroffen, als ich es ihm gesagt habe."

„Kein Wunder," gab das Weib zur Antwort. „Er wird den Rath vor einigen Tagen gesprochen haben. Mir ist es manchmal selbst wie ein Traum, daß ein so rüstiger Herr todt sein kann, ehe man die Hand umdreht."

Der Hausmeister ging zur Thüre hinaus, da wurde er gewahr, daß der Fremde noch nicht fortgegangen sei. Er sah ihn am Brunnen im Hofe stehen und sich mit einem nassen Tuche über die Stirn fahren. Er ging einige Schritte vorwärts, um ihn näher zu betrachten.

Der junge Mann war hoch und schlank gewachsen, Gestalt und Anzug hatten etwas Vornehmes. Sein Gesicht, von einem matten, dunkeln Teint, schien durch das reiche, schwarze Haar und ein Bärtchen gleicher Farbe noch blässer. Die braunen Augen mit ihrem festen, sichern Blicke deuteten ein selbstbewußtes, sich in der Gewalt habendes Wesen an. Die Nase war scharf gezogen und edel gebildet, der Eindruck des Ganzen ernst, seltsam gemischt mit ansprechender Freundlichkeit. Es war zugleich eins der Gesichter, welche durch Nachdenken, Sorgen oder Erfahrungen eine rasche Gereiftheit ausdrücken und in der Regel eine zu hoch gegriffene Altersschätzung erfahren. Der Fremde sah wie ein Mann von sechsundzwanzig Jahren aus, mochte jedoch vielleicht erst ein- bis zweiundzwanzig alt sein.

Neugierig näherte sich ihm der Hausmeister und sagte mit einer schmeichlerischen Devotion, die ihm gegen Höhere angeboren war:

„Euer Gnaden sind doch nicht unwohl?"

„Mehr als das!" antwortete der Unbekannte in einem überraschend ruhigen Tone, fügte aber tief schmerzlich gleich hinzu: „O, daß ich so spät kommen mußte! Das ist ein Unglück, ein selten großes Unglück!"

„Mit dem guten Herrn Rath ging es auch gar zu rasch!" sagte der Hausmeister.

„Wann ist er denn gestorben?" fragte der Fremde.

„Mittwoch um sieben Uhr Morgens," war die Antwort. „In einer Stunde wird er begraben. Sie kommen noch zur rechten Zeit!"

Der Fremde riß bei den Worten die Augen weit auf. Schrecken und eine grausame Ueberraschung entstellten seine Züge. Nach und nach faßte er sich und rief, gleichsam besänftigt:

„So sehe ich ihn noch? Sehe wenigstens noch den Leichnam? Ich danke dem Himmel, denn mein Unglück konnte ja noch vollständiger sein! Wo ist er? Führen Sie mich hin! Ich vergehe!"

Der Hausmeister führte ihn in das Hofgebäude. Unterwegs sagte er:

„Ich war sein Diener. Er hielt große Stücke auf mich. Ich mußte oft stundenlang bei ihm sitzen. Mein Gott, er hat mich so gedauert, er war so allein, so verlassen auf der Welt —"

„Er war allein —" wiederholte der Fremde mechanisch, den Blick zu Boden gekehrt. „Sprach er nie von seinen Kindern?" Er hielt mit den Worten auf dem Gange an.

„Er hatte keine," war die Antwort. „Was wären das auch für Kinder, die einen so alten Vater in die Fremde hinausgelassen hätten! Seine Kinder waren todt, er hat es mir einmal gesagt. Sollten Sie das nicht wissen?"

„Ich weiß nichts," sprach der Fremde, die Lippen beißend.

„Ich sollte denken, daß Sie ihn gekannt haben und mir etwas über ihn sagen könnten," meinte der Hausmeister, indem er den jungen Mann fixirte.

„Ich kannte ihn, und kannte ihn nicht!" rief der Fremde, vorwärts eilend, „nehmen Sie es, wie Sie wollen!"

Sie erreichten die verhängnißvolle Thüre.

„Hier," sagte der Fremde, einen Guldenzettel hinreichend, „ein Trinkgeld! Da drinnen kann ich Sie nicht brauchen."

Er trat in das Vorzimmer, das zu dem Gemache führte, wo der Rath im Sarge lag.

Lange stand der Hausmeister vor der Thüre, den Guldenzettel in der Hand, das Ohr am Schlüsselloch, und horchte, von Neugierde über den räthselhaften Menschen geplagt. Erst war es still, dann hörte er ein Geräusch von Tritten, endlich ein erst mäßiges, dann immer höher anschwellendes Schluchzen, dessen Geräusch kaum zwei verschlossene Thüren dämpften. War es wachsende Neugierde, oder ein Funken von Menschlichkeit, der Hausmeister wollte hineingehen, um den jungen Mann von dem düstern Schauplatz fortzuführen... In dem Augenblicke aber ließ sich auf der Straße knapp vor dem Hausthor ein hohles Gepolter vernehmen — es kam der große, schwarzbehangene Todtenwagen gefahren, und gleichzeitig schallten Menschentritte von der Treppe her. Es kamen die Geistlichen im schwarzen Habit, die Ministranten in ihren weißen Chorhemden, der Kirchenbiener, von den Tobten=gräbern in schwarzen Mänteln gefolgt, um die letzte Ceremonie zu verrichten.

Diesem officiellen Zuge schloß sich jene bunte Menschen=menge, meist niederen Standes, an, die ein vornehmeres Leichenbegängniß fast immer herbeilockt, daß sie selbst den Sarg eines wildfremden Tobten mit Neugier umstellt.

Das kurz zuvor einsame Tobtenzimmer war im Nu dicht gefüllt. Kral, Kunosch, Horský und Wilbengrün, Alle schwarz gekleidet, waren auch eingetreten.

Während die Geistlichen ihre Gebete verrichteten, stellte sich der Hausmeister im Vorzimmer auf einen Stuhl und suchte den Fremden im Gebränge.

Er fand ihn an's Fenster gelehnt, den Rücken dem Sarge zugewendet, regungslos im tiefsten Schmerze.

Endlich hatte der Priester den Sarg mit Weihwasser be=sprengt und sich mit seinem Gefolge entfernt. Ihm wogte murmelnd, zum Theil schluchzend, die Menge nach, und die Mitglieder des Fünfbundes luden an der Stelle der Tobten=gräber den Sarg auf ihre Schultern, um ihn in den Tobten=wagen zu tragen. Bald war Alles unten, bis auf den räthsel=haften Frembling, der seinen Platz behauptet hatte, und den Hausmeister, der an der Schwelle stand, ihn zu beobachten. Plötzlich wandte sich der Unbekannte um und wollte hinaus=schießen, als wäre er geistesabwesend gewesen, und hätte erst jetzt den Einfall, daß es mitzugehen Zeit wäre. Seine Augen waren stark geröthet.

„Eine Frage, gnädiger Herr!“ sprach der Hausmeister, ihm den Weg verstellend. „Hat der Herr Rath keine Ver=wandten? Man weiß gar nichts von ihm, es ist wegen der Hinterlassenschaft —“

„Er hinterläßt nichts,“ war die trockene Antwort, „wenig=stens nichts, was der Rede werth wäre.“

„Doch nicht,“ entgegnete der Hausmeister, bem als einem blutarmen Teufel einige hundert Gulden ein großes Capital waren. „Es sind schöne Sachen ba, Uhr, Ringe —“

„Bagatellen!" rief der Fremde und wollte forteilen, jedoch der Hausmeister, dem die Erbschaftsfrage so wichtig war, hielt ihn wieder zurück und fragte von Neuem:

„Sie wissen somit etwas Näheres? Wem soll es zufallen? Mein Gott, Verwandte hat doch Jedermann, der einen Groschen zu vererben hat!"

Er schrie die letzten bissigen Worte eigentlich dem Fremden nach, denn dieser hatte der Frage nicht Stand gehalten und war gleich weiter geeilt. Er mußte es gehört haben. In= deß hatte sich der Zug in Bewegung gesetzt. Der Fremde folgte zu Fuß bis auf den Roßmarkt, dort miethete er einen Fiaker, der sich dem Wagenzuge anschloß.

Bald war das Dorf Wolschan erreicht, und der ausge= ladene Sarg ruhte auf zwei Seilen, deren Enden die vier Freunde des Verstorbenen in den Händen hielten, während der Priester des Kirchhofsprengels noch einmal betete und den letzten Segen gab.

Unweit, an einem steinernen Denkmal, das einen von einer Schlange umwundenen Baumstrunk vorstellte, stand der Unbekannte mit starrem Gesicht und unbeweglichen Augen. Erst als der Sarg hinabgelassen und das Erdreich hinunter= geschüttet wurde, riß es ihn fort, er eilte an das Grab und warf mit müder Hand eine Erdscholle hinunter.

Die Bestattung war zu Ende. Die Menge verlief sich im Augenblick, nur die Todtengräber waren noch auf ihrem Posten, und in einiger Entfernung waren die vier jungen Männer, die den Sarg hinabgelassen, stehen geblieben und schienen etwas zu besprechen. Auf sie deutend, fragte der Unbekannte einen der Todtengräber:

„Können Sie mir sagen, wer die Herren sind?"

Der Gefragte zuckte mit den Achseln und wollte verneinen, als einer der Herren zurückkehrte. Es war Horsky. Er sagte zu den Todtengräbern:

„Merkt Euch das Grab ja genau, daß keine Verwechselung geschieht! Morgen kommt ein eisernes Kreuz darauf."

Er wollte gehen, da trat aber der Unbekannte an ihn und sagte:

„Verzeihen Sie eine sonderbare Frage! Sagen Sie mir,

inwiefern Ihnen und den Herren, mit welchen Sie soeben sprachen, dieser Todesfall so nahe geht?"

Horsky musterte erst den Fragenden, dann antwortete er:

„Der Todte war unser Freund, unser Clubgenosse. Wir ehren ihn aber, als wenn er unser Vater wäre."

Der Fremde schlug die Augen nieder, wie wenn die Antwort einen schneidenden Eindruck auf ihn hervorgebracht hätte. Horsky sprach:

„Ich entsinne mich, Sie schon im Hause erblickt zu haben. Ich habe wahrhaftig das Recht, dieselbe Frage an Sie zu thun, die Sie mir gestellt haben."

Der Fremde versetzte, nicht ohne zuvor eine gewisse Verwirrung gezeigt zu haben, darauf:

„Ich habe Rath Eschburg gekannt. Ich habe ihn in Triest zuletzt gesehen." Er hielt ein wenig inne, dann fuhr er wieder fort:

„Ich bin auf der Durchreise. Ich glaubte, ihn noch lebend zu finden. Nicht wahr, er hat sich höchst unglücklich gefühlt, einsam, verlassen —"

„Ich glaube, daß er unglücklich war," antwortete Horsky zagend, „denn der Anschluß an Fremde kann nie die Herzenslücke ausfüllen, die der Verlust der Seinigen zurückläßt."

„Nie, nie!" seufzte der Fremdling und fuhr in einem exaltirten Tone fort: „Wie unrecht war es deshalb von seinem Sohne, ihn zu verlassen! Welches Glück verdient er auf Erden, wenn er Jammer auf dessen Haupt gehäuft, dessen angeborene Stütze, dessen natürlicher Trost er hätte sein müssen! Der Junge war kein herzloses Geschöpf, ich hab' ihn gekannt, er war jugendlich sorglos und abenteuerlich, und dachte nicht daran, was sich hinter seinem Rücken ereignete. Er hat es schon tausendmal gebüßt, er hat es mit Thränen bereut, und es wäre gut, wenn er, wie man allgemein glaubt, auf irgend einem fremden Meere umgekommen wäre. Ihnen aber, mein Herr, und Ihren Freunden, die freilich ihre edle Handlungsweise innerlich selbst belohnt, danke ich von Herzen! Sie haben nur als Fremde gehandelt, aber doch den leiblichen Sohn übertroffen. Zerknirscht, beschämt, in den Boden gebohrt, müßte der Unglückliche vor Ihnen stehen, wenn er ben Muth hätte, Ihnen in's Gesicht zu schauen und seinen Namen zu nennen!"

Mit einem leidenschaftlichen Händedrucke trennte er sich von Horsky und eilte, ehe sich dieser dessen versah, durch den nahen Ausgang davon.

Horsky wußte im Augenblicke nicht, was er von dieser Begegnung halten sollte.

Fünftes Kapitel.

Das Testament.

Wie jedes Ereigniß in seinem Kreise eine lange Reihe von Veränderungen hervorbringt, so war auch der plötzliche Tod des Rathes Eschburg von bedeutsamen Nachwirkungen für seine Freunde begleitet. Die nächste Wirkung war die Auflösung des Fünfbundes. Man hätte glauben sollen, daß sich derselbe noch enger zusammenschließen werde, statt dessen hatte das Austreten des ältesten Mitgliedes seinen Bestand vernichtet. Die Freunde blieben einander zwar von Herzen gut, sahen sich aber nach und nach nur, wenn sie einander zufällig begegneten oder auf öffentlichen Orten trafen. Nur dann und wann machte Einer dem Andern einen flüchtigen Besuch, um einen müßigen Augenblick auszufüllen oder ein kleines Anliegen an den Mann zu bringen. Trotzdem war Einer vom Andern überzeugt, daß er keinen besseren Freund habe. Es war eigentlich auch so.

Immer aber, so oft die Freunde zusammen kamen, füllten wehmüthige Rückblicke auf den verstorbenen Rath ihre Gespräche aus. Er hatte eine eigenthümliche Anziehungskraft besessen, welche nicht allein von seinen Vorzügen ausging; selbst seine Launen und Sonderbarkeiten hatten die Macht, Andere zu gewinnen, und über Allem zusammen war ein

düsteres Interesse wie ein tiefer Farbenton ausgebreitet; der
Reiz des Geheimnisses, hinter dessen halb gelüftetem Vorhang
sein vergangenes Leben verborgen war, trieb die Phantasie
an, sich immer wieder mit ihm, wenn auch vergebens, zu be=
schäftigen. Der in der Welt einsam stehende, von Land zu
Land irrende Greis war ein Räthsel, das zur Lösung auf=
forderte, und in der Masse von Vermuthungen, die man auf=
gestellt hatte, war nur die e i n e Thatsache sicher, daß er in
seinen alten Tagen höchst unglücklich gewesen war.

Die Rückerinnerungen der Pietät sind leider gewöhnlich
schwächer, als jene der bösen Leidenschaften. Das Leben be=
stätigt unausgesetzt die Wahrheit dieses Satzes auf höchst be=
trübende Weise.

Der Hausmeister Zabera war seit dem Tode des Rathes
in wirkliche Melancholie verfallen. Man kennt freilich die
schmutzige Quelle, aus welcher seine Trauer floß. Es handelte
sich bei ihm nur darum, wem die übriggebliebenen Habselig=
keiten des Verstorbenen zufallen würden. Fast täglich um=
strich er einige Male die Thüre, die noch immer mit den
gerichtlichen Siegeln versehen war, und überließ sich dort den
sonderbarsten Betrachtungen. Bald machte er sich Vorwürfe,
daß er dem Rath nicht eher ärztliche Hülfe geholt habe. Der
Kranke wäre vielleicht genesen und hätte ihm aus Dankbar=
keit bei Lebzeiten mehr geschenkt, als er je auf unrechte Weise
erlangen konnte. Bald tröstete er sich mit dem Gedanken,
daß die vier Freunde bei dem Mangel eines Testaments auch
nichts erben würden, und diese Vorstellung war ein wahres
Labsal für seine von gemeinster Habgier gequälte Seele. Aus
diesem Grunde konnte er sich den seltsamen Fremdling, der
am Begräbnißtage so flüchtig erschienen und seitdem für immer
verschwunden war, gar nicht aus dem Kopfe schlagen. Es
war kein Zweifel, daß er ein naher Verwandter gewesen.
Welchen Weg hätte es sich der Hausmeister kosten lassen, um
ihn aufzufinden und ihm zu sagen, daß eine Erbschaft vor=
handen sei! Sein krankhafter Neid konnte sich kein schreck=
licheres Bild malen, als wenn z. B. Kunosch an einem recht
kalten Wintertage in den kostbaren russischen Pelz des alten
Rathes eingewickelt an seinen Fenstern vorbeistolzirt käme,

oder wenn eines Morgens Kral mit der endlosen Goldkette, die der alte Eschburg getragen, die Brust geschmückt, bei ihm einträte, um ihm einen Auftrag zu geben!

Als der Hausmeister an einem Vormittage, mit einer Flick=arbeit beschäftigt, melancholisch am Fenster saß, erblickte er draußen Wildengrün, der aus einem gegenüber liegenden Wohnhause trat und einem Gerichtsdiener begegnete, der ihm ein Papier übergab, das allem Anschein nach ein Vorladungs=schein war.

„Du!" rief er wie neubelebt seinem Weibe zu, das an der Thüre stand, „der Wildengrün hat soeben eine Vorladung erhalten! Gewiß ist der wegen rückständigen Miethzinses verklagt!"

Er hatte kaum ausgeredet, als derselbe Gerichtsdiener bei ihm eintrat und fragte:

„Wohnen die Herren Kral und Kunosch hier?"

„Ja," gab der Hausmeister zur Antwort, der rasch her=beigesprungen war, „doch Keiner ist zu Hause. Was giebt's, guter Freund?"

„Ich lasse," sprach der Gerichtsdiener, ohne auf die Frage näher einzugehen, „diese beiden Vorladungszettel bei Euch."

„Gut, gut!" versetzte Zabera, die Blätter in Empfang nehmend. „Will es bestens besorgen!"

Der Gerichtsdiener ging zur Thüre hinaus und der Haus=meister folgte ihm eiligst.

„Was bedeutet die Vorladung?" fragte er neugierig, auf=geregt. „Ich bin mit den Herren sehr gut. Es wird doch nichts Böses zu bedeuten haben? Es wird ihnen doch nichts Unangenehmes passirt sein?"

„Auf keinen Fall," antwortete der Gerichtsdiener trocken, indem er sich entfernen wollte. „Ich glaube, es wird sich um eine Erbschaft handeln!"

„Um eine Erbschaft!" rief Zabera erbleichend und schlug die Hände über dem Kopf jammernd zusammen, während der Gerichtsdiener seinen Weg wieder ruhig fortsetzte. „Es giebt keine Gerechtigkeit auf Erden! Wie wird sich mein armes Weib ärgern!"

Er drückte sich schwermüthig in den Hof. In dem Augen=

blicke kam Horsky eilig zum Hausthor herein. Seine sonst ernste, zum Nachdenken gestimmte Miene war wie ausgeglättet, und der Schein einer inneren Freude verjüngte sein ganzes Gesicht.

„Sind die Freunde oben?" fragte er den Hausmeister.

„Nein," war die Antwort.

„Dann sagt ihnen," sprach Horsky, „daß ich Abends um Neun wiederkomme und sie mich erwarten sollen. Auch Wilden-grün, dem ich eben begegnet bin, werde erscheinen."

Er wollte sie rasch umdrehen, als Zadera ihn plötzlich mit einer Anrede aufhielt:

„Man sieht Ihnen recht an," sprach er, „daß Sie eine Freude haben. Sie brauchen vor mir nicht so heimlich zu thun. Ich weiß Alles." Er verrieth die größte Gereiztheit.

„Ihr seid unverschämt, wie gewöhnlich," erwiderte Horsky.

„Ich muß mich mit einem alten Manne," murrte Zadera, „ein ganzes Jahr plagen, und am Ende scheeren andere Leute die Wolle. Das geht so auf dieser Teufelswelt!"

„Ihr habt nicht Unrecht," meinte Horsky. „Wir kommen zur Erbschaft der kleinen, aber doch werthvollen Habselig-keiten des Verstorbenen, ohne einen Finger ausgestreckt zu haben."

„Sie haben es eben feiner gemacht!" versetzte der Haus-meister bissig. „Wir dummen Leute sind zu offen und zeigen gleich, was wir wollen —"

„Wenn wir einem schlafenden Kranken," fing Horsky schnell an, „den Pelz forttragen."

Er ließ den Hausmeister, mit dem Weltlauf und der Menschheit zerfallen, stehen und eilte fort.

Als Zadera in seine Stube wieder zurückkam, sagte er zu seinem Weibe mit der solchen Leuten eigenthümlichen Be-griffsverdrehung:

„Prügeln sollte man mich, daß ich ein so gutes Schaf bin! Ich lasse mir allemal den Braten vom Teller mausen! Da soll mir Einer sagen, man kommt mit Redlichkeit besser fort, als mit Kniffen und Pfiffen! Das Wort Redlichkeit hat gewiß ein Halunke von einem Advocaten erfunden, um andere Leute zu verblüffen, damit sie ihn allein zugreifen

laſſen! Mein Alter — Gott hab' ihn ſelig — plapperte
auch immer: Redlich, Fränzchen, redlich, ſo kommſt bu am
weiteſten! Er ſelbſt iſt damit ſo weit gekommen, daß er
keinen ganzen Stiefel hatte und in Winterszeiten ben rothen
Ueberzug von einem alten Paraplui als Leibbinde trug. Geht
mir mit der Redlichkeit! Wenn ich Kinder hätte oder der
liebe Gott ſie uns noch ſchenken ſollte, dann will ich die Bälge
geſcheidter erziehen! Dann wird es nicht heißen: Redlich!
redlich! ſondern: Schnappt zu, Kinder, ſchnappt zu und ſeht
nur, daß man euch nicht erwiſcht!"

„Was giebt's denn, Franz?" fragte das Weib, dem die
Veranlaſſung dieſes wilden Zornausbruchs noch unbekannt
war, mit höchſter Spannung.

„Was?" gab der Mann zur Antwort. „Du könnteſt
Dir's an Deinen fünf Fingern abzählen, wenn Du nicht auch
eine Gans wärſt, noch einfältiger als ich. Was geſchehen
iſt? Das wirſt Du in ein paar Tagen ſehen, wenn die Juden
in's Haus kommen und ben Nachlaß des alten Brummbären
ben vier Habenichtſen ablaufen werden!"

„Mich trifft der Schlag!" rief das Weib, eine ihres
Gatten würdige Seele. „Ich dachte es mir, eine Ahnung
ſagte es mir auf Schritt und Tritt, daß die Vier Alles
erben! Die haben es beſſer verſtanden, ſich einzuſchmeicheln,
als Du!"

„Laß mich in Ruh'!" fuhr der Gatte ſie an. „Von heute
an will ich von dem ganzen Lumpenpack nichts mehr hören!
Man kann vor Wuth krank werden! Ich war ein Eſel, werde
es aber künftighin nicht mehr ſein."

Sie brachen ab, ſich in ihre Arbeit verſenkend, ohne daß
das innerlich kochende Mißvergnügen zur Ruhe gebracht worden
wäre.

Bei ſinkender Nacht kamen Kral und Kunoſch nach Hauſe.
Sie fanden zu ihrer Verwunderung die Vorladungszettel auf
ihrem Tiſche, die der Hausmeiſter kurz zuvor ſtill hingelegt
hatte.

„Was ſoll das bedeuten?" fragte Kunoſch ſeinen Freund,
der ſich in einer eigenthümlichen Aufregung auf dem Sopha
ausgeſtreckt hatte.

„Zerbrich Dir den Kopf nicht!" rief Kral.

„Wie soll ich mir den Kopf nicht zerbrechen?" erwiderte Kral. „Du freilich kannst ruhig sein, wer aber so viel kleine Schulden hat, wie ich —"

„Wie viel betragen Deine Schulden?" fragte Kral.

„Ei — ich rechne lieber nicht nach!"

„Schön!" spottete Kral. „Du treibst es, wie ein junger Majoratsherr. Ein armer Teufel thut besser, Alles aufzuschreiben."

„Mein Gedächtniß ist gut," versetzte Kunosch. „Meine sämmtlichen Schulden betragen einundvierzig Gulden."

„Ist das wirklich Alles?"

„Alles."

„Dann öffne jene Schublade und bezahle von meinem Gelde."

„Du wolltest —" rief Kunosch mit freudiger Verwunderung. „Du hast das beste Herz! Ich danke Dir, daß Du mir fremde Leute vom Halse schaffst, und werde meine Schuld abzutragen suchen."

Er ging mit großen Schritten auf Kral zu und schüttelte die Hand, die dieser nachlässig und fast theilnahmlos hinzugeben schien.

Kunosch setzte sich an den Rand des Sophas, auf dem Kral hingestreckt lag, und sprach:

„Du bist der wärmste Freund! Du schenkst mir zwar selten ein gutes Wort, aber mit Freundschaftsdiensten bist Du seit jeher freigebig. Wie könnte ich Dir es lohnen? Geld brauchst Du nicht, ich wollte, ich könnte Dein Gemüth erheitern, damit Du mehr Freude vom Leben hättest! Mir ist es, als wärst Du insgeheim sehr unglücklich!"

Kral sah den Freund scharf an, ohne eine Antwort zu geben, nur der seltsame Blick seiner schwarzen Augen sprach eine unzweideutige Bejahung aus.

„Du bist nicht offen gegen mich —" fuhr Kunosch fort. „Ich wollte, Du hättest etwas von mir, den Du einen Schwätzer nennst, weil ich den Freunden den geheimsten Gedanken entdecke."

Kral antwortete, nicht ohne sichtbaren Kampf:

„Hätte ich die Leichtigkeit, mich auszusprechen wie Du, könnte ich Alles, was mich bewegt, so rasch ablösen und Anderen zeigen, dann fühlte ich mich gewiß freier und, wie Du es nennst, glücklicher, dann haftete es aber auch mit minder tiefen und zähen Wurzeln in mir. Doch was rede ich da? Gewisse Worte gehen mir ebenso schwer heraus, wie Backzähne."

Ein Sanguiniker, wie Kunosch, konnte eine solche Natur nicht verstehen. Mehr abgewiesen, als von der Nothwendigkeit des Schweigens überzeugt, hörte er zu fragen auf. Er bemerkte nur, wie er es verstand:

„Ich denke, Reden heißt Vertrauen; fehlt dieses, so schweigt man leicht."

„So ist es bei Dir!" sagte Kral lebhaft. „Du hast eine leichte Beschäftigung, die Dich mit der lachenden Jugend den ganzen Tag über zusammenhält, und ein Gemüth, wie der Vogel im Walde! Mein Umgang dagegen sind Leichen und arme, von Qualen gepeinigte Menschen! Mein Auge hat sich gewöhnt, die Zerstörung zu suchen, wie das Deinige die blühenden Wangen der Mädchen! Du lebst, indem Du Deine leicht erschwinglichen Wünsche stillst, während ich nur nebenbei an mich denke, ja mich meist in dem furchtbaren Kampfe vergesse, wenn ich dem Tode seine Opfer abringe..."

Kunosch horchte, von einem gewissen Ernst erfaßt, aufmerksamer zu, während Kral, unbewußt weiter fortgerissen als gewöhnlich, noch lebhafter fortfuhr:

„Ich erzähle ein Beispiel. Ich komme, in später Nacht gerufen, in eine Baracke des elendesten Stadttheils. Sie beherbergt ein junges Mädchen seit einiger Zeit, dessen Namen, Wohnort und Stand Niemand kennt. Es ist höchst einfach gekleidet, von den blendend weißen Händen sind die Ringe abgestreift. Eine vornehme Scheu vor der niedrigen Umgebung drückt sich in ihren unbeweglichen Blicken aus. Die zauberisch schönen Gesichtszüge sind wie zu Marmor erstarrt, und es ist, als könne sie niemals mehr ein liebliches Lächeln schmelzen. Sie sieht Dich durchbohrend scharf, ja feindselig an, daß Du Dich abwenden möchtest, um nicht für ewige Zeiten von ihr gehaßt zu werden, weil du sie in dem Zustande gefunden, den sie ihre Schuld oder ihre Schmach nennt. Du hast schon manche Schönheit mit kaltem Muthe in der schwersten Krise des Lebens gerettet, aber hier, hier zum ersten Mal wandelt Dich ein unbekannter, finsterer Schauer an, Du möchtest ihr am liebsten sagen: Hole Dir einen andern Helfer, meine Hand wird zittern! Endlich schlägt die schreckliche Schmerzensstunde, und von da ab eröffnet sich eine Reihe von physischen Revolutionen, die gegen das Leben anstürmen und zehnmal in einer Nacht die Hoffnung in ihr Gegentheil verwandeln. Du lauschest an ihrem Bette, Deine Augen haften an ihrem bald bleichen, bald glühenden Gesichte, auf dem ruhelos wogenden Busen! Eine seltene Theilnahme überwältigt Deinen sonst unerschütterlichen Beobachtungssinn. Du hörst, Du zählst die Seufzer, beim schmerzlichen Zucken des schönen Mundes zuckst du mit, du hörst in den Fieberreden auf Orakel, daß Du plötzlich emporspringst, Dir in die Haare fährst und Dich frägst, ob Deine Haltung eines Arztes würdig sei? Du sammelst Dich langsam, Du fassest die abstracte Symptomengruppe wieder in's Auge - welcher Schrecken! Wie lange kann ein so matter Puls noch Widerstand leisten? Eine Woche der äußersten Gemüthsbewegungen geht an Dir vorüber, — o welches Glück — Du hast sie gerettet, an's sichere Ufer des Lebens zurückgebracht! Sie erholt sich und beginnt wieder aufzublühen — Du aber bist selber krank geworden. Es ist, als hättest Du alle Schmerzen, die sie überstanden, eingesogen, als hätten sich die Delirien, von welchen sie frei geworden, auf Deinen Kopf geschlagen. Zum ersten Mal spielt ein Lächeln um ihren Marmormund, da Du ihr die nahe Möglichkeit heimzukehren in Aussicht stellst. Der Tag des Scheidens rückt immer näher. Je besser sie sich fühlt, desto wortkarger wird sie wieder, desto vornehmer und kälter. Der Mann, in dessen Hand ihre Ehre verpfändet liegt, der sie vom Rande des Grabes wieder in die lachende Welt getragen, hat nicht so viel Vertrauen verdient, so viel Liebenswürdigkeit von ihr gesehen, als der fade Geck, der ihr auf dem Balle ein Glas Eis gebracht oder auf den Landpartieen den Shawl getragen! Eines Tages scheidet sie ohne Abschied, gegen die Vorschrift und wagt das Leben, um nur aus Deiner Gegenwart zu kommen. Was fängt man dann an?"

Kral hielt inne, seine Mienen zogen sich schmerzlich zusammen. Kunosch, der mit steigender Aufmerksamkeit zugehört hatte, sagte:

„Deine Geschichte ist so ausführlich, so von bestimmten Umständen bezeichnet, daß man sie erlebt haben muß."

„Glaube das nicht!" rief Kral emporfahrend. „Ich erzählte einen Fall, ich componirte eine Fabel."

„Glaubst Du," meinte Kunosch, „mir gehe alle Gabe ab, etwas zusammenzureimen? Du erzählst eine Geschichte aus den letzten Wochen. Ich weiß wohl, daß Du allnächtlich eine Zeitlang fehltest, gerade zur Zeit, als der Rath Eschburg erkrankte. Ich merkte auch seit jener Zeit, daß Du verschlossener geworden, Deine Brust wie zusammengepreßt, ohne sich Luft machen zu können."

Kral schwieg, Kunosch fuhr ermuntert fort:

„Ich lache Dich nicht aus. Ich weiß, wie hoffnungslose Liebe schmerzt. Ich könnte Dir etwas erzählen, doch Du könntest mich eher auslachen, als ich Dich! Ein anderes Mal! Ein anderes Mal!"

„Narr!" rief Kral mit großer Heftigkeit, hinter welcher die Scham, eine flüchtige Herzensschwäche verrathen zu haben, versteckt war. „Ich erzählte eine Fabel!"

Das Eintreten Wildengrün's brach dieses Zwiegespräch rasch ab. Er kam lustig herein, einen Gegenstand, der mit einem Tuche verhüllt war, auf dem Arme tragend.

„Was bringst Du?" fragte Kunosch neugierig.

„Ist Horsky noch nicht da?"

„Nein, aber er wird bald da sein."

„Nun, dann gedulde Dich! Ihr werdet merkwürdige Dinge hören! Den Tisch abgeräumt!"

Er schob den großen Tisch in die Mitte des Zimmers, nachdem er den Tröbel, der sich darauf befand, bei Seite geschafft hatte.

In diesem Augenblicke trat Horsky ein. Eine freudige Gemüthsbewegung erheiterte seine Züge und gab seiner sonst gemessenen Haltung Schwung und Beweglichkeit.

„Wissen sie es bereits?" fragte er Wildengrün.

„Noch nichts!" antwortete dieser.

„Wohlan!" sprach Horsky. „Unser aufrichtig betrauerter Freund hat noch im Grabe seine edle Hand ausgestreckt, um den zurückgebliebenen Mitgliedern des Fünfbundes seine thatkräftige Zuneigung zu bezeigen."

Wildengrün hatte inzwischen den Gegenstand, den er mitgebracht, auf den Tisch gestellt und enthüllte ihn plötzlich. Die Gypsbüste des verstorbenen Raths Eschburg, von Wildengrün nach der im Stillen abgenommenen Todtenmaske modellirt, stand vor Aller Augen.

Ein Laut der Freude war die sofortige Anerkennung einer so sinnigen, pietätvollen Ueberraschung.

Horsky ergriff wieder das Wort:

„Seht dies wohlgetroffene Bild! Es ist das Bild unseres guten Genius! In einer Welt, wo die Selbstsucht regiert und nicht selten in's fremde Gebiet räuberisch übergreift, sollten die Menschen dem reinen Edelmuth mit derselben Bewunderung Bildsäulen setzen, wie dem Genie der Feldherren und Künstler. Ich wollte, es würde der Welt bekannt werden, wie ein greiser, als Sonderling verschrieener Fremdling an der hülflosen, kämpfenden, von Hindernissen umlagerten Jugend gehandelt, ehe er, von einem schmerzvollen Dasein ermüdet, sein edles Haupt in's Grab gelegt! Ich wollte, die Welt würde von ihm lernen, wie man edelherzige Thaten ohne das Geräusch prunkender Wohlthätigkeit vollbringt! Seine letzte Handlung war ein edles Werk, in der Stille seines Herzens geboren, keinem sterblichen Zeugen anvertraut. Mit dem reinen Bewußtsein, dasselbe vollbracht zu haben, hat er sich dem Danke für immer entzogen — in's Jenseits! Es liegt eine so stolze Größe darin, daß ich wenigstens mich fast in meinem Gemüthe verletzt fühle. Es ist, als habe er uns beglücken wollen und unsern Dank verschmäht! Es ist, als habe er die Glücklichen, die er geschaffen, keines Blickes würdigen wollen! Ueber dieses Gefühl muß ich hinauskommen, um das Andenken an den herrlichsten Menschenfreund in meinem Herzen mit ungetheilter Begeisterung zu feiern."

5*

Eine eigenthümlich feierliche Stimmung hatte sich der Anwesenden bemächtigt, als Horsky, von einer überquellenden, inneren Bewegung fortgerissen, diese Fest- und Trauerrede auf den verstorbenen Rath improvisirte. Bei Kunosch und Kral, die den eigentlichen Grund dieser Scene nur halb und halb zu ahnen begannen, gesellte sich noch eine spannende Erwartung hinzu.

„Ihr habt es wohl errathen,“ sagte Wildengrün, dessen Augen von neugeweckter Rührung feucht glänzten, zu diesen Beiden gewendet.

„Wir sind doch nicht gar,“ rief Kunosch, „zu Erben eingesetzt?“

„Wir sind's!“ rief Horsky. „Der Rath hat in aller Stille, vier Wochen vor seinem Tode, ein Testament verfaßt und es bei dem Advocaten Eisenstamm deponirt. Morgen findet die gerichtliche Vollstreckung auf dem Amte statt. Die Vorladungszettel sind uns zu diesem Zwecke zugestellt.“

„Er war demnach kinderlos!“ sagte Kral. „Deine Suppositionen,“ wandte er sich an Horsky, „in Bezug auf den fremden, jungen Mann, der dem Begräbniß beigewohnt, haben sich somit in Nichts aufgelöst.“

„Nach der Mittheilung des Advocaten,“ antwortete Horsky, „war das freilich eine leere Vermuthung. Das Testament soll ausdrücklich vom Tode seines Sohnes sprechen. Ueberhaupt würde der Fremde, wenn er zu dem Rathe in so naher Beziehung gestanden hätte, nicht so völlig verschollen sein. Die Erbschaft hat nämlich nicht den geringen Umfang, wie wir uns vorzustellen gewohnt waren. Der Antheil eines Jeden von uns wird hinreichen, ihn wie im Wagen dem Ziele seiner Laufbahn zuzuführen, während wir bis zu dieser Stunde wie arme Handwerksburschen fürbaß hintrabten.“

Wenn uns ein unverhofftes Glück in den Schooß fällt, ist es uns im ersten Schreck der Freude, als wenn es noch nicht unser wäre und uns gleich — noch im nächsten Augenblicke — von einer fremden Hand abgenommen werden könnte. Die Freunde standen im Kreise und sahen sich, obwohl zum Jauchzen herausgefordert, stumm an. Plötzlich gewann eine andere Gemüthsbewegung die Oberhand.

„Freunde,“ sagte Kunosch, „der beste der Menschen ist todt! Es ist Schade, daß man Jemand erst ganz kennen lernt, wenn man ihn unwiederbringlich verloren hat!“

„Hier aber,“ hob Wildengrün feierlich an, „vor seiner Büste erheben wir die Hände, umrauscht von den Fittichen seines Geistes, und schwören, daß wir nach seinem Beispiel mit den Mitmenschen verfahren und unzertrennlich bis zum Tode Freunde bleiben wollen!“

„Wir schwören es!“ riefen Alle und fielen einander in die Arme. Wildengrün und Kunosch, die weichherzigsten, weinten, Horsky ward Herr seiner Rührung, nur Kral's schwermüthige Züge schienen, wie von alten Schmerzen vollgetränkt, keiner Veränderung freudiger Art mehr fähig.

Weit nach Mitternacht schieden die Freunde.

Als nach einigen Tagen das Gerücht von der großen Erbschaft dem Hausmeister Zabera zu Ohren kam, verfiel er in einen solchen Zorn, daß er krank ward und sich zu Bett legen mußte. Er hatte die Gelbsucht bekommen.

———

Erstes Buch.

Erstes Kapitel.

Herr von Rosenstern.

Zwei Jahre waren dahingegangen. Wilde Kriegsstürme waren vorübergebraust. Nun weckte der Friede die Reiselust wieder, die die Sorgen des Tages so lange niedergehalten hatten.

Unter dem Druck kriegerisch bewegter Zeiten haben Bäder und Kurorte nicht wenig zu leiden. Das „höhere", vornehme Publikum ist zum Theil auf dem Schlachtfelde, zum Theil im Lager, oder es wacht wenigstens in bewaffneter Neutralität zu Hause; zum Theil sitzt es an den grünen Tischen der Diplomatie und sucht die alten Verträge auf das Aengstlichste vor gewaltsamen Deutungen zu schützen; zum Theil verharrt es in Comptoiren und umklammert die Säulen der erschütterten Börse, um sie entweder zu stützen oder sich schlimmsten Falls unter ihren Trümmern zu begraben.

Jenes Publikum aber, welches in's Bad geht, um seine Gesundheit zu restauriren oder einen mäßigen Diensturlaub angenehm zu verbringen, vermag trotz seiner numerischen Ueberzahl weder der Saison Glanz zu verleihen noch den Geldburst der Hausbesitzer zu stillen. Es muß eben nur da sein, um den Souveränen, Lords und Geldbaronen als abstechender Untergrund zu dienen. Mit diesen Elementen vermischt, gewinnt erst der Badeort, der im Winter nahebei ein Dorf ist, plötzlich das Aussehen einer Großstadt mit dem Lurus und der Eleganz einer solchen; zugleich freilich auch mit all' den unreinen Bestandtheilen zweideutiger Eristenzen und speculirender Ritter.

Die schöne Zeit hatte diesmal so früh begonnen, daß Karlsbad bereits vor Ablauf des Juni eine glänzende Saison eröffnet sah. Größere Wohnungen waren schon nicht mehr zu haben, sie waren bereits von der Elite Europas in Beschlag genommen, und selbst die kleineren Logis, die der Mittelstand sucht, waren nur noch in den entlegeneren Stadttheilen aufzutreiben.

Aus diesem Grunde gerieth Herr von Rosenstern, ein angesehener Rentier aus Prag, in eine wahre Verzweiflung, als er auf der Post, wo er eben ausgestiegen war, vernahm, daß er ein seinen eleganten Bedürfnissen entsprechendes Logis kaum finden werde. Aengstlich machte er sich bei dem Gepäck zu thun, um nur Zeit zu gewinnen, die unangenehme Mittheilung seiner wunderschönen, ihn ganz und gar beherrschenden Tochter mitzutheilen. Marie — so hieß sie — sah aus dem Wagen, dessen Ertrapostpferde hielten, im coquetten Reisecostüm heraus und ließ ihre Blicke wie ein Feldherr, der das Terrain sondirt, den belebten Markt auf und nieder schweifen.

Endlich, ihrer Erwartung zu langsam, trippelte der Vater heran.

„Mein Kind…" stotterte er.

„Wozu hast Du denn den Bedienten mitgenommen," unterbrach ihn das schöne Töchterlein, „daß Du das Gepäck gar nicht aus den Augen lassen kannst? Du hast wirklich eine Menge kleinlicher Gewohnheiten, die bei einem Kaufmanne vom Lande vortrefflich sind, uns aber blamiren."

„Wie Du Dich aufregst!" rief der Vater mit einem um Nachsicht flehenden Lächeln. „Man sieht deutlich, daß Deine Nerven die Kur nöthig haben!"

„Immer wieder," hob die Tochter ungnädig an, „kommst Du mit diesen alten Geschichten… Aber sprich — sollen

wir hier ſitzen bleiben? — Wollen wir im Wagen über=
nachten?"

„Ich kam eben, Dir zu ſagen, liebes Kind," begann
der Vater, „daß wir in einem Hotel ein Interimsquartier
werden aufſchlagen müſſen. Karlsbad iſt ſo voll, ſo über=
voll..."

„Du haſt wirklich," rief Marie, „Alles auf die verkehr=
teſte Weiſe angegriffen! Du hätteſt ſchon vor vier Wochen
dem Hofrath von Brieg den Auftrag geben ſollen, uns ein
Quartier zu miethen! So unvorbereitet hier einzutreffen, im
Ungewiſſen, wohin man uns unterbringen wird — es iſt
wirklich unerhört!"

„Aber Du meinteſt ja, liebes Kind, daß ein Fremder im=
mer das Unpaſſendſte wähle."

„Nun gut, ich ſelbſt bin Schuld. In's Hotel alſo und
in's erſte, beſte! Nur nicht hier bleiben, denn das ſieht wirk=
lich gar zu lächerlich aus!"

Der Wagen ſetzte ſich in Bewegung.

„Kind! Kind!" ſeufzte der Vater, der wieder Platz ge=
nommen hatte, indem er ſich mit dem Batiſttuche die Stirn
trocknete, „Deine Nerven ſind wirklich in einem höchſt be=
denklichen Zuſtande. Es iſt doch ſo, ob Du's gleich nicht
eingeſtehen willſt. Ich ſetze alle Hoffnungen auf's Bad —"

„Pah!" rief Marie. „Mir können Medicinen und Doc=
toren nichts helfen. Ich habe Zerſtreuung, Amuſement nö=
thig, um geſund zu werden."

„Allerdings," ſprach der Vater beiſtimmend. „Doch daran
kann es Dir in einem ſo faſhionablen Orte nicht fehlen. Ich
fürchte eher, daß Du in ein ſchädliches Uebermaß von Ver=
gnügen hineingeriſſen werden wirſt."

„Mir iſt ein wenig Langeweile verderblicher," antwortete
das Mädchen kurz, „als ein Strudel von Unterhaltungen.
Du weißt, daß ich nie munterer war, als zu der Zeit, da
wir eins der erſten Häuſer in Prag machten. Seitdem —"

„Seitdem, liebe Marie," wandte der Vater ſchüchtern ein,
„ſind die Zeiten leider ſchwerer geworden. Du wirſt mir
doch nicht den Vorwurf machen, daß ich nicht jederzeit Deine
Wünſche, wenn es im Bereich der Möglichkeit ſtand, erfüllt habe?"

Unter diesem Gespräch war der Wagen vor dem „Garten=
hause" angelangt. Ein Corps von Kellnern flog herbei. Doch
auch dies Hotel war überfüllt. Man wies den Ankommen=
den, zu denen auch Fräulein Ferrère, eine Schweizerin, Ma=
riens Gesellschafterin, gehörte, zwei kleine Zimmer im zweiten
Stocke an.

„Nun," sagte Marie, ihre Nase rümpfend, „einen Tag
will ich es hier aushalten, nur nicht länger!"

„Du weißt Dich wirklich," rief der Vater schmeichlerisch,
„auf die liebenswürdigste Art in die Umstände zu finden!"
Heimlich quälte ihn der Hintergedanke, daß die Geduld seiner
Tochter einer unerwarteten Probe entgegengehe.

Kaum hatte man die Toilette gewechselt, als Marie den
Vater zum Ausgehen antrieb. Er mußte, müde wie er war,
gehorchen. Mit einigen Schritten über eine Brücke befanden
sie sich auf dem Corso des Bades, die Wiese genannt. Es
war Abend. Die bewaldeten Höhen des Dreikreuzberges und
die wunderlichen Gebäude der Panoramahöhe waren von
einem orangefarbenen Schimmer beleuchtet, der um so fremd=
artiger herabsah, weil die sinkende Sonne, von der er kam,
hinter der gegenüberliegenden Bergcoulisse verborgen war.
Oben flammten noch die Wälder und Felsen, während auf
dem Thal bereits die violetten Schatten des Abends lagen.
Nach einem heißen Tage labte die Kühle unter den Kastanien
doppelt. Herren und Damen der feinsten Gesellschaft machten
ihren Spaziergang. Gruppen von Badegästen beider Ge=
schlechter saßen im Freien vor den Cafés, ein Miniatur=
bild der Pariser Boulevards. Zehn, zwanzig Hände eleganter
Herren griffen nach der Lorgnette, als Mariens schöne Ge=
stalt vorbeipassirte.

„Wie denn," sprach Marie plötzlich, „wenn wir uns hier
einmietheten?"

Ter Vater, der es kaum gewagt hatte, die Wohnungs=
frage zu berühren, mußte Rede stehen.

„Wie Du wünschest," sagte er verlegen, „nur sehe ich hier
nirgendwo die gebräuchlichen Schilder mit „Wohnung zu ver=
miethen" heraushängen. Wir werden uns am Ende zwei

bis drei Tage mit unseren bescheidenen Zimmern begnügen
müssen."

„Welche Idee!" fuhr Marie auf, „dann lieber umkehren
und heimreisen!"

„Ruhig, Kind," bat der Vater, „die Sache ist nicht so
hoffnungslos, ich habe nur den äußersten Fall angenommen!"

Sie gingen langsam von Haus zu Haus, nirgends war
etwas Elegantes zu haben.

„Wären Sie gestern gekommen!" sagte die Wirthin des
Hauses „zur goldenen Schildkröte". „Ich hätte Ihnen die erste
Etage gegeben. Nun ist sie bestellt, die Herrschaft wird in
zwei Tagen eintreffen."

„Die Wohnung ist also noch leer?" rief Herr von Rosenstern, von einem Hoffnungsstrahl verklärt. „Zwei Tage ist
sie noch frei, lassen Sie sie mir diese zwei Tage; ich zahle
jeden Preis!"

„Es geht nicht!" antwortete die Frau, obwohl sie bereits
nachdachte, wie man die Bestellung rückgängig machen und
die Wohnung dem kein Geld schonenden Cavalier überlassen
könne.

„Was giebt man Ihnen für die Wohnung?" fragte Herr
von Rosenstern mit feuriger Ungeduld.

„Ich bekomme für die Woche zweihundert Gulden!"

„Sie kriegen zweihundert und fünfzig von mir!"

Dies war noch einmal so viel, als die Frau in der That
erhielt.

Man wurde einig. Selig sprang Herr von Rosenstern
die Treppe hinunter, um seine Tochter aufzufordern, die Zimmer in Augenschein zu nehmen. Marie unterdrückte, der
herrlichen Aussicht zu Liebe, jede Ausstellung, die sie sonst
gewiß gemacht hätte. Von den Fenstern herab konnten ihre
schönen Augen die ganze Wiese bestreichen, und das war ja,
was sie verlangte. Rechts streckte der „Elephant", der dem
besuchtesten Café Karlsbads als Schild dient, seinen wohlbekannten Rüssel aus, links lag die „Krone", um beide Cafés
gruppirte sich eine Welt von Erscheinungen. Wo konnte man
besser wohnen, als mitteninne? Noch am selben Abend fand
die Uebersiedelung statt, und man war schon am nächsten

Morgen im Stande, ein Heer von Anbetern würdig zu empfangen.

Es ist nach Allem klar, daß die Familie Rosenstern gesonnen war, in Karlsbad einiges Geräusch zu machen, und zwar nicht blos um einen leeren, prunkenden Aufwand zu treiben, sondern auch, um Marien endlich, nach jahrelangen Anstrengungen und tausend zwecklosen Irrfahrten, die glänzende Partie zu verschaffen, auf welche ihre Schönheit unverjährbare Ansprüche erheben zu können glaubte. Marie war erst zwanzig Jahre alt und hatte sich den Ruf einer Schönheit seit ihrem Eintritt in die „Welt" auf derselben Stufe der öffentlichen Anerkennung erhalten. Nur ihr eigener Spiegel bemerkte in letzter Zeit heimlich, daß der schwärmerische Ton ihrer Züge und der poetische Hauch, der ehemals ihr Gesicht überflog, zu weichen beginne. Diese Wahrnehmung stimmte sie oft sehr düster, und ein Nervenanfall, unter dem der schwache Vater am meisten zu dulden hatte, war die unausbleibliche Folge davon.

Noch größer und für die Beobachter weit sichtbarer waren die Veränderungen, die seit einigen Jahren in ihrem Gemüthe stattgefunden hatten. Sie gehörte nie zu den sentimentalen Naturen, sie war stets schwer zu rühren gewesen, gelang es aber einmal, so konnte der Eindruck leicht zu einer Leidenschaft hinangeleitet werden. Es war zwar nicht bekannt, daß jemals Einer der jungen Männer, die den Salon ihres Vaters allwöchentlich füllten, ihr Herz als Sieger davongetragen. Das diplomatische Dunkel des gesellschaftlichen Treibens läßt nicht selten einen Roman spielen, der sogar den Nächststehenden verborgen bleibt, bei Marie Rosenstern aber nahm man, ob mit Recht ob mit Unrecht, an, daß alle ihre kleinen Verhältnisse nur flüchtiges Spiel der Coquetterie gewesen. Man bezeichnete Manchen, der sich einer vielseitig beneideten Bevorzugung erfreut hatte, doch nicht die boshafteste Zunge konnte ihr nachsagen, daß einer ihrer Ritter sich bis zur Stellung eines Liebhabers aufgeschwungen habe.

Außerordentliche Schönheiten haben das Schicksal, von einer Seite ebenso leidenschaftlich angefeindet, als von der andern enthusiastisch vergöttert zu werden. Diese Anfeindungen entspringen nicht allein dem boshaften Neide, der die von der Natur zurückgesetzten Mitschwestern verzehrt. Die Quelle scheint tiefer zu liegen. Es ist, als ob die menschliche Vorstellung nicht dulden könne, daß neben einer ausgezeichneten Eigenschaft eine gewöhnliche Platz nehme. Man verlangt von der Schönheit, daß sie auch durch Geist hervorrage und den Brennpunkt aller möglichen Tugenden vorstelle. Da dies leider so selten der Fall ist, so bildet dieser Mangel leicht eine Waffe zu Ausfällen in den kleinlichen Scharmützeln, welche Damen so gern ihrem eigenen Geschlecht liefern. Die Waffe ist gefährlich, da man damit der als schön berühmten Feindin selbst dann beikommen kann, wenn sie wirklich alle Herzens- und Geistesgaben besitzt. Schönheit läßt sich mit Worten nicht abstreiten, aber Geist kann man lange absprechen, und geht das endlich auch nicht mehr, so bleibt der üblen Nachrede noch die Mäkelei an der Moral als letztes Bollwerk, das fast uneinnehmbar ist.

Marie hatte auf ihrer noch so kurzen Lebensbahn alle Angriffe dieser Art bereits bitter gefühlt, mit welcher Verachtung sich auch ihre leicht verletzte und nicht eben mäßige Eitelkeit dabei geberdete, und ihre Gegner und Gegnerinnen hatten bis in das letzte Bollwerk zurückweichen müssen.

Niemand wagte es seit lange, ihren Geist und Witz zu bezweifeln, weil es ebenso vergeblich gewesen wäre, als wenn man ihr reiches rabenschwarzes Haar für gefärbt ausgeben oder das Feuer ihrer Augen gewöhnlich hätte nennen wollen. — Leider aber konnte sich die Gegenpartei über dieses abgedrungene Zugeständniß leicht trösten, da Marie in ihrem Umgange theils unbewußt, theils mit übermüthiger Herausforderung Anstoß genug erregte. Man konnte den Besitz von Witz, der sich oft mit einer gewissen genialen Kühnheit Luft machte, als Mangel von Gemüth darstellen, die große Zahl ihrer Verehrer aus der Kunst ihrer Coqetterie erklären und die oft zu weit gehende Freiheit ihres Benehmens, die eigentlich im Stolze wurzelte, zur Unweiblichkeit stempeln.

Mit solchen Vorwürfen hatte man ihr, kaum in die Welt getreten, sehr oft Unrecht gethan, leider nahm seitdem die Entwickelung ihres Wesens eine Richtung, welche die Verleumbungen und entstellten Beurtheilungen zu rechtfertigen anfing und in die Aussprüche einer ehrlichen Kritik verwandelte. Ob nun der Weihrauch daran Schuld war, welchen ihr ihre Verehrer allzu verschwenderisch spendeten, oder ob es die blinde Liebe verschuldete, mit welcher sie ihr schwacher Vater verdarb, indem er alle ihre Launen wie Machtgebote berücksichtigte, oder ob das ausschließliche Leben in der Welt der Mode, die weder Grundsätze, noch einen Ernst kennt, den vergiftenden Einfluß ausübte: es war eine unbestreitbare Thatsache, daß die anfangs an Marie mit Unrecht gerügten Fehler sich wirklich einstellten, einen stürmischen Lauf zu Extremen zu nehmen begannen und selbst für den schwächsten Beobachter sichtbar wurden.

Marie war um die Zeit, da wir ihre Bekanntschaft machen, von der langen Reihe unfruchtbarer Zerstreuungen und erlebter Enttäuschungen blasirt. Sie hatte kein Bedürfniß mehr nach einer Leidenschaft, die ihr Herz einst forderte. Ihr Gemüth war zurückgewichen oder gewaltsam zurückgedrängt worden, und ihr Ideal hoher Rang und ein kolossales Vermögen, das alle Launen der Herrschsucht und die verwegenen Forderungen des Luxus realisiren kann. Da sich die Sorge noch hinzugesellt hatte, daß ihre Schönheit plötzlich abnehmen könne, war sie fest entschlossen, auf jede Heirath einzugehen, ohne ihr Herz der kleinsten Frage zu würdigen, wenn sie dadurch nur ihren Ehrgeiz befriedigte. Diese neue Weltanschauung, die von einem verfallenden Gemüthe zeugt, brach sich in ihr gewaltsam Bahn, und sie bekannte sich zu ihr mit einem kecken Freimuth, der fast Verachtung der öffentlichen Meinung war und sich von den Rathschlägen der Klugheit nicht bändigen ließ. Dieses Ziel, das eigentlich einer nüchternen Berechnung entsprang, verfolgte sie seit geraumer Zeit mit einem sich so überstürzenden Ungestüm, daß man es die Leidenschaft des Egoismus nennen mußte. Jeder Tag, der sie ihrem Ziel nicht näher brachte, war ein verlorener, der einen Sturm wilden Mißmuths in ihr weckte. So kam es, daß Niemand außer ihrem Vater ihre sich stündlich mehrenden Launen auf die Dauer ertragen konnte, und sogar des Vaters närrische Affenliebe hatte allzu oft lichtere Momente, in welchen er einsah, in welche jämmerliche Sclaverei er bei seiner Tochter unrettbar gefallen war.

Herr von Rosenstern galt für einen sehr reichen Rentier. Nach dem Tode seiner Frau, der kurz nach der Zeit erfolgte, wo Marie auf den ersten Ball geführt worden war, hatte er sein glänzendes Bankiergeschäft aufgegeben, um fortan ungestört seinem einzigen Kinde leben zu können. Wenn man bedenkt, wie er zu diesem Entschlusse gebracht wurde, sieht man, daß es gewissermaßen schon der Act war, mit welchem er auf seine Souveränetätsrechte als Vater und Gebieter zu Gunsten seiner Tochter verzichtete.

Er hörte nämlich schon frühzeitig Marie als ein Meisterstück der Natur preisen und sah Jung und Alt, Hoch und Niedrig nach einem Blick ihrer unvergleichlichen Augen geizen. Ihm war, als wenn er plötzlich im persönlichen Werthe und öffentlichen Ansehen gestiegen wäre, als sich ihm Leute von höchsten Staatsstellungen, Grafen und Barone nicht nur herablassend, sondern sogar freundschaftlich zu nähern anfingen, welche bis dahin von seiner Existenz keine Notiz genommen hatten. Die in ihm schlummernde Eitelkeit wurde dadurch entflammt und stieg bis zur Erstase über sich selbst, den Vater solch einer Tochter! Die Ehre, die ihm in seinen alten Tagen zu Theil wurde, hatte er ja offenbar seiner Marie zu danken, und er gestand sich dieß um so leichter, als sie sein Fleisch und Blut war. Er wußte seine begeisterte Dankbarkeit auf keine bessere Weise zu offenbaren, als indem er alle Wünsche seines Kindes erfüllte. Er sank nach und nach in seiner verderblichen Nachgiebigkeit so weit herab, daß er, wie eine schwache Mutter, Alles geschehen ließ oder gar mitmachte.

Auf diese Art wurde ihm das Comptoir eine so enge, trockene Welt, daß er es für immer zusperrte und das erste Mal in seinem Leben einen Salon eröffnete, um die Elite der Kunst- und Geldwelt, zu der noch einige Aristokraten traten, zu empfangen, die seiner Tochter huldigen und mit ihrer Bewunderung auch ihn selbst laben sollten, bis irgend ein stolzer Graf gefunden wäre, der sich glücklich schätze, den ehemaligen Bankier Schwiegervater zu nennen.

Welche Enttäuschung hatte aber inzwischen dieser erste Enthusiasmus erlebt und wie oft war schon diesem Rausche der Eitelkeit ein Katzenjammer gefolgt! Wie oft hatte er an sein Stehpult im Comptoir zurückgedacht, wiewohl er diese Reue niemals fruchtbringend aufkommen, sondern die äußerlich glänzende, innerlich faule Lage fortdauern ließ. Welche Verzweiflung hatte ihn oft gefaßt, als er sein Ausgabebuch durchflog und sich als Finanzmann sagen mußte, daß das große Capital, das sein Haus jährlich kostete, keinen Groschen Zins getragen und rein verschleudert worden war! Nur bei diesen Gelegenheiten pflegte sich eine innere Kraft in ihm zu regen, die ihn aufforderte, die weggeworfene Rolle eines Vaters wieder aufzugreifen. In Folge dessen war es schon zu mancher Scene gekommen, aber die Thränen seiner Marie löschten die warnungsvollen Zahlen, die er auf die Tafel geschrieben, wieder weg.

Ihm war nicht zu helfen! Er war so weit gekommen, sich vor dem Willen seiner Tochter sclavisch zu beugen, eine Lage, die mehr komisch, als bemitleidenswerth ist. Es giebt auch eine lachende Nemesis, die aber langsam auch zu Thränen führt!...

Der Verblendete wußte das nicht, sonst hätte er den Ueberblick seiner Verhältnisse besessen. Er glaubte bei seiner Tochter durch kluges, oft listiges Laviren zwischen eingestandenem Gehorsam und heimlich geübter Autorität durchzukommen, und über alles Ungemach tröstete ihn der an seinem Himmel immer im Zenith stehende Hoffnungsstern, der ihm die nahe Aussicht entgegenstrahlte, daß er seine Tochter glänzend verheirathen und von dem Augenblicke an für alle Trübsale entschädigt sein werde.

Man sieht, daß er den Boden Karlsbads wie ein ernster Feldherr betreten, der recht wohl weiß, daß hier das Schlachtfeld sein wird, von welchem er nach einigen Wochen als Sieger oder als Geschlagener abzieht. Es schaudert ihn bei dem letzten Gedanken. Er hat gezeigt, daß ihm keine Miethsumme zu hoch ist, wenn es gilt, den rechten Punkt als Operationsbasis zu gewinnen.

Seitdem Marie in das Haus auf der Wiese eingezogen

war, schwelgte sie in der herrlichsten Stimmung und riß den Vater unwiderstehlich mit. Die Göttin der Illusionen hatte Beide, nachdem sie lange, trübe Tage in der Stadt verlebt, wieder mit ihrem Zauberstabe berührt.

Der Vater ruhte nach Tische im eleganten Schlafrock mit türkischem Dessin, ein kostbares Pfeifenrohr, das ihm ein Freund aus Kairo mitgebracht, in der Hand, auf dem Sopha und blinzelte, angenehm berührt, nach seiner Tochter, die am Fenster, wie eine Prinzessin, die sich als Elfe gekleidet, Stellung genommen und die begeisterten Blicke der unten vorüberziehenden Herrenwelt zählte und durch scheinbare Nicht- beachtung herausforderte.

„Welches Glück," sagte er für sich. „Sie wird heiter, sie wird, wie sie ehemals war! Wesen von einem so aufge- weckten Geiste wie sie brauchen ewige Zerstreuung, immer neue Scenerie, wenn sie nicht gemüthskrank werden sollen! Herrliche Idee, in's Bad zu gehen! Himmlischer Einfall!"

Glücklich streckte er sich auf dem Sopha, während Marie von Zeit zu Zeit eine scherzende Bemerkung hinwarf, die er jedesmal mit seligem Lachen aufnahm.

Einen solchen Tag hatte Rosenstern schon lange nicht ge- habt. Die Tochter war zufrieden, und diese Zufriedenheit hatte sich ihm nicht nur mitgetheilt, sondern er hatte, was er lange gesucht und nicht gefunden — Ruhe, und die gegründete Aussicht auf lange anhaltende, tägliche Ruhe. Für Ruhe konnte er schwärmen, und sie war der einzige Abgott, den er neben seiner Tochter verehrte.

Auf diese angenehme Weise neigte sich der Nachmittag seinem Ende zu. Die Uhr schlug Sechs. Es war die Stunde, in welcher Hofrath von Brieg, der erste Badearzt, seine Aufwartung zu machen versprochen hatte. Herr von Rosen- stern hatte gleich am Morgen seinen kleinen Groom in ele- ganter Livree mit dem Empfehlungsschreiben seines Prager Hausarztes zu ihm entsendet.

Kaum weniger wichtig, als die Wahl der Wohnung, ist die Wahl des Arztes, da sie nicht minder die Stellung aus- spricht, die der Badegast im Kurort einzunehmen gedenkt. Der bescheidene Mensch, dem nur seine Gesundheit am Herzen

6*

liegt, wählt einen jungen und weniger beschäftigten Mann, der ihm Zeit und Sorgfalt widmen kann. Der Mensch aber, der Ehrgeiz hat und Aufsehen zu machen sucht, der Baron, der reiche Emporkömmling, der Bankier frägt nichts nach medi=cinischer Tüchtigkeit, er kann keinen andern als den zum ärztlichen Berather wählen, welcher sich eine Equipage hält, dessen Knopfloch ein oder das andere Bändchen, dessen Frack bei festlichen Gelegenheiten ein Ordensstern ziert. Ein Arzt von dieser Qualification ist nun Hofrath von Brieg, dieser Aeskulap der vornehmen Welt — diesmal ausnahmsweise eine seltene Verbindung von liebenswürdiger Weltkunde und wissenschaftlicher Tüchtigkeit.

Seit Herr von Rosenstern gehört, daß sich unter den Aerzten des Ortes Einer befinde, den der Monarch mit der Verleihung eines Adeldiploms geehrt, ist dieser Eine sein Mann. Vorurtheil der Kaste! wird man sagen. Und doch, es muß endlich heraus... Herr von Rosenstern ist kein geborener Herr „von". Er ist von neuem Adel, oder von einem so alten, daß er heute nichts mehr bedeutet. Die Zelte seiner fernsten Ahnherren standen in Galiläa, und seine letzten hausten — nein, wir wollen nicht sagen, wo seine letzten, Vater und Großvater, hausten. Er selbst hat es ver=gessen, warum soll sich die Welt ewig daran erinnern? Herr von Rosenstern hat es sich unsägliche Opfer kosten lassen, durch Taufe und Nobilisirung seine vom Vorurtheil ge=tränkte Abstammung in Vergessenheit zu bringen. Sollen uns diese Opfer nichts sein? Kein Wort mehr darüber! Er selbst möchte jede Erinnerung an seinen Ursprung verwischen und flucht, in Gesellschaft von Grafen und Generalen, oft heimlich seinem Stern, daß er, ehemals, ehe ein Cavalier aus ihm geworden, Geldwechsler war und mit Staatspapieren handelte!

Sein Mann kann nur der Hofrath von Brieg sein, selbst wenn er auf dem Sterbebette läge und Herr von Brieg ein Pfuscher wäre oder ihm nur täglich fünf Minuten widmen könnte! Der sehnlichst Erwartete trat mit der einen solchen Mann auszeichnenden Pünktlichkeit ein. Der kleine Groom, der ihm unten auflauern mußte, war die Treppe hinaufgesprungen und meldete ihn der Herrschaft an.

Als der Hofrath in's erste Zimmer trat, das ihm der kleine Diener weit geöffnet hatte, fand er sich einer eleganten Dame, die sich stumm lächelnd verbeugte, gegenüber. Es war Mademoiselle Ferrère. Sie öffnete die anstoßende Thüre und bat ihn einzutreten.

Beim Anblick des Hofraths war Herr von Rosenstern aufgesprungen und sagte mit freundlicher Geschwätzigkeit, die gegen die wirklich vornehme Ruhe des weltkundigen Arztes abstach:

„Sie finden uns ganz unvorbereitet... Sie sehen, welche Unordnung noch überall herrscht, welche babylonische — ich will sagen, welche grandiose Verwirrung —"

Er zeigte auf die umherstehenden Gegenstände, die er aus angeborener Prunksucht aus Prag mit hergeschleppt hatte, silbernes Service, Porzellanvasen und andere Luxusartikel. Er vergaß auch nicht einen Blick auf den Tisch zu werfen, auf dem sich kostbare Schmucksachen und sogar eine offene Kassette, mit Geldrollen gefüllt, befand.

Mit einer feinen Bemerkung darüber hinweggleitend, nahm der Hofrath, dessen Welterfahrung durch solche kleinliche Manöver nicht zu täuschen war, Platz, während Herr von Rosenstern sich vorstellte, ihm imponirt zu haben. Der Hofrath erkannte im Gegentheil sofort den Emporkömmling, der aus dem Lehrbuch wahrer Vornehmheit nicht einmal die ersten Axiome in sich aufgenommen.

Rosenstern verrieth sich zudem sofort als ein Nachkomme Abraham's. Die orientalisch gebogene Nase, die gutmüthigen und doch verschmitzten Augen gehörten nicht in den kaukasischen Typus. Wenn er vollends ohne Kopfbedeckung war und die Glatze, von krausem, grauem Haar üppig umbuscht, offen dalag, war es um alle Illusion geschehen, welche ohnehin die breitschultrige Gestalt, die eckig unbehülflichen Arme, die plebejischen Hände und Füße rasch zerstören halfen, ohne daß es nöthig war, ihn sprechen zu hören. In Momenten der Erregung besonders nahm seine Sprache nicht selten einen wunderlichen Accent an. Dann änderten auch die Zeit=

wörter ihren Platz, durchbrachen die gewohnten Reihen und stellten sich unversehens vor's Hauptwort und zu Anfang des Satzes.

Glücklicher als ihr Vater kam Marie beim Hofrath weg. Ihre junonisch hohe, edle Gestalt, die der marmorhaft schöne, wiewohl beim ersten Anblick kalt anmuthende Kopf krönte, brachte eine überraschende, ja eine mächtige Wirkung hervor bei Jedem, der sie zuerst sah. Die Natur hatte, als sie dies Kunstwerk bildete, die Züge des Vaters nicht ganz verworfen, doch aber fast bis zur Unkenntlichkeit idealisirt. Es sind nicht nur die großen, dunkelbraunen Augen, die edel gezogene Nase, der feine Mund, die schwarzen Brauen und die nacht-schwarzen Haare, welche mit dem durchsichtig weißen, an den Wangen rosa angehauchten Teint contrastiren, die den Be-schauer siegreich einnehmen; das Gesicht besitzt auch einen wunderbar geistigen Eindruck, der für sich selbst fesselt. Die Stirn ist so sanft gewölbt, als beschäftige sich der darunter verborgen wohnende Geist nur mit schuldlosen Träumen, die Augen blicken fest und ruhig, aber ihr Blick, wenn er ge-fallen, scheint das Geschaute festzupacken und festzuhalten, und der Mund eine seltene Herrschaft über das Wort zu ver-rathen, daß, wenn man sich eine liebliche Sphinx denkt, diese Lippen ihr gehören!

Erst als der Hofrath dieses Wesen in's Auge gefaßt, fing er einiges Interesse auf ihren Vater zu übertragen an.

„Gnädiges Fräulein," sprach er galant, „die Bekanntschaft mit Ihnen zeigt mir, daß unser schönes Vaterland Böhmen, auch was Frauenschönheit betrifft, mit allen Nationen der Welt rivalisiren kann."

Marie verbeugte sich mit einem gelassenen Lächeln, während der Vater, höchst geschmeichelt, das Wort ergriff.

„Und doch wollte ich," sagte er, „meine Tochter wäre ein wenig minder schön, und die Natur hätte ihr gegeben festere Nerven! Ach, wie sie oft leidet an Migräne und halbseitigem Kopfschmerz! — bei Gott! daß mir oft könnte brechen das Herz!"

Marie warf dem Vater während dieser Rede einen Blick

zu, den er wohl verstand. Es war ein Blick, der ihm befahl, die Zeitwörter an ihrem Platze zu lassen.

„Seien Sie ohne Sorge," antwortete Brieg, „Fräulein Tochter leidet an Langeweile —"

„Sage ich es nicht immer!" rief Marie triumphirend ihrem Vater zu.

„Ich bin ein alter Praktiker," sagte der Hofrath. „Solche Patienten kommen oft zu mir. Ich überlade ungern mit Medicinen, Charlatanerie ist meine Sache nicht. Ich könnte Ihnen Dies und Jenes verschreiben — aber warum? Trinken Sie bis auf Weiteres täglich zwei Becher am Theresienbrunnen. Bälle, Landpartieen, angenehme Gesellschaft werden das Beste dabei thun! Ich werde die Ehre haben, Sie morgen früh am Trinkbrunnen zu sehen."

Er hatte sich bei den letzten Worten erhoben, indem er nach der Taschenuhr geblickt, und empfahl sich in seiner vornehmen, gemessenen Weise.

„Gott!" rief Herr von Rosenstern. „Was für ein einfacher, was für ein vernünftiger Mann!"

„Mir gefällt er ganz außerordentlich," stimmte Marie ein. „Der hat keine Spur von einem Pedanten."

„Nun, Marie," sagte der Vater, seine Tochter zärtlich an der Hand fassend, „versprich mir, nach der Vorschrift des Herrn Hofraths zu leben und recht heiter zu sein."

„An mir soll es nicht liegen," erwiderte Marie, unterbrach sich aber, indem sie, von dem Säbelgeklirr vorübergehender Officiere aufmerksam gemacht, an's Fenster eilte.

Der erste Tag im Bade verlief ganz angenehm und versprach eine schöne Reihe glücklicher Stunden. Marie war gewiß, daß sie das größte Aufsehen erregen und manchen verborgenen Gedanken realisiren werde.

Zweites Kapitel.

Die Colonie auf dem Schloßberge.

Der höchst gelegene Stadttheil Karlsbads ist der Schloß=
berg. Ihn suchen mit Vorliebe die Engländer auf, um
dort vom Geräusche der Welt, wie in einer Citadelle abge=
schlossen, ihrem Hange nach Einsamkeit und Absonderung zu
fröhnen.

Dort hatte sich auch der Großhändler Solm aus Prag,
der alljährlich zum Gebrauch der Kur nach Karlsbad kam,
einquartiert. Ein einzeln stehendes Haus, das durch den
Garten, in dem es stand, an eine Villa erinnerte, bot ihm
einen ebenso bequemen als luxuriösen Aufenthalt, denn die
Räumlichkeiten hatten schon oft hingereicht, einen Lord mit
Familie und zahlreicher Dienerschaft unterzubringen. Solm
jedoch hatte nur seine Nichte Bertha und deren Stubenmädchen
mitgenommen, und die Wahl einer so großen Wohnung war
nur dadurch zu erklären, daß er von keinem Nachbar beun=
ruhigt und belästigt werden wollte. Die Höhe des Schloß=
berges entfernte ihn auch so ziemlich von dem städtischen Treiben
des Kurorts, und in seinem einsamen, vom Garten um=
schlossenen Hause mochte er glauben, daß er hier eine beinahe
ländliche Abgeschiedenheit genieße.

Bei seinem großen Reichthum hatte Robert Solm eine
bedeutende Mehrausgabe nicht zu achten, sie kam für ihn gar
nicht in Betracht; die Sucht Aufsehen zu machen oder auf
großem Fuße zu leben, lag ihm fern. Er war der zurückge=
zogenste und anspruchsloseste der Menschen. Nur das Com=
ptoir, worin er seit seinen Knabenjahren gelebt, sagte ihm zu,
war seine Welt. Dort war er sicher, ruhig, gewandt, unter=
nehmend, oft ein verwegener Speculant. Im Leben dagegen
zeigte er sich beinahe schüchtern und konnte durch eine gering=
fügige Aeußerlichkeit in Verlegenheit gesetzt werden.

Erst zwanzig Jahre alt war Solm bereits Vorstand eines großen Handlungshauses in Pest geworden. Er hatte das Geschäft unter sehr schweren Umständen übernommen und war, um es zu halten, genöthigt gewesen, Tag und Nacht zu arbeiten. Nach jahrelangen Bemühungen hatte er sich endlich so gestellt, daß er wohl seine Arbeitszeit kürzen und den Zerstreuungen des Lebens hätte nachgehen können, ihm aber war die eifrige Beschäftigung schon zur zweiten Natur geworden. Der kaufmännische Ehrgeiz, sein Haus auf die höchste Stufe merkantiler Bedeutsamkeit zu schwingen, wurde zur Leidenschaft. Freunde und Bekannte um sich zu versammeln, hatte er nie Zeit gehabt. Er verließ sein Comptoir nicht früher, als bis es Abend wurde, und dann sah man ihn in der Handelsressource wieder mit seines Gleichen über Staatspapiere, Geschäftsartikel und Wechsel der Conjuncturen debattiren. Zu Hause angekommen, greift er noch etwa nach einem Buche über die großen Fragen der Handelswissenschaft oder nach einer politischen Broschüre, die eben Aufsehen macht — eine andere Lectüre kennt er nicht. Und so vergeht ein Tag um den andern.

Es konnte nicht ausbleiben, daß ein solches Leben der ganzen Persönlichkeit Solm's den Stempel einer großen Einseitigkeit aufdrücken mußte, die sich auf Kosten seines von Natur aus weichen, geselligen und anschlußbedürftigen Gemüthes ausbildete. Er alterte vor der Zeit, insofern der Ernst alle raschen und ungemäßigten Regungen seines Gemüthes in den Hintergrund drängte. Was nicht mit dem Zwecke seines Berufs zusammenhing, erschien ihm nichtig und eitel. Es war ihm nicht wohl in der großen Welt, und er fühlte sich fremd, unbehülflich, sogar gedrückt in ihr.

Als er es endlich so weit gebracht hatte, daß er das Geschäft, dem er vorstand, in seinem mechanischen Gange sich selbst überlassen konnte, brach die ungarische Revolution aus und drohte mit Einem Schlage die Früchte eines fünfzehnjährigen Fleißes zu zerstören. Um dieselbe Zeit starb aber auch ein Verwandter von ihm, der Chef der Prager Firma Adlerswald und Comp., eines Geschäfts, das ebenso bedeutend wie das seinige war. Es wurde ihm unter sehr vortheilhaften Bedingungen angetragen. Solm, ohnehin ohne Vertrauen in die nächste Zukunft Ungarns, kaufte dasselbe und siedelte nach Prag über, wo er noch gegenwärtig lebte. Er war nun unter den dortigen Großhändlern unbestritten der Erste. Doch trotz der immer zunehmenden Größe seines Reichthums hatte sich seine Einseitigkeit und Einfachheit auf ihrem alten Standpunkt erhalten.

Welcher Gegensatz zwischen zwei Naturen wie Herr von Rosenstern, den wir im vorhergehenden Kapitel zu zeichnen versucht, und Solm, den wir jetzt unseren Leser vorführen! Der Eine, der doch noch vor wenig Jahren ein Geschäftsmann war, vermeidet, es zu scheinen, er ist ein falscher Cavalier; der Andere sucht seinen ganzen Ehrgeiz darin, ein wahrer Kaufmann zu sein. Der Eine folgt der Mode und betrachtet ihre Gebote wie unverbrüchliche Gesetze, der Andere geht ihr hartnäckig aus dem Wege. Den Einen, der tausend Ursachen zu sparen hätte, treibt die tolle Lust zu glänzen zu unverhältnißmäßigen Ausgaben, der Andere, der Millionen sein nennt, lebt wie ein Klausner. Der Eine jagt nach Gesellschaft und ist unglücklich, wenn sie ihm entgeht, der Andere flieht und fürchtet sie. Der Eine denkt nur an das, was er den Anderen bedeutet, ihm ist seine Wäsche, eine wohlgepflegte Hand, ein moderner Anzug der Stempel der Achtbarkeit, nur ein Mensch mit Wagen und Pferden und Bedienten ist ihm der wahre, der höhere Mensch, er selbst hat Tausende geopfert, um nobilisirt zu werden; der Andere, dem der Adel angeboten wurde, hat ihn ausgeschlagen. Er will nur der Sohn seiner Thaten, seiner Arbeit sein. Wenn einst das Schicksal diese beiden Leute, die einander nicht kennen, zusammenführen sollte, wie wunderlich werden sie sich gegen einander stellen, wie gewaltsam abstoßen, in welche Conflicte würden sie gerathen, wenn das Geschick sie durch ein geheimes Band mit einander verknüpfte! Doch greifen wir nicht voraus, beschränken wir uns darauf, die Dinge zu malen, wie sie in Wahrheit gekommen...

Solm geht jetzt in's vierundvierzigste Jahr. Er ist mittelgroß und hager, die Stubenluft hat sein Gesicht ausgetrocknet und gelblich gefärbt. Dies Gesicht werden gewöhnliche und oberflächliche Beschauer ein alltägliches nennen, aber das ist es nicht. Die Stirn zeigt eine breite, schöne, edle Wölbung, die Augen, von grauer Farbe, drücken Wohlwollen und Intelligenz aus, um seinen Mund sitzt unverkennbar ein Zug weicher Menschenfreundlichkeit und Güte. Sein Haar ist schlicht und weich, aber bereits so stark mit Grau gemischt, daß die ursprüngliche braune Farbe fast unsichtbar geworden.

Das Schlimmste für Solm ist, daß seit einiger Zeit ein mehr oder minder dunkles Gefühl seiner Einseitigkeit an ihm zehrt und ihm ein Mißbehagen einflößt, das sich in trüben Stimmungen kundgiebt. Er setzt dieses auf Rechnung seiner angegriffenen Gesundheit. In Wahrheit ist es aber das unverstandene Murren seines Gemüths, das seine niedergehaltenen Rechte freimachen möchte. Ohne Geschwister, ohne Frau und Kind steht er allein da, und sein Leben geht bereits hergunter... Das Bedürfniß, Jemanden sein zu nennen und mit diesem das errungene Glück zu theilen, wird bei ihm, im Gegensatz zu Anderen, mit den Jahren immer bringender. Er glaubte der Leere, die um ihn herum entstand, abgeholfen zu haben, als er die nachgebliebene Tochter seiner frühverstorbenen Schwester zu sich nahm. Bertha war, als sie das erste Mal nach Prag kam, fünfzehn Jahre alt. Sie versprach schön zu werden und zeigte auch sonst die edelsten und trefflichsten Anlagen; für ihre Entwickelung war jedoch bis dahin noch sehr wenig geschehen. Ihre Mutter war nicht die Frau, um ihrem Kinde eine dem Bildungsgrade der Zeit gemäße Erziehung zu bieten, und ihr Mann, der ein Jahr vorher gestorben, kümmerte sich um nichts als um die Verwaltung seines nicht eben ansehnlichen, aber doch ein gutes Auskommen sichernden Gutes, auf welchem sie unweit Reichenberg lebten.

Solm, selbst an Arbeit gewöhnt, ein Autodidakt, ein Mann seiner Thaten, hielt aber seine Nichte von jeder Zerstreuung des Stadtlebens fern, auf welche sich das lichte, heitere Mädchengemüth gefreut haben mochte. Die Tage, die sie in den ersten Jahren in Prag verlebte, waren für sie nichts als Schultage, ohne andere Abwechselung, als daß ein Lehrer dem andern folgte. Sogar jetzt, da sie im achtzehnten

Jahre steht, hört der höhere Unterricht nicht auf. Mit dem zärtlichsten Wohlwollen verbindet Solm eine unnachsichtige Strenge, und Bertha liefe eher Gefahr eine Pedantin zu werden, als eine Modepuppe, wenn sich nicht die in ihr starke, individuelle Selbstthätigkeit und das vorwaltende, tief= weibliche Element durch den Druck immer wieder hindurch= hälfe, den eine wohlgemeinte, aber eiserne Erziehungsmethode ausübt.

Bertha rechtfertigte das Vertrauen, das man auf ihre An= lagen gesetzt, im vollsten Maße; jedoch ihre Lehrer erkannten es mehr, als ihr eigener Onkel, welcher trotz der unleugbaren Proben von ihren Kenntnissen das Errungene zu gering schätzt und das Feld ihrer Bildung in's Unendliche erweitern möchte. Namentlich ist sie ihm nicht ernst genug, sie lacht zu leicht und zu herzlich und hat ihm noch allzu viel harmlose Kinderlaunen, wie er sich ausdrückt. Dem war, seiner Meinung nach, nur durch fortgesetztes Studiren abzuhelfen, kurz, er wollte die Erziehung eines Mädchens auf die Weise führen, wie er sich selbst erziehen würde, wenn er noch ein junger Mensch wäre.

Es ist ihm nicht übel zu nehmen. Als Geschäftsmann hat er nie Gelegenheit gehabt, das andere Geschlecht kennen zu lernen. Er ist mit Frauen immer nur in die allerflüchtigste Berührung gekommen und hat keine Ahnung von den Vor= gängen in einer Mädchenseele. Ihm fehlt sonach jeder Ver= gleich mit Anderen, um seine Nichte richtig zu schätzen. Die Forderungen, die er an ein wohlerzogenes Mädchen stellt, sind daher so allgemein und so abstract, daß sie im Reiche der irdischen Wesen gewiß nirgendwo eine rein abgeprägte Realität haben.

Daher ist er auch unfähig, in das Innere seiner Nichte zu blicken, und kennt es nur, insofern es sich im Spiegel der Aeußerlichkeit zeigt. Da sie ihm in Allem willig und fröhlich gehorcht, sieht er sie als ein Kind an und hat keine Ahnung, welchen Grad innerer Selbstständigkeit sie sonst besitzt und nach welcher Richtung ihre Gedanken= und Gefühlswelt in heimlicher Brust treibt. Er nimmt an, daß ein so junges Mädchen, das unter seinen Augen nur ihrer Ausbildung

obzuliegen scheint, keinen seinen Erziehungsplan störenden
Ideengang nähren könne und daß ihr Kopf nur mit den
Gegenständen des Unterrichts erfüllt ist.

Aber über nichts täuscht sich selbst der Menschenkenner
leichter, als über junge Mädchen, besonders über jene, die
eine angeborene zarte Scheu an Zurückhaltung gewöhnt hat,
oder bei welchen der Ernst unter einem heitern, lebens-
freudigen Wesen unsichtbar schlummert. Gewöhnlich unter-
schätzt man ihren Verstand und hat keine Ahnung, daß ihr
Herz in geheimer Brust unaufhörlich die Wellen seiner Gefühle fortwälzt. Unter Schilf und Blumen und schattenden
Weiden fließt ein Wildbach dahin, den man erst kennen lernt,
wenn er die Ufer überschäumt.

Bertha konnte vom künstlerischen Standpunkte nicht wie
Marie von Rosenstern als große Schönheit bezeichnet werden;
dennoch galt sie allgemein dafür, und es kam nicht selten vor,
daß zwischen den beiden Mädchen Parallelen gezogen wurden,
die zu Bertha's Gunsten ausfielen. Selbst aber jene Männer,
die Marie den Vorzug gaben, stimmten darin mit ihren
Gegnern zusammen, daß die Andere lieblicher und liebenswürdiger sei.

Diese Vergleiche kamen Marien oft zu Ohren, und sie begriff nicht, wie zwei so verschiedenartige Wesen, welche sie in
der That waren, mit einander gemessen werden konnten. Es
versteht sich von selbst, daß sie die Rivalin als tief unter
ihrem Range stehend betrachtete, aber diese Ueberzeugung vermochte sie nicht vor Aerger oder Animosität zu schützen.

Marie von Rosenstern war allerdings schöner und, als
Kunstproduct betrachtet, mit Sculptoraugen gesehen, untadelig,
vollendet, während Bertha sich der Vollendung nur unge-
wöhnlich weit näherte. Ein Mädchen ist aber kein bloßes
Kunstproduct, sondern ein lebendiges Wesen, und der rein
objective Maßstab, der das Ebenmaß der Linien und Formen
bestimmt, reicht dabei nicht aus. Der Eindruck wird am
Ende immer als entscheidender Grabmesser des Schönen zu
Hülfe genommen werden müssen und der ästhetischen Theorie
nicht selten einen Strich durch die Rechnung machen. Dieser
Macht des Eindrucks hatte Bertha lediglich den Vorzug zu

verdanken, den Manche ihr gegeben hatten. Marie flößte kalte Bewunderung ein, Bertha that es trotz ihres anspruchs= losen Wesens Manchem, der ihr begegnete, wie eine Zauberin an.

Ihr Haar war tiefes Dunkelbraun, ihr Teint brünett, aber von durchschimmernder Klarheit, der Mund edel, wie zum Lächeln gestimmt, nicht aber um zu spotten, sondern um sanfte Güte heiter zu verrathen. Ihre schönen braunen Augen, von den dunkeln, rein gezogenen Brauen überwölbt, blickten weich und schwärmerisch, zuweilen aber auch aufblitzend in die Welt hinein. Diese Augen besaßen ein unbeschreibliches Etwas, das auf den ersten Blick das Herz des Beschauers mit einem süßen Weh erfüllen konnte, ohne daß es des Lautes der Sprache mit ihrem gefühlduftigen Nachklang beburfte.

An einem Nachmittag trat Solm in das Zimmer seiner Nichte, die eben auf ihrem Piano eine Chopin'sche Etüde übte.

„Komm, wenn Du fertig bist, zu uns herab in den Garten, Bertha," sagte Solm. „Ein Besuch aus Prag ist da."

„Ein Besuch aus Prag? Wer ist das?" fragte das Mädchen, während eine helle Röthe über ihr Gesicht flog. Sie warf die Noten weg und griff nach ihrem Strohhut.

„Es ist ein guter Bekannter," sagte der Onkel, „den Namen sage ich nicht, Du sollst überrascht sein."

Er ging hinaus.

Bertha blieb nachdenklich stehen, warf einen Blick in den Spiegel und ärgerte sich, daß sie so roth geworden war. „Und wenn er es wäre?" sagte sie zu sich. „Warum nicht? Es wäre nichts so Auffallendes, wenn er einen Vorwand er= griffen hätte, um mich zu sehen. Zu schreiben wagt er nicht, und ich weiß nur zu gut, wie die Trennung ihn drückt…"

Der Wildbach, der unter Schilf und Blumen ganz ver= borgen war, kam schon in's Schäumen.

Sie ging hinab. Ihr Herz klopfte, es rief: „Wenn er es wäre!" In der Laube, oben auf der Plattform, fand sie den Onkel und an seiner Seite einen jungen Mann.

„Ach, Sie sind es, Herr Doctor!" sprach Bertha. Der Ton der Stimme war aber nicht der, der unwillkürlich und unverkennbar eine in Erfüllung gegangene Erwartung be= zeichnet.

Der junge Mann war Horsky, jetzt freilich aus der studentischen Erscheinung, die wir kennen gelernt, in einen eleganten Weltmann verwandelt. Horsky hatte von jeher etwas Ernstes und Gemessenes; das Gefühl der Sicherheit, das aus dem Bewußtsein einer rasch und glücklich in die Höhe gehenden Carrière entspringt, hatte ihm inzwischen eine noch weit festere und kräftigere Haltung verliehen. Solm hatte diesen jungen Doctor, der erst vor einem Jahre promovirt hatte, in der Kanzlei seines früheren Anwalts, die derselbe zur Erwerbung der advocatorischen Praxis besuchte, kennen gelernt, sich rasch für ihn interessirt und ihm durch seine einflußreichen Verbindungen zur Erlangung des Notariats in der Stadt Prag verholfen. Er war auch der Sachwalter der Firma Adlerswald und Comp. geworden. Durch diese Stellung und eine so angesehene Clientel, wie die Solm's, hatte sich der begabte junge Mann mit seltener Schnelligkeit zu Namen und Ansehen emporgeschwungen, indem er zugleich durch ein paar Erfolge, die Schlag auf Schlag einander folgten, seine Kenntnisse und seinen Eifer vor aller Welt documentirte.

Horsky war der einzige junge Mann, den Solm von Zeit zu Zeit in die Gesellschaft seiner Nichte zog. Es schien dem Advocaten, daß Solm, der in der That große Stücke auf seinen Charakter hielt, ihm absichtlich die Möglichkeit er=öffnen wollte, Bertha kennen zu lernen und, falls ihre Neigungen zusammengingen, nichts einzuwenden haben würde, wenn sie sich heiratheten. Einige leise Anspielungen hatten diese Vermuthungen endlich bis zur Ueberzeugung erhoben. Bertha hatte ihm auf den ersten Blick gefallen, bei näherem Umgang hatte sich dieser Eindruck bis zu einer Leidenschaft gesteigert. Er träumte und schwärmte seitdem für den Ge=danken, Bertha einst sein zu nennen, und hätte sich längst mit einer Erklärung hervorgewagt, wenn nicht des Mädchens fröhliche Unbefangenheit sich stets gleichgeblieben wäre, so daß er fürchten mußte, mit dem ihn drängenden Geständniß seiner Liebe ganz unvorbereitet zu kommen und abzuprallen. Nun hatte er einen ganz plausiblen Vorwand ergriffen, um Bertha, wenn auch nur auf einige Stunden, wiederzusehen, und das

Glück, wieder in ihrer Nähe zu sein, leuchtete aus seinen Augen und drückte sich in all' seinen Mienen aus.

Nachdem allerhand wohlgemeinte Grüße von Bekannten ausgerichtet und allerhand kleine Ereignisse, die seit der Abreise der Beiden in Prag stattgefunden, besprochen worden waren, fragte Horsky, wie sich die Herrschaften im Bade zerstreuten.

„Wir uns zerstreuen, Herr Doctor?" entgegnete Bertha heiter. „Wo denken Sie hin! Halten Sie uns für so leichtfertige Leute? Wir zerstreuen uns nicht, wir fahren fort uns zu concentriren. Der Onkel sitzt trotz aller Proteste des Arztes und aller Warnungen ·von mir Vormittags stundenlang vor seinem Büreau, und ich führe mein von Prag her gewohntes Leben weiter. Nur daß ich einige Freundinnen und ein paar Lehrer weniger habe."

„Ich habe," sagte Solm, „einige Leute kennen gelernt, sie bedeuten mir aber insgesammt nichts. Alles bleibt hier oberflächlich und flüchtig und verfliegt wieder nach allen Seiten, ehe man es recht kennen gelernt. Ein einziger Mann hat mich interessirt. Schade, daß er schon abgereist ist und Sie ihn nicht kennen lernen können. Es ist ein alter Professor, der hier den ganzen Tag über die mikroskopischen Pflänzchen und Thierchen, die sich in der Nähe der Quellen wie in einem Treibhause entwickeln, beobachtete. Ein wunderlicher Mensch! Er war todt für die Welt, die Menschen, die Berge und Thäler, ihn interessirte nur noch das, was man mindestens zweihundertmal vergrößern muß, damit es überhaupt erscheine! Es war ihm die strengste Schonung anempfohlen, er hatte bei seinem Mikroskop beinahe das halbe Augenlicht eingebüßt und sah, wenn er früh aufstand, alle Gegenstände und Menschen doppelt, doch ließ er nicht ab, seine Pflanzen und Thiere zu besehen und zu classificiren."

„Er hat aber auch hier über zwanzig Arten von Kryptogamen entdeckt, die sonst nirgendwo vorkommen sollen," sagte Bertha.

„Der gute Mensch," fügte Solm hinzu, „hat sich auch mit meiner Nichte große Mühe gegeben und ihr den größten Theil seiner Wunder gezeigt. Seitdem sagt sie mir täglich eine Unzahl lateinischer Namen vor, und ich glaube, sie wird selbst noch Entdeckungen machen wollen."

"Und denken Sie nur! Eine neue Species seiner Animalcülen hat er nach mir getauft!" rief das Mädchen triumphirend.

"Und von diesem galanten Gelehrten behaupteten Sie, daß er für die Welt abgestorben war und sich nur für das mikroskopische Leben interessirte!" rief Horský lachend. "O leichtgläubiger Onkel! Ich sage: gut, daß der Mann so alt war und bereits abgereist ist. Sie aber, Fräulein Bertha, sind, wie ich sehe, noch immer der geplagte Student!"

Es war dies der Name, den Horský ihr gegeben, weil ihre Lehrstunden kein Ende nahmen.

"Lassen Sie das!" sagte Solm. "Ein junges Mädchen hat keine bessere Ableitung von Gedanken der Eitelkeit, als Unterricht, der den ernsten Trieb des Wissens weckt. Sehen Sie die Modepuppen auf der „Wiese" und auf den Promenadeplätzen — ich frage Sie, ob diese Wesen, die für nichts Sinn haben als für Putz und Tröbel, den Namen von Frauen, von Mädchen verdienen? Ich bedaure die Väter und bedaure vor Allen die Gatten, die solchen Geschöpfen zum Opfer fallen!"

Man ließ eine Reihe auffallender Erscheinungen Revue passiren und Bertha erzählte eine Anzahl komischer Züge. Der Tag neigte sich zu Ende. „Horský," sagte Solm, indem er sich erhob, „Sie haben mir keine guten Nachrichten mitgebracht, dessenungeachtet heiße ich Sie herzlich willkommen. Ich freue mich, Sie bei mir zu sehen, und hoffe, Sie sind auf einige Zeit unser Gast."

"Ich will sehen," sagte der junge Advocat, „wie es anzufangen ist, daß ich ein paar Tage vom Hause wegbleibe. Daß ich glücklich bin in Ihrer Nähe, brauch' ich wohl nicht erst zu versichern." Er warf Bertha einen vielsagenden Blick zu.

"Vor acht Tagen dürfen Sie keinenfalls fort," sagte der Großhändler. „Auch Sie arbeiten daheim zu viel und brauchen Erholung. Von morgen an müssen Sie bei uns wohnen, Platz ist bei uns genug."

Er ging dem Hause zu.

„Bertha!" sagte Horsky leise, mit tiefbewegter Stimme, indem er sich dem Mädchen näherte, das ein paar Schritte zurückgeblieben war, „verzeihen Sie mir, wenn ich Ihnen unrecht thue! Ich hatte Ihren Onkel gebeten, Sie herabzurufen, ohne den Namen des Besuchers zu nennen. Sie kamen rasch — und ich — ich habe in Ihren Augen, als Sie mich erblickten, nur Enttäuschung gelesen. Bertha, wenn dies der Fall wäre, dann wollte ich kaum weiter streben, weiter hoffen und kämpfen! Nur Ihretwillen kam ich und dachte tausendmal an das Glück, Sie wiederzusehen — in mir brennt es heimlich und tief — Sie aber —"

„Kommen Sie! kommen Sie, Horsky!" rief Bertha. „Der Onkel wartet, er will Sie sprechen. Sie sind uns Allen ein willkommener Gast."

„Wenn ich es glauben dürfte!" seufzte Horsky entmuthigt und ging langsam vorwärts.

Bertha blieb allein zurück.

„Er liebt mich!" sagte sie. „Auch ich hätte früher geglaubt, mit ihm glücklich werden zu können, ehe ich i h n kennen lernte, ihn, den raschen, stürmischen, lieben Sieger! Ihn, der keinen Gleichen hat. Was ist Horsky neben ihm? Der Onkel, der ein unbegreifliches Gefallen an ihm findet, protegirt ihn. Wie weit wird das gehen? Wird er sich nicht um so heftiger gegen Den kehren, den ich liebe! Noch dies zu allen, allen Hindernissen, die sich zwischen uns aufthürmen. Ich verzweifle."

Die Sonne war untergegangen und vergoldete noch mit ihren scheidenden Strahlen die Höhen zu beiden Seiten der Eger. Die Bergstraße, die nach Prag führt, klomm langsam ein Extrapostwagen hinan. Der Postillon blies ein schwärmerisches Lied in die Lüfte und es wiederhallte im Thal.

„Ach Niemand ahnt," seufzte Bertha, „wie unglücklich ich mich fühle und in welches Exil ich gestoßen bin! Nur er weiß es, nur e r!"

Sie ging langsam in das Haus zurück.

Drittes Kapitel.

Die Reiter der Ukraine.

Es ist sechs Uhr, die Gewölbe öffnen sich und werden mit dem bunten Flitterstaat ihrer Waaren ausstaffirt, die schöne Welt eilt an die Quellen.

Auch das vorgestern angekommene Paar, Herr von Rosenstern und seine Tochter, hat sich früh aufgerafft und ist auf dem Wege dahin. Marie hat eine reizende Morgentoilette gemacht. Sie trägt ein graues Barègekleid mit mächtigen Volants und einen schwarzen, aufgekrempten Hut, von dem die schillernden Federn niederwallen. Ein weißer Burnus mit prächtigen Palmen, aus einem kostbaren orientalischen Stoff gebildet, drapirt ihre hohe, schlanke, stolze Gestalt. Auch das Aussehen des Vaters machte ihr Ehre. Er schreitet in feinster Pariser Toilette mit Lackstiefeln und taubengrauen Handschuhen neben ihr her.

Marie kam in den prächtigsten Humor, als die auffallendsten Erscheinungen an ihr vorüber defilirten und sie ihre Toilette mit jener der Damen verglich, die mit ihr den Weg zum Mühlbrunnen machten. Sie wurde heiter, aufgeräumt, liebenswürdig. „Wahrlich," sagte sie, „ich hätte von den Toiletten hier mehr erwartet; ich sehe nichts, was mich erdrückt! Ich habe so viel mitgenommen, daß ich durch drei Wochen täglich ein neues Kleid anziehen kann, und jeder meiner Anzüge hat seinen eigenthümlichen, interessanten Charakter."

Die selbstzufriedene Stimmung trübte sich ein wenig, als die Beiden zur Quelle kamen. Die meisten der Damen waren mit Bouquets versehen. Der Vater, der es ebenfalls bemerkt hatte, sagte arglos: „Ich hätte Dir einen Strauß kaufen sollen!"

„Wenn Dich Jemand sähe," erwiderte Marie, „würde es

7*

97

mich lächerlich machen! Den muß man von einer andern
Hand erhalten."

Das Gespräch wurde abgebrochen, als einige Herren
Marie mit großer Aufmerksamkeit zu betrachten anfingen.
Dies war ein Oberst mit einem Bullbogsgesicht, ein Holländer
mit semmelblondem Haar und langem Backenbart und ein
unendlich magerer Engländer. Sie sprachen theils mimisch,
theils mit kleinen Ausrufen ihre Bewunderung ziemlich ungenirt aus, doch Keiner hatte den Muth oder die Erfindungs-
gabe, Vater und Tochter unter irgend einem Vorwande anzureden. Als sie weiter gingen, sahen sie sich mehrmals um
und ahnten nicht, mit wie süßem Lächeln ihre Kühnheit belohnt worden wäre.

„Entdeckst Du denn gar keinen Bekannten?" fragte Marie
den Vater, nachdem sie lange auf und ab gegangen.

„Kind," gab der Vater sanft zur Antwort, „sei nicht ungeduldig! Eine Unzahl von Bekannten werde ich finden, doch
nicht in der ersten Viertelstunde!"

Da kam der Hofrath von Brieg auf sie zu. „Wohl geschlafen, meine Gnädige?" redete er Marie weltmännisch
lächelnd an.

„Recht gut," erwiderte Marie.

„Schon den Brunnen getrunken!" fragte er auf's Neue,
zerstreut nach einem Vorübergehenden blickend.

„Soeben," antwortete Marie. „Das Wasser schmeckt sehr
unangenehm. Wann werden wir einen Ball haben?"

„Ich glaube sehr bald, sehr bald," erwiderte der Hofrath.
„Er dürfte glänzend sein, da mehrere allerhöchste Herrschaften,
die man erwartet, daran Theil nehmen werden. Amüsiren
Sie sich gut! Ich habe die Ehre..."

Er eilte plötzlich fort.

„Der ist ja unruhig wie Quecksilber," sagte Marie.

„Ein so gesuchter Mann," erwiderte der Vater, „kann
nicht lange auf einer Stelle stehen. Dem ist jede Minute
einen Ducaten werth!"

„Ach, gewöhne Dir doch solche Redensarten endlich ab!"
rief Marie mit tiefer Mißbilligung. „Das schmeckt schrecklich
nach dem Comptoir. Ach, ich bin so müde!"

Sie ging auf eine hart am Theresienbrunnen stehende Bank zu, während der Vater wie ein Wache stehender Paladin ihr zur Seite hin und her tänzelte, im Stillen bereits von der überhandnehmenden Verstimmung seiner Tochter sehr beunruhigt.

Da gingen einige frische, junge Mädchengestalten in eleganten Toiletten, heiter, fast muthwillig lachend, an ihnen vorbei. Herr von Rosenstern bemerkte, daß die Schönste derselben einen auffallend langen und scharfen Blick auf seine Tochter geheftet hatte.

„Die Dame scheint Dich gekannt zu haben," sagte er. „Ich glaube sie schon in Prag gesehen zu haben."

„Habe nicht die Ehre," erwiderte Marie unwirsch.

„Das kann sein," sagte der Vater in seiner unerschöpflichen Langmuth. „Sie kennt Dich vielleicht, ohne daß darum Du sie zu kennen brauchst. Du bist doch," fügte er mit geflissentlicher Schmeichelei hinzu, „keine so unbekannte Persönlichkeit —"

„Wenn ich sage, ich kenne sie nicht," versetzte Marie, „so heißt das bei einer so unbedeutenden Person ebenso viel, als wenn ich sage: ich kenne sie."

„Wohl wahr," brummte der Vater, sich sclavisch unterwerfend.

„Es ist Bertha Wahlmuth," fuhr Marie fort, „eine neidische, mir sehr gehässige Person, die zuweilen nach Prag kommt, um einen Ball mitzumachen oder eine Theatervorstellung zu sehen. Ihre Nachreden sind mir schon zu Ohren gekommen. Doch genug davon! Schade um jedes Wort über solche Bagatellen."

Sie riß die Lorgnette hervor und firirte eine unweit stehende Herrengruppe unter dem Anschein, die bewaldeten Granitfelsen des Kreuzberges zu betrachten.

In diesem Augenblicke blieben zwei Herren, die einander entgegenkamen, dicht vor ihr stehen. Der Eine, Jüngere, hatte ein angenehmes, doch ernstes und sehr intelligentes Gesicht, der Andere, etwa vierunddreißig Jahre alt, höchst modern gekleidet, hatte etwas Steifes und Gravitätisches, das an's Burleske streifte. Marie hörte zufälligerweise den Schluß ihres kurzen Gesprächs. Der Jüngere sagte:

„Ich stelle Sie vor. Thun Sie es nur, um Bertha's willen. Sie ist ohne Uebertreibung jetzt das schönste Mädchen Prags und dafür anerkannt."

Sie gingen weiter.

Marie biß sich auf die Lippen und warf einen Blick nach dem Vater, der sich sehr ungeschickt stellte, als habe er nicht gehört, wie man seine Tochter ignorire oder zu den passirten Schönheiten werfe.

„Das ist lustig!" rief Marie mit lautem Hohngelächter. „Bertha Wahlmuth meinten die Zwei wohl, da sie nach der Richtung liefen, welche jene eingeschlagen. Diese Ansichten! Zum Todtlachen!"

„Wer mögen wohl diese Herren sein?" fragte Herr von Rosenstern, unwillkürlich eingestehend, daß er die verbrecherische Aeußerung, die Majestätsbeleidigung seiner Tochter, gehört habe.

„Wer sie sind?" rief Marie, „der Jüngere ist wohl ein armer Amtspraktikant und der Andere, der so steif und un= behülflich aussieht, irgend ein Landpostmeister."

„Du wirst nicht Unrecht haben," kicherte der Vater, glück= lich, daß das drohende Ungewitter mit einer heitern Malice endigte.

Kurz darauf erblickte er dieselbe Gesellschaft, Bertha Wahlmuth in der Mitte, den Amtspraktikanten an einem, den Landpostmeister am andern Flügel, in einiger Ent= fernung.

„Da kommen sie!" rief der Vater, „die steife Würde des Einen ist wirklich grotesk!"

Die Gesellschaft passirte eben an ihnen vorüber, als ihre hohnlächelnde Miene plötzlich erstarrte. Sie hatten ver= nommen, daß der Landpostmeister Graf Wellenburg titulirt wurde.

Marie faßte sich schnell und sagte übermüthig, während der Vater noch mit langem Gesichte dastand:

„Graf Wellenburg! Wenn man so aussieht, ist selbst Bertha Wahlmuth noch viel zu fein für ihn. Kennst Du die Familie Wellenburg, Vater? Was ist an ihr?"

„Mein Kind," ftotterte der Vater verlegen, „es ift ein reichsunmittelbares, uraltes deutsches Grafenhaus. Ich fah voriges Jahr in Wien einen Grafen diefes Namens, vermuthlich den jüngeren Bruder. Er befaß die feinften Raceperde und die schönfte Equipage. Er wurde mir im Prater gezeigt. Ja, ja. Die Wellenburgs find fogar eins der reichften gräflichen Häufer." So langfam träufelte er die ganze Wahrheit deffen, was er wußte, der Tochter in's Ohr und mußte wahrnehmen, welchen betrübenden Eindruck fie auf Marie hervorbrachte.

„Ich muß nach Haufe!" rief fie und fprang empor. „Mir ift nicht wohl. Die Luft —"

Sie eilte fo schnell davon, daß der Vater Mühe hatte, Schritt zu halten. Ihre Verftimmung hielt auch zu Haufe an. Die hochmüthige Ungeduld, Effect zu machen, schlug allen Humor nieder, und die kleinliche Eiferfüchtelei, daß die Welt fo blind fei, Rivalinnen zu beachten, während fie felbft unbemerkt zu fein schien, brachte das verzogene Mädchen momentan zum Rafen.

Der Vater, der nicht wußte, wie er den Sturm pariren werde, fuchte aus dem Spiel zu bleiben, indem er allerhand bringende Beschäftigungen vornahm, und wagte gar nicht, feiner Tochter zu fagen, daß die Effensftunde längft vorüber fei.

„Werden wir heute auch faften?" fragte Marie, unverhofft in fein Zimmer tretend.

„Es hängt nur von Dir ab, das Zeichen zum Aufbruch zu geben," antwortete Rofenftern.

Im Hotel de Sare, wo fie zu Mittag fpeiften, angekommen, fetzten fie fich an einen abfeits ftehenden Tifch, obwohl zwischen den Reihen der Gäfte viele Plätze frei waren. Marie hätte fich am liebften auf eine Tribüne placirt, um auffallend gefehen zu werden und den Saal mit dem Blicke zu beherrschen. Sie hatte auch die Genugthuung, zu merken, daß man gleich bei ihrem Eintritt von allen Seiten auf fie blicke und, wie fie feft glaubte, das Erftaunen über die schöne Unbekannte dem Nachbar zuflüftere.

Sie hatte nicht Unrecht. Es gab viele Herren, die glücklich

gewesen wären, an ihrer Seite zu biniren, die aber lieber ihr Herz zum Schweigen brachten, als daß sie durch einen plötzlichen Sitzwechsel die gute Lebensart verletzt hätten.

In Mariens Köpfchen kamen aber solche Bedenken nicht vor. Sie verlangte, im Sturme zu siegen, sie verlangte, daß die Herren Revolutionen machten, um ihr zu gefallen.

Als das Essen nun immer weiter vorwärts ging, ohne daß sie von der Einsamkeit, die sie doch gesucht, befreit worden wäre, fühlte sie sich tief niedergedrückt. Es war nicht blos Sucht, Aufsehen zu erregen, als sie eine verlangte Speise nach der andern, ohne sie gekostet zu haben, wieder zurücksandte, sondern Appetitlosigkeit in Folge ihrer Aufregung.

Sie lehnte sich kühn zurück und blickte apathisch über den Saal; in ihren Zügen drückte sich eine vornehme, unermeßliche Weltverachtung aus.

Aber wie wären diese starren Züge sanft und schnell geschmolzen und hätten sich liebenswürdig verklärt, wenn ein interessanter Ritter an ihrer Seite Platz genommen hätte! Es war umsonst. Sie verließ den Saal noch entmuthigter, als sie gekommen.

Zu Hause nahm Marie eine Handarbeit und begann leidenschaftlich zu sticken, ohne stundenlang daran zu denken, an's Fenster zu treten und ohne ein Wort mit dem Vater zu reden. Herr von Rosenstern lag indessen auf dem Sopha, im türkischen Schlafrock, mit der langen, quastenreichen Pfeife, aber er lag wahrhaftig nicht auf Rosen. Zuweilen überfiel ihn ein peinliches Nachdenken, oder er suchte das räthselhafte Schweigen seiner Tochter, die doch sonst die Zurückhaltung ihrer üblen Laune nicht kannte, zu dechiffriren. Er war in den Gegenstand so vertieft, daß ihm die Pfeife mehrmals ausging.

Plötzlich hatte Marie die Arbeit bei Seite gelegt und war in's Nebenzimmer gegangen. Sie sagte mit freundlicher Ruhe zum Vater:

„Ich mache Toilette. Ich hoffe, daß Du in einer Stunde bereit sein wirst, einen Spaziergang zu machen.“

„Gewiß, liebste Marie!“ rief der Vater, von dieser über=

raschenden Sanftmuth ebenso entzückt, als von der Aussicht, noch eine Stunde Ruhe zu haben.

„Sie hat das beste Herz!" sagte er zu sich. „Gott, wer kann es ihr übelnehmen, daß sie verdrießlich wird! So jung, so schön, eine so reizende Novität im Bade — und gar kein Eclat, kein Aufsehen! Bei Gott, eine Schicksalstücke, die leider meiner eigenen Bequemlichkeit an den Leib geht!"

Er schlummerte sanft ein. Er war aber noch zu rechter Zeit aufgewacht, um Marie nicht warten zu lassen.

Endlich gingen sie aus. Der Vater fragte nicht wohin, er überließ sich der Führung seiner Tochter, und diese folgte der Richtung, die der größte Menschenstrom genommen. Zwischen den granitnen, waldbekleideten Wänden, dem Tepel- flüßchen entlang, kamen sie beim Freundschaftssaal an.

Herren, mit Damen gemischt, füllten alle Plätze; es schien ein goldner Humor über die Gesellschaft ausgegossen.

Marie wählte wieder, wie im Hotel de Sare, den ein- zigen unbesetzten Tisch an dem äußersten Gartenende.

In ihrer nächsten Nähe saßen ein paar junge Engländer, die ihre sprichwörtlich gewordene Wortkargheit verleugneten und sich mit einigen coquetten Pariserinnen auf das Muth- willigste und Liebenswürdigste unterhielten. Es hatte allen Anschein, daß auch hier im Kleinen die westmächtliche Allianz in den nächsten Tagen zum Abschluß kommen werde.

Auf der andern Seite saßen ein paar polnische Gutsbe- sitzerstöchter, mit aller Anmuth und Grazie begabt, die man an den Polinnen rühmt. Oesterreichische Officiere umringen sie und scheinen eine furchtbare Schlachtlinie zu formiren, mit allen Waffen ausgerüstet, die ihnen ihre Galanterie und ihr Witz bietet. Eine der schönen Polinnen leistet noch immer lachend Widerstand und schwingt die polnische Fahne hoch in den Lüften, während die andere der Attake eines Husarenritt- meisters so ziemlich erlegen ist und als gefangen betrachtet werden kann.

In der Mitte des Gartens sitzt um mehrere zusammen- gerückte Tische die Elite der Gesellschaft: Magnatenfamilien, Botschafter mit ihren Gemahlinnen, sogar der regierende Herr eines kleinen Bundesstaates. Hinter ihm lauschen elegante, jedes Winkes gewärtige Diener.

Die anderen zahlreichen Tische, die weniger markirte Gruppen in Beschlag genommen, hatten doch darin den Vorzug, daß dort belebte Unterhaltung herrschte und keiner der jungen Damen ein Ritter, wie bescheiden er auch war, mangelte.

Mariens Hochmuth war fürchterlich gezüchtigt. Sie allein saß verlassen auf dem selbstgewählten Isolirschemel, von dem aus ihr Blick Niemand zu elektrisiren schien. Zorn wechselte mit Wehmuth ab, und beide machten bald wieder einer kalten Verachtung Platz, die selbst wieder nicht lange dauerte.

Der Vater fühlte wohl, was in ihr vorging, und gelangte auch, natürlich früher als Marie, zu klaren Reflerionen. Es war gewiß das Richtige, als er im Stillen zu sich sagte: „In einem solchen Bade ist die Concurrenz äußerst schwer. Womit imponiren? Mit der Schönheit? Alle Nationen senden ihre Prachteremplare hieher, jeder Geschmack ist hier vielfach vertreten. Mit Rang oder Adel? Daran darf ein Bankier nicht denken, der kaum seit zehn Jahren adlig ist! Mit Geld? Dieser Umgebung fehlt es nicht! Bei Gott, das stimmt nüchtern und ich kann mich nicht wundern, wenn Marie verdrießlich ist!"

Marie sah indessen stumm in die Wolken hinauf. In solchen Momenten, die alle Illusionen zerstören, pflegen Frauen von Kleinmuth befallen zu werden; Marie fühlte nur Trotz. Ihr stolzer Geist strebte, jede erfahrene Demüthigung fortzuweisen und selbst auf Kosten des eigenen Vortheils sophistisch wegzuspotten.

Zwei lange, qualvolle Stunden schlichen so hin. Da kam ein Herr in den vierziger Jahren, von bescheidenem Aussehen, heran, unzweifelhaft in der Absicht, auf einem der freien Stühle an Rosenstern's Tisch Platz zu nehmen.

Von Schreck erfaßt, daß eine so unscheinbare Eristenz ihre Nähe profaniren werde, fuhr Marie, dem Vater einen heimlichen Wink gebend, auf und sagte rasch:

„Jetzt wird es Zeit, daß wir gehen."

Der Fremde hatte sich indessen mit einer tiefen und schüchternen Verbeugung niedergelassen.

Herrn von Rosenstern aber war Schroffheit und muth-
willige Beleidigung fremd, er war im Gegentheil als Geschäftsmann gewöhnt, dem geringsten Menschen entgegenzu-
kommen. Er gehorchte dem Befehl seiner Tochter nicht und
wollte durch ein plötzliches Verlassen des Tisches einem arglosen Kurgaste keine Demonstration machen. Dieser Conflict
steigerte sich noch, als er gleich von dem Fremden freundlich
angeredet wurde.

„Karlsbad ist diesmal," sprach dieser, „so belebt, wie ich es
lange nicht gesehen. Auch das Wetter begünstigt die Saison."

„Ein prachtvolles Wetter!" gab Herr von Rosenstern zur
Antwort.

„Darf ich fragen, ob Sie die Kur brauchen?" fragte Jener auf's Neue.

„Nein!" war die kurze Antwort, hervorgerufen von einem
forschenden Blick nach Marie, die unwillig über die Zudring-
lichkeit, wie sie das Benehmen des Mannes nannte, das Gesicht seitab, der Landstraße zugewendet hatte.

Der Fremde aber schien so harmlos zu sein, daß er die
beleidigende Kürze der Antwort nicht ahnte, da er mit sich
gleichbleibender freundlicher Miene fortfuhr:

„Sie sind zum Vergnügen da. Das ist das Beste. Ich
muß leider alljährlich herkommen. Meine sitzende Lebensart
legt mir die Pflicht auf, mir einen mehrwöchentlichen Urlaub
zu gönnen."

Er zog dabei ein Etui hervor und bot eine Cigarre an.
Als die Offerte ziemlich kühl zurückgewiesen wurde, begab er
sich zu dem in der Nähe stehenden Licht, um sich die Cigarre
anzuzünden.

Diesen Augenblick benutzte Marie, um über den Vater
herzufallen. „Warum bleiben wir? Ich glaube gar, Du hast
Lust, Dich mit diesem Büreaukraten, der höchstens ein Ma-
gistratssecretär sein kann, einzulassen?"

„Aber Marie!" rief der Vater sanft. „Wer war darauf
gefaßt?" In dem Momente kehrte der Fremde wieder zurück;
gleichzeitig waren aber auch zwei Reiter in einem wahnsin-
nigen Trabe angekommen und von den Pferden gesprungen.
Alle Blicke hatten sich auf sie gerichtet. Mit einer großartigen

Nonchalance musterten sie bie Gesellschaft und begaben sich nach dem einzig freien Tische — dem Tische, an welchem Marie saß.

Diese fühlte sich durch die vornehme Ungenirtheit der Beiden gleich so angezogen, daß sie in stiller Brust dem Vater für sein Verweilen zu danken anfing.

Die kühnen Reiter kamen heran; der Aeltere, etwa sechsundzwanzig Jahre alt, riß, ohne zu grüßen, zwei Stühle hervor und setzte sich, sich lang ausstreckend, während die Rechte pfeilschnell nach dem Lorgnon griff und den hochadligen Mitteltisch firirte, ohne einen Blick für die übrige Gesellschaft zu haben.

Das imponirte den Rosensterns. Das konnten nur zwei Cavaliere, zwei unendlich reiche Erben sein. Selbst der Mann, den Marie für einen Büreaukraten hielt, dachte nicht mehr an die Fortsetzung des Gesprächs und schien bie zwei stolzen Ritter anzustaunen. Beide waren sehr fein gekleidet und hatten im Gesicht einen südlichen Typus. Der Aeltere war nichts weniger, als schön. Die Nase war plump, der Mund weit, Augen und Mienen verriethen ein unruhiges, wildes Wesen. Der Jüngere, ungefähr zweiundzwanzig Jahre alt, war das Gegentheil. Man konnte ihn schön nennen. Seine Augen hatten eine milde Schwärmerei, sein Teint war mädchenhaft zart, mit etwas hektischer Röthe, seine Nase edel, das Ganze besaß einen unschuldigen, knabenhaften Ausdruck. War Jener eine aufbrausende Natur, so schien dieser rein sensitiv zu sein.

Marie betrachtete sie, ohne selbst beachtet zu werden. Beim Kaffeetrinken begannen die Beiden endlich zu sprechen und zwar laut und ungenirt, wie wenn sie auf Niemand Rücksicht nähmen.

„Ich gebe Dir mein Wort," sagte der Aeltere auf deutsch, aber mit einem fremden Accent, „daß ich mein Pferd tobtschieße, sobald ich nach Hause komme."

„Was?" sagte der Sanfte, den dieser Gedankengang seines Freundes ganz erstaunt zu haben schien. „Du willst das Pferd tobtschießen?"

„Lieber reite ich eine Schildkröte," sagte der Unbändige. „Ich mag es nicht weiter mit mir herumschleppen."

„Es war auch toll," bemerkte der Sanfte, „uns Pferde aus der Ukraine mitzunehmen."

„Wenn sie was taugten!" fuhr der Aeltere heraus. „Sie haben ihr Temperament verändert!"

Dieser Anfang des Gesprächs hatte das Interesse für die Zwei gesteigert.

Mariens Humor begann sich einzustellen. Solche bodenlos reiche Modehelden waren ja seit einiger Zeit ihr Ideal geworden. Wie aber diese stolzen Russen in's Gespräch hineinreißen? Marie fand bald den Ausweg, wenigstens gab es keinen besseren, als zu versuchen, mit dem Büreaukraten eine Unterhaltung anzuspinnen, um mit Hülfe der Sprache und der silberhellen Stimme die Aufmerksamkeit auf sich zu leiten.

„Besuchen Sie zuweilen das hiesige Theater?" fragte Marie den unscheinbaren Herrn im unmodernen, dunkeln Gehrock und dem klugen, wiewohl matten Gesicht.

„Ich halte es für schlecht," gab der Angeredete, von der unerwarteten Liebenswürdigkeit der jungen Dame geschmeichelt, zur Antwort. „Ich gehe zwar selbst in Prag, wo ich lebe, selten hinein —"

„Da denke ich anders," sagte Marie mit dem holdseligsten Gesichtsausdruck, dessen sie fähig war. „Wenn mir mein Papa keine Loge hielte, müßte ich in vier Wochen an Langeweile sterben. Ich schwärme für Kunst, Kunst ist ein höheres Leben!"

Diese Worte machten auf die Cavaliere Effect, sie würdigten das schöne Mädchen das erste Mal einer längeren Aufmerksamkeit.

Als Marie dies bemerkte, erhob sich ihr Muth wie ein Adler wieder.

„Diese Schwärmerei ist edel," antwortete der Herr. „Glücklich, wer sie pflegen kann. Wer, wie ich, des Abends erst vom Geschäftszwang frei wird, ist für höhere Genüsse schon abgespannt. Das Einzige, was ich mir gönne, weil meine Gesundheit darauf dringt, besteht darin, daß ich täglich eine Stunde ausreite."

„Reiten! rief Marie entzückt, „das wäre meine Leiden=
schaft! Wer das Bedürfniß hat, zu fliegen, findet auf dem
Pferde seine Flügel. Es giebt für mich nichts Poetischeres,
als einen Reiter, der im Sturme dahinbraust.“

Auch diese Stelle, unzweifelhaft berechnet, wirkte auf die
Beiden, die ja soeben wie der Sturm herangebraust waren.
Leider lohnten sie diese indirecte Bewunderung mit keiner
Silbe. Marie aber war noch immer nicht entmuthigt.

„Sie sind wohl allein im Bade?“ fragte sie den Fremden,
der durch das Interesse, das ihm eine so schöne Dame schenkte,
sichtlich angenehm berührt war.

„Nein,“ gab er zur Antwort. „Meine Nichte ist mit
mir. Sie befindet sich heute auf einer Landpartie, auf der ihr
ein älterer, kränklicher Mann, wie ich, nicht folgen kann.“

„Ei,“ rief Marie, „Sie setzen sich sehr herab! Sie sehen
nicht krank aus, und was Ihr Alter betrifft, so stehen Sie
ja in der kräftigsten Epoche. Sie sind durch die Stubenluft
sehr hypochondrisch geworden.“

„Sie sind sehr liebenswürdig,“ stotterte der Fremde mit
unbeholfenen Verbeugungen, „doch kann ich Ihnen nur in
dem letzten Punkte Recht geben, daß ich allerdings ein großer
Hypochonder bin —“

„Ei!“ rief da der wilde Reiter, indem er geräuschvoll
aufsprang und weit hinuntersah. „Geht dort nicht unsere
gute Fürstin?“

Der Sensitive blinzelte in der angedeuteten Richtung eine
Weile hinaus und verneinte es entschieden.

„Gewiß ist sie es!“ rief der Andere. „Fort, ihr nach!“

Stürmisch, wie sie gekommen, verschwanden Beide, die
Tischgäste einer unbedeutenden Hutbewegung würdigend.

Marie fiel aus allen ihren Himmeln. Diese Begegnung,
auf die sie fest vertraut, war ein Fiasco für sie geworden.
Sie riß die Uhr hervor, sah sie an und sagte, indem sie sich
rasch erhob:

„Wir haben hohe Zeit!“

Mit einem flüchtigen Knix und einer freundlichen Gri=
masse ließ sie den zu den Zwecken ihrer Coquetterie miß=
brauchten Herrn sitzen.

Bei sinkender Nacht kamen Vater und Tochter nach Hause. Mariens Mißmuth war unbeschreiblich. Der Vater hatte Mühe, sie von dem Entschlusse abzubringen, schon am andern Tage abzureisen. Es gelang ihm, sie zu beschwichtigen, indem er ihr Dinge versprach, deren Erfüllung ihm unmöglich schien. Erst als die Stunde des Schlafengehens herankam, war die äußere Ruhe hergestellt. Der Vater grübelte noch lange über die Schwierigkeit seiner Lage und die Abhülfe seiner häuslichen Qualen; die Tochter that vor Mitternacht kein Auge zu. In ihrem Kopfe waren seit ihrer Ankunft in Karlsbad die Phantasiegebilde mit der Realität furchtbar zusammengestoßen und die erschütterten Nerven schwangen sich noch aufgeregt in wilder Bewegung. Es war ihr, als ob sie hier auf dem Theater des Bades, auf das alle Nationen ihr Contingent von Schönheiten gesandt, wie eine Statistin im allgemeinen Schauspiel untergehen müßte.

Viertes Kapitel.

Noch Enttäuschungen.

Am andern Morgen war Marie früh aufgestanden und schon um sieben Uhr mit der Toilette für den Brunnen fertig geworden.

Herr von Rosenstern hatte sich gleichzeitig bereit gemacht. Da die Laune seiner Tochter nie zu berechnen war, hatte er sich aber bereits auch auf die Abreise gefaßt. Da überbrachte ihm Mademoiselle Ferrère, die Schweizerin, die erfreuliche Nachricht, daß Fräulein Marie zum Brunnen zu gehen beabsichtigte. Mehr als das vermochte sie ihm über die Stimmung Mariens nicht zu sagen.

Der unglückliche Vater stand wartend am Fenster. Unten

eilten die Kurgäste vorbei, jede der jüngeren Damen hatte ihr Bouquet in der Hand.

„Ach," seufzte der Vater, „wenn Marie das sieht! Die Schönste soll kein Bouquet haben! Wie wird das ihre Stimmung verschlimmern! Aber da kommt mir eine Idee! Wie, wenn ich ein Bouquet heimlich kaufte und es ihr anonym zusendete?... Das wäre gewiß von bester Wirkung... Sie wäre bald guter Laune und hätte tagelang im Stillen eine pikante Beschäftigung, herauszubekommen, wer der Zusender sei..."

Er brach ab, da er Marien kommen hörte. Sie trat still ein. Ihr Gesicht war blaß, ihren Lippen fehlte die gewöhnliche Purpurfarbe.

„Schon fertig?" fragte der Vater unendlich zärtlich. „Du bist eine wahre Herenmeisterin!"

„Ich habe es kurz und gut gemacht!" warf Marie tonlos hin. „Für wen sollte ich mich putzen? Vielleicht für den Hofrath von Brieg oder gar für den hypochondrischen Büreaukraten vom Freundschaftssaal?"

Der Vater kratzte sich hinter den Ohren, ohne einen Laut von sich zu geben, und sah in den tiefklaren Himmel hinauf, als flehe er ihn an, einen Platzregen herabzusenden, damit ihm der schreckliche Gang zum Brunnen erspart würde. Es war umsonst. Gleich darauf waren sie auf dem Wege und schritten stumm, gedrückt neben einander her. In der Nähe des Mühlbades kam ihnen der Hofrath von Brieg mit seinem gewohnten Lächeln entgegen.

„Wohl geschlafen, mein gnädiges Fräulein?" fragte er, sich leicht verbeugend.

„Ach, kein Auge zugethan!" seufzte Marie. „Diese Nerven —"

„In der That," erwiderte der Hofrath, „ich finde das Fräulein bleich, angegriffen aussehend. Es wäre fast besser, Sie tränken einen halben Becher weniger und suchten etwas mehr Zerstreuung —"

„Zerstreuung!" rief Marie mit kaltem Hohn. „Leicht gesagt! Wie soll man sich hier zerstreuen? Wenn ich gewußt hätte, was Karlsbad für ein Ort ist, wäre ich lieber zu Hause geblieben. Ist das ein Weltbad, wie es die Blätter nennen? Ein Spital, ein langweiliges Spital!"

„Marie, mein Engel!" rief der bestürzte Vater, „schone Deine Nerven!"

„Es soll heraus," fuhr Marie fort. „Was soll ich schweigen? Ich langweile mich hier, und Langeweile macht mich krank, ist mir tödtlich! Was soll das heißen: Ein Becher mehr oder weniger? Mir kann das Wasser nichts helfen..."

„Sehen Sie, Herr Hofrath," fuhr der Vater dazwischen, „wie die Nerven meiner Tochter sind gereizt! Bei Gott! ich kann seit einiger Zeit mit ihr keinen Schritt machen, ohne in der einen Tasche bei mir zu führen das Kirschlorbeerwasser und in der andern den Hirschhorngeist."

Diese wie eine Beschwerde klingende Rede nahm die Tochter sehr übel auf, mäßigte aber ihre Replik aus Rücksicht auf den anwesenden Hofrath, als sie mit Empfindlichkeit erwiderte:

„Hören Sie, Herr Hofrath, wie sehr ich dem Vater zur Last falle! Ich bin daran gewöhnt," wendete sie sich an ihn, „Du aber solltest vor anderen Leuten nicht zeigen, wie ungalant Du gegen mich bist!"

„Wie Du das auffassest!" rief der Vater entsetzt. „Es ist ein Symptom von kranken Nerven, Herr Hofrath, denn es konnte sonst kein Wesen geben, weniger anspruchsvoll als meine Marie!"

„Das Fräulein hat ein rasches Temperament," sagte von Brieg, der im Stillen die Beiden ganz richtig beurtheilte, „eine südlich heiße Phantasie, die die kleinsten Uebel in's Unendliche vergrößert und schmerzhafter als andere Sterblichen empfinden läßt. Sie braucht ein Gegengewicht von Zerstreuung, erheiternder Gesellschaft. — Erlauben Sie," sagte er, „Ihren schönen Arm zu berühren — der Puls geht normal, ganz normal. Ihr Papa wird heute bei dem schönen Wetter eine größere Landpartie arrangiren, und ich bin gewiß, Sie morgen wieder lachend zu treffen. Ich habe die Ehre —"

Er flog davon.

„Diese Redensarten," sagte Marie, „könnte er sich ersparen."

Höchst mißvergnügt kam sie am Mühlbrunnen an. Eine Französin stand da, die sogar drei Bouquets in der Hand hielt. Um den Anblick noch gräßlicher zu machen, hatte sie einen kleinen Baron aus Wien als Anbeter zur Seite, welcher Marie von den Bällen in Wien wohl kannte, jetzt aber sie mit Vorsatz ignorirte.

In dem Augenblicke beging der Vater die unermeßliche Ungeschicklichkeit, ihr zu sagen:

„Ich glaube, das war der kleine Baron —"

„Ich glaube nicht," antwortete Marie bissig, „dieser da scheint mir ein Laffe."

Sie entfernte sich schnell vom Brunnen. Der Vater folgte ihr, die Höhe hinan, auf dem schmalen Pfade einige Schritte weit nach, in tiefe Melancholie versunken. Das ganze Gedränge von Menschen unterhielt sich scheinbar in frohester Laune. Niemand war allein und verlassen; welcher böse Fluch, daß der Vater einer so schönen Tochter unbeachtet einherging! Dieser Gedanke drückte Herrn von Rosenstern zu Boden. Was gäbe er dafür, wenn jetzt ein Lieutenant, auch nur ein kleiner Lieutenant käme, um Marien zu huldigen! Aber natürlich müßte er von Adel sein! Es war ein Gewimmel von Lieutenants in Karlsbad, aber keiner war da für Marie!

Ohne ein Wort zu wechseln, waren Vater und Tochter lange auf und ab gestrichen. Da sagte sie plötzlich:

„Verlassen wir das Getümmel und schlagen wir den Weg zum Hirschensprung ein. Im Walde wird es uns nicht Wunder nehmen, daß wir so allein sind!"

Der Vater gehorchte bereitwillig dieser sarkastischen Aufforderung. Kaum waren sie eine kurze Strecke hinaufgekommen, als ihnen die Tritte eines einzelnen Mannes vernehmlich wurden. Es war der Herr vom Freundschaftssaal, den Marie vor Kurzem den hypochondrischen Büreaukraten genannt hatte.

„Schon wieder!" flüsterte sie dem Vater ungeduldig zu, während der Fremde herankam und stehen blieb.

„Ich erlaube mir zu fragen," sagte er, wie Jemand, der in der galanten Sprache ohne alle Uebung ist, „wie Ihnen der Spaziergang von gestern bekommen ist?" —

Marie zögerte mit der Antwort, Herr von Rosenstern, welcher befürchtete, daß sie eine unartige Phrase loslassen werde, wollte es verhindern und trat schnell vor:

„Ausgezeichnet!" — sagte er — „wir haben herrlich geschlafen. Nicht wahr, Marie?" Er sah sie mit einem Blicke an, welcher sie anflehte, mit einem höflichen Fremdling doch Mitleid zu haben.

„O ja!" sagte Marie gezwungen.

„Wohin werden Sie heute Ihren Spaziergang richten?" fragte der Fremde auf schüchterne, fast devote Weise.

„Wohin?" sagte Marie heftig. „Mir ist es überall recht, wo ich keine Menschen sehe. Das Geräusch betäubt mich, bringt mich von Sinnen."

„Sie sind ein Original, mein Fräulein!" rief der Fremde lächelnd. „Sie sind so —" er stotterte — „so jung, daß eine solche Vorliebe für Einsamkeit und schöne Natur —"

„Ja," nahm der Vater schnell das Wort, da Marie lange stumm blieb, „meine Tochter hat romantischen Sinn. Je kühner die Felsen emporsteigen, desto mehr gefallen sie ihr, und je tiefer die Abgründe sind, um so lieber schaut sie hinein."

„Liebe zur schönen Natur," versetzte der Fremde, „steht im natürlichen Zusammenhange mit der Schwärmerei für die Kunst, welche, wie ich gestern gehört, an Ihrem Fräulein Tochter eine so warme Gönnerin hat."

„Sie sehen auch," sagte Herr von Rosenstern, „daß sie schon den Brunnen flieht, wo noch die ganze elegante Gesellschaft beisammen ist. Sie will auf die Berge. Sie sieht so gern imposante Landschaften, um so mehr, da sie auch zeichnet mit Kreide und Bleistift. Sie hat einen großen Lehrer im Zeichnen gehabt, einen Künstler aus Rom — ich habe ihm zehn Gulden für die Stunde gezahlt — aber, mein Gott, was bedeutet das, wenn man den Kindern eine feine Erziehung geben will?"

Der Fremde war verwundert, daß Marie so ruhig dabei

8*

blieb, er nahm aber an, daß sich die Bescheidenheit des kunst=
sinnigen Mädchens gedrückt fühle.

„Ich gratulire jedem Vater," sagte er, „zum Besitze einer
solchen Tochter. Ich hoffe, bald wieder die Ehre zu haben —"

Er ging mit steifen Bücklingen ab.

Marie blieb stehen und ließ den Fremden erst eine Strecke
weit gehen. Dann sagte sie:

„Was machst Du für Umstände mit ihm! Welchen
Menschen werden wir uns an ihm aufhalsen? Heute begnügt
er sich damit, uns anzuhalten, morgen wird er mir schon die
Hand geben und übermorgen uns zum Spaziergange abholen.
Bin ich nach Karlsbad gekommen, um einem leberkranken
Büreaukraten, der ganz allein herumläuft, Gesellschaft zu
leisten?"

Sie ging wild vorwärts. Der bestürzte Vater wußte
nicht, was er erwidern sollte, und trabte unglücklich nach, bis
sie auf dem kürzesten Wege nach Hause kamen. Marie schlüpfte
in ihr Toilettezimmer. Rosenstern warf sich im Nebengemach
verzweiflungsvoll auf einen Stuhl.

„Dieses Leben ist nicht zu ertragen," sagte er, sich seinen
Gedanken überlassend. „Sie plagt mich in der Stadt; um
mich davon zu befreien, bringe ich sie her, stürze mich in
rasende Ausgaben — das ist der Lohn! Soll ich abreisen?
Was erwartet mich? Plage bei Tag und Nacht! Soll ich
bleiben? Was erwartet mich da? Dasselbe! Ich denke doch,
Marie könnte sich leichter hier zerstreuen als anderswo, und
es würde unfehlbar geschehen, wenn sie nur ein bischen Ge=
duld hätte. Noble Bekanntschaften muß der Zufall bringen,
sie lassen sich nicht herzaubern! Sie braucht Zerstreuung, und
es zerstreut sie nichts als — Anbetung! Es ist natürlich; ein
Wesen, so jung, so schön, wie sie! Ich sollte sie bemitleiden,
statt ihr heimlich Vorwürfe zu machen. Was thun? Es
bleibt nichts übrig, als sie mit Hülfe von Schmeicheleien noch
einige Tage hinzuhalten, bis sich eine interessante Bekannt=
schaft findet, was nicht ausbleiben kann! Doch — mein
Gott, wenn sie es nur aushält! Ihre Nerven sind so gereizt,
daß ich mit Schauder daran denke, wie leicht dieser Zustand
etwa gar zu krampfartigen Anfällen führen kann! Meine

Marie krank sehen, wäre ein Anblick, der mich um den Verstand brächte! Doch was erschrecke ich mich selbst! Es wird nicht so weit kommen. Morgen früh bekommt sie ein Bouquet anonym zugeschickt. Das wird ihre Neugier anregen, ihren Geist beschäftigen und ihr Herz frisch pulsiren machen." —

Marie trat herein, den Kopf mit einem Tuche verbunden.

„Mein Gott!" schrie der Vater bei diesem Anblick. „Wie Du mich in Schrecken setzest! Soll ich den Hofrath holen?"

„Der kann mir wenig helfen!" antwortete sie trocken und ging wieder zur Thüre hinaus.

„Ich unglücklicher Vater!" rief Herr von Rosenstern und schlug die Hände zusammen. „Sie wird krank, sie bekommt Krämpfe, sie erliegt endlich einem Herzleiden! O, sie leidet bereits tiefer, als sie gesteht! Wie blaß sie heute war! Der Hofrath war über ihr Aussehen ganz alterirt. Nein, ich kann sie nicht so hinsiechen lassen und ruhig die Hände in den Schooß legen! Ich will ihr morgen zwei, vier, zehn Bouquets anonym zusenden, o ich möchte ihr — wenn es sie freute — anonym eine ganze Orangerie kaufen! Wie aber —" eine neue Idee fuhr ihm durch den Kopf. „Bei Gott!" rief er plötzlich nach einigen Secunden des Nachdenkens, „dieser Einfall ist noch luminöser, als der mit den Bouquets. Ein Bouquet und noch einen räthselhaften, zarten Brief dazu! Köstlich, ein Brief wird Wunder thun! Sie wird die beste Zerstreuung haben, wenn sie sich bewundert, geliebt glaubt, — am Ende ein Wahn, aber ein schöner, heilsamer, nothwendiger Wahn! Sie wird alle Menschen mit neuem Interesse ansehen, sie wird immer ausgehen wollen, um den Anonymus zu entdecken, und das wird das Gute haben, daß sie mehr die gesunde Waldluft genießt. Das wird sie stärken, sie wird kräftiger werden, und wird sie ungeduldig, so wird ein neuer Brief geschrieben — und indeß muß sich — da müßte der Satan dahinter sein — doch ein lebendiger, ein wirklicher Anbeter finden!" —

Von seinem Einfall begeistert, zog er einen Bleistift und ein Blatt Papier hervor, um in der ersten Glut der Empfindung ein passendes Concept zu dem Liebesbriefe zu entwerfen. Doch wie er auch seine Phantasie anstrengte, es wollte ihm eine poetische Fassung nicht gelingen. Kaum hatte er einen Satz geschrieben, als er ihn durchstrich und einen neuen anfing, der ebenso wenig stehen blieb.

„Was zerbreche ich mir vergeblich den Kopf?" rief er endlich aufspringend und das Papier zerknittert in die Tasche schiebend. „Für einen Gulden kaufen wir daneben in der Buchhandlung einen Briefsteller für Liebende, in welchem ich die schönste Auswahl von feurigen Anreden und zärtlichen Wendungen finde!"

Er zog sich schnell an, öffnete halb die Thüre, die zu Marie führte, und rief hinein:

„Ich komme gleich zurück, liebes Kind, ich gehe nur zum Drechsler daneben, um mir eine neue Pfeifenspitze drehen zu lassen."

Flugs war er fort. Scheu sich an den Häusern drückend, um von Marie nicht gesehen zu werden, schlüpfte er in den Laden des Buchhändlers.

Er gewahrte dort außer dem Commis, der Bücher einpackte, zu seinem großen Erstaunen die beiden Cavaliere, die gestern wie Mazeppas zum Freundschaftssaal gesprengt gekommen und, als sie die Fürstin erblickt, ebenso schnell verschwunden waren. Sie lagen auf dem kleinen Sopha nachlässig hingestreckt, welches beinahe eine ganze Seitenwand des Ladens einnahm. Beide hielten große Lithographieen in den Händen und schienen sich mit dem Commis lebhaft unterhalten zu haben.

Herr von Rosenstern grüßte mit kalter Vornehmheit, die seinem sonst schmiegsamen Wesen nicht leicht fiel, da seine sich eifrig zur Noblesse drängende Eitelkeit den stillen Herzenswunsch hegte, mit den Beiden bekannt zu werden. Diese erwiderten den Gruß mit gleicher Kälte; ihre Haltung drückte eine Schwierigkeit der Annäherung aus, die bis an das Unmögliche ging.

Der geschäftslustige Commis fragte gleich, was Herr von Rosenstern wünsche.

Dieser zog eine Brieftasche hervor und begann in derselben zu blättern, wie wenn er den Titel eines Buches suche, da er ja doch unmöglich in Gegenwart von Fremden den Galanthomme oder den Briefsteller für Liebende verlangen konnte. Er sann auf den Namen eines Buches, das er verlangen konnte, aber bei seiner gänzlichen Unbelesenheit wurde ihm das nicht leicht.

„Weiß Gott," sprach er endlich, da ihm kein Buchtitel einfiel, „ich habe das Blatt verloren. Doch Sie werden mir rathen können. Ich wünsche eine Beschreibung von Karlsbad."

„Mit lithographirten Ansichten vielleicht?" fragte der Commis.

„Darauf kommt es nicht an!" sprach der verlegene Käufer. „Ich wünschte ein Buch, das die Wirkungen des Sprudels bespricht."

„Damit kann ich dienen!" rief der Commis, in den Hintergrund eilend, „darüber giebt es eine ganze Bibliothek!"

Er brachte einen Stoß von Büchern und Broschüren.

„Es ist am besten," bemerkte er, „Sie wählen selbst. Die Bücher, die ich herlege, sind die besten, wenigstens die gelesensten."

„Das ist vortrefflich!" rief Herr von Rosenstern, und fing in dem Wust von Heften wie ein deutscher Bücherwurm zu wühlen an, während seine Augen verstohlen über die Schränke schweiften und den Galanthomme, der in keiner Buchhandlung fehlt, zu entdecken suchten.

Während er auf diese Weise beschäftigt war, glaubte der Commis das abgerissene Gespräch mit den zwei Cavalieren wieder aufnehmen zu müssen.

„Sie fragten mich nach den Engländern," sprach er. „Ueber diese läßt sich wenig Erbauliches sagen. Sie haben die Reputation, nobel zu sein, aber Niemand handelt so knauserig wie sie. Nachmittags setzen sich die Ladies mit ihren unendlichen Schleppen auf den öffentlichen Unterhaltungsplätzen nieder, hören das Concert an, falls es nicht Sonntag ist, nehmen den Wirthsleuten den Platz weg und genießen nichts dabei. Türkische Musik ist ihnen die liebste, für Concerte geben sie keinen Groschen aus."

„Wie ist's mit den Polen, die hier sehr zahlreich vertreten

find?" fragte Jener von den Beiden, der sein Pferd nieder=
zuschießen beabsichtigte, mit einer durchleuchtenden Anmaßung.

„Die gehen nur in Concerte," antwortete der Commis,
„die von Polen oder für Polen gegeben werden. Franzosen
und Italiener haben wir hier nicht."

„Hab' ich es nicht vorhergesagt?" wendete sich der Auf=
brausende zu seinem sanften, ein wenig schläfrig aussehenden
Freunde. „Es giebt nur ein Rußland! — O Moskau, Mos=
kau! Stadt der Städte! Sogar Orte wie Nowgorod und
Kiew sind ein Eldorado für Künstler!"

„Du hattest Recht!" gab der Andere kleinlaut zur
Antwort.

Herr von Rosenstern sah indessen nicht blos nach einem
Galanthomme, er ließ auch keine Silbe des Gesprächs unge=
hört fallen. Es war ihm nach der letzten Wendung der
Unterhaltung, als wenn er zwei reisende Virtuosen, vielleicht
zwei Berühmtheiten, vor sich habe. Das Folgende bestärkte
ihn in dieser Annahme.

„Was soll man thun?" fragte der schöne Fremdling
seinen Freund.

„Uns bleibt nichts übrig," antwortete der Gefragte, „als
uns dem Wunsche der Fürstin zu opfern. Sie würde uns
sechs Wochen lang schmollen. Sie wäre im Stande, sich
auf ihre geistreiche Weise mit hundert Malicen zu rächen.
Fügen wir uns, Giulio! Die Fürstin will's! sei unsere
Devise."

„Ich denke wie Du, Iwan," stimmte der Andere bei.

Der oft genannte Name der Fürstin elektrisirte die Ohren
des Herrn von Rosenstern, doch auch der Commis schien neu=
gierig geworden zu sein; er sagte:

„Unter der Fürstin verstehen Sie wohl die schöne Russin,
die im Haus zur schönen Königin wohnt?"

„Getroffen!" riefen die Gefragten.

„Das ist ein wahres Zauberbild!" rief der Commis be=
geistert. „Und das herrliche Gespann, das sie hat; und das
isabellfarbige Reitpferd! Die muß Geld haben!"

„Besitzungen," warf der Aeltere hin, „so groß wie
Böhmen!"

„Sie sind," bemerkte der Commis schüchtern, „mit Er=
laubniß zu fragen, gewiß Landsleute der Fürstin?"

„Nur ich!" sprach der Aeltere. „Ich stamme aus Moskau,
mein Freund dagegen, wie sein Name sagt, ist ein Italiener."

„Als solcher spricht er vortrefflich Deutsch," meinte der
Commis.

„Ein langer Aufenthalt in Deutschland — Was die
Lithographieen betrifft, so lassen wir sie hier zu Ihrer Ver=
fügung." Der Aeltere übergab die große Papierrolle, die er
in den Händen hielt, und Beide traten bis in die Thüre, um
fortzugehen.

„Doch," sagte der Aeltere, „geben Sie mir eins der Por=
traits. Ich habe es der Fürstin versprochen —"

„Da," sagte der Commis. „Ist der große Herr, der die
Fürstin begleitet, der Fürst?"

„Nein," war die Antwort, „der ist in St. Petersburg.
In Rußland, mein guter, naiver Deutscher, heirathet man
nicht, um zusammenzubleiben; Sie mögen Ihren blonden
Kopf nur dazu schütteln! Es ist doch so, gerade wie renom=
mirte Künstler nicht nach Karlsbad kommen, um durch Con=
certe reich zu werden. Ha, ha, ha, ha!"

Lachend fuhr er zur Thüre hinaus. Sie hatten kaum den
Rücken gewandt, als der Commis von Herrn von Rosenstern
bestürmt wurde, ihm zu sagen, wer die Künstler seien.

„Hier," gab der Commis zur Antwort, „sind ihre Litho=
graphieen mit ihren Unterschriften."

Hastig packte Herr von Rosenstern das Bild des Aelteren
und verschlang es mit den Augen.

„Bei Gott, gut getroffen!" rief er. „So wild, die Haare
drohende Mähnen. Der Mund verachtet den Pöbel, und
die Augen scheinen in eine andere Welt hinüberzublicken."
Er fing die Unterschrift zu buchstabiren an.

„Iwan Karpi — Karpikoff, nicht wahr?" fragte er den
Commis, der es bestätigte und dabei bemerkte:

„Ich finde die Züge sehr geschmeichelt, so interessant wie
auf dem Bilde sieht er nicht aus."

„Was wollen Sie?" rief Herr von Rosenstern, der keine
Spanne weit von seiner Bewunderung abgehen wollte. „Je=

des Bild muß schmeicheln! Die Kunst muß idealisiren! Zudem ist der Künstler ein doppelter Mensch — der gewöhnliche
und der begeisterte. Gott, Gott! wie genial die Unterschrift!
Wie genial!"

Er griff mit Fieberhaft nach dem zweiten Bilde, an dem
er zuerst die Unterschrift ansah.

„Giulio Levini! Gott! Gott! Wie schön der Name klingt
von dem Italiener, so sanft, wie sein Gesicht, sein echtpoetisches
Gesicht! Er sieht aus, wahrlich, so schön und so mild, wie
eine verwandelte Jungfrau. Auch die Handschrift ist so
schüchtern, jeder Buchstabe drückt ein Noli me tangere aus!"

„Mir kommt die Handschrift sehr ungeübt vor," meinte
der Commis mit nüchterner Treuherzigkeit, „sogar unbeholfen,
wie von Jemand, der wenig geschrieben, außer vielleicht
Noten."

„Bei Gott!" rief Herr von Rosenstern, „Sie mäkeln an
Allem und Allem. Sie sind gewiß ein Berliner. Doch ich
stehe da, als wenn ich nichts zu thun hätte. Lieber Freund,
die Bücher kann ich nicht brauchen, entweder sind sie zu oberflächlich oder zu gelehrt. Daß wir aber doch ein Geschäft
machen, habe ich hier — ha, ha — der Curiosität wegen ein
Exemplar des Galanthomme mitgenommen."

Er legte den Preis desselben, der auf dem Titelblatt angegeben war, auf das Pult und empfahl sich.

Auf dem Wege war seine Phantasie noch immer mit den
beiden Künstlern beschäftigt, so daß der Zweck, der ihn in
den Laden geführt, für den Augenblick im Hintergrunde blieb.
Er monologisirte folgendermaßen, bis er in's Haus kam und
den Boden der Wirklichkeit betrat: „Ein paar feine, vornehme
Menschen! Stolz durch die Auszeichnung der Großen, so,
daß sie mich kaum bemerkt haben! Es ist doch merkwürdig,
wie diese Künstler Glück bei den Damen haben. Dieser
Karpikoff ist zwar hochinteressant, aber für schön kann ihn
kein Mensch halten! Und doch ist er offenbar der Liebhaber
der Fürstin, der schönsten Frau im Bade!"

Er trat in sein Zimmer, der Galanthomme war hinter
der Weste versteckt.

———

Fünftes Kapitel.

Das Heilmittel.

Mademoiselle Ferrère, Mariens Gesellschaftsdame, trat bei Herrn Rosenstern leise ein.

„Fräulein Marie wünscht," sagte sie, „ein paar Stunden ungestört ruhen zu können, weil sie kein anderes Mittel für den Kopfschmerz, der immer zunimmt, weiß."

„Armes Kind!" rief der Vater. „Es wird doch nicht gefährlich sein?"

„Ich glaube nicht," gab Fräulein Ferrère, ein ironisches Lächeln verbeißend, zur Antwort und ging hinaus.

„Ein gräßliches Schicksal!" rief Herr von Rosenstern aus, als er allein war. „Diese fortdauernden Gemüthsver= stimmungen müssen endlich die Nerven auf's Aeußerste bringen und ein ernstliches Uebel erzeugen. Krankheit beschleunigt das Alter — o, ich darf nicht daran denken! Doch, Gottlob, da ist die unfehlbare Arznei, die mir schon gestern hätte ein= fallen sollen!"

Er nahm seinen Galanthomme hervor und begann ihn zu studiren, nachdem er es sich zuvor bequem gemacht hatte.

Als er nach einer geraumen Zeit alle in's Liebesgebiet ein= schlagenden Briefe durchlesen hatte, warf er den Galanthomme mißmuthig auf den Tisch und stand auf.

„Schade um jeden Kreuzer!" brummte er. „Das sind lauter leere Redensarten, triviale Herzensergüsse, verblümte Gemeinplätze! Einen Liebhaber, der sich so ausdrückt, würde meine Marie auslachen! Ich bin jetzt gerade so gescheidt wie zuvor!"

Im tiefsten Nachdenken maß er das Zimmer auf und ab. Die riesige Schwierigkeit seiner Aufgabe begann ihm erst, als er an die Ausführung ging, in voller Klarheit vor die Augen zu treten.

„Was nützt der Galanthomme!" murmelte er. „Ich will einzelnen unter den Liebesbriefen nicht alle Wirkung ab=sprechen, doch sie setzen die Kenntniß der Person, ihres An=sehens, Standes und aller Eigenschaften voraus. Hier aber, im vorliegenden Falle, schreibt ein Anonymus, ein Unbekannter, also Einer, der nicht blos zu sagen hat, wie warm sein Herz schlägt, sondern auch wie interessant er ist, welcher Sphäre er angehört, welche Prätensionen seine Liebe machen darf! Kurz und gut, mein Brief hat den verwegenen Zweck, ein so stolzes und geistreiches Mädchen, wie Marie, die so wenige Männer bis heute gerührt haben, zu spannen und zu ge=winnen!" Er ging wieder eine Zeitlang im stillen Nachdenken, jedoch immer heftiger, auf und ab.

Als Shakespeare die erste Scene zu Hamlet oder Julie und Romeo schreiben wollte, kann er unmöglich in einer größeren Aufregung und von einem tieferen Gefühl der Weihe durchdrungen auf= und abgegangen sein, als Herr von Rosenstern, welcher Letztere jedoch auch noch dadurch eine schwierige Stellung hatte, daß er sich von dem Bewußtsein zermalmt fühlte, mit seinem Dichtervermögen bis zu seinem Werke nicht hinaufzureichen. Dieser seltene und äußerst rühm=liche Mangel an jeder Selbstüberschätzung machte sich auch Luft, als er plötzlich wieder stehen blieb.

„Gott, Gott," sagte er, „fünf Louisd'or gäbe ich darum, wenn der Brief zweckmäßig fertig wäre, oder wenn ich der Mühe überhoben sein könnte, ihn zu schreiben! Was sag' ich! Ein einziges freundliches, aufmunterndes Wort von Karpikoff hätte hingereicht, mich den zwei Künstlern an den Hals zu werfen, um vermittelst ihrer Bekanntschaft mir und meiner Tochter alle Salons von Karlsbad zu öffnen!... Doch was verbittere ich mir durch diesen luxuriösen Gedanken meine Arbeit, die mir, wie es jetzt steht, Niemand von den Schultern wälzt! Was hilft das Zagen! Muthig vorwärts!"

Er setzte sich an den Tisch und fing mit einem Bleistifte zu schreiben an. Endlich nach langer Qual, nach zahllosen Verbesserungen und Einflickungen brachte er folgenden Brief zu Stande, den er sich mit einem schmunzelnden Behagen vorlas:

„Mein Fräulein! Unsichtbar auf Elfenschwingen naht sich Ihnen ein Anonymus, um Ihnen zu gestehen, daß auch er fortan zu der Zahl der Verwundeten gehöre, welche auf Ihrem stolzen Siegesmarsche links und rechts als Opfer fallen."

Er hielt inne und machte folgende Glossen:

„Der stolze Siegesmarsch ist sehr gut! Das schmeichelt einem Mädchen wie Marie, das so viel Ehrgeiz hat! Elfen= schwingen klingt auch äußerst zart!"

Er las weiter:

„Erst jetzt, da mein Herz von Ihrer Schönheit in Besitz genommen ist, sehe ich, wie schaal das Treiben der großen Welt ist, in der ich bis heute meine Tage verbracht habe. Wenn die Zeit kommt, die mir Ihr Zauberbild entführt, werde ich die ländliche Einsamkeit aufsuchen und dort auf dem Schlosse meiner Väter nur der Erinnerung an Sie leben!"

Er brach wieder ab und bemerkte:

„Liest sie diese Stelle, kann sie mit Händen greifen, daß ihr ein vornehmer und reicher Cavalier schreibt. Auf dem Schlosse meiner Väter klingt ein wenig plump, aber es schadet nichts. Ein Schloß bleibt ein Schloß."

Er las weiter:

„Ich halte mein Schicksal für zu grausam, als daß es mich je mit Ihnen zusammenbringen sollte, oder gar des Glücks theilhaftig machte, Ihre Gegenliebe zu finden. Der Ihrige bis zum Tode!"

Diese Stelle veranlaßte ihn abermals zu Randbemerkungen. Er sagte:

„Der Schluß ist das schwächste, ich habe ihn Wort für Wort dem Galanthomme entlehnt. Eine lächerliche Bescheiden= heit, ein Unsinn, aber er ist am Platze! Der wirklich Ver= liebte muß solche hirnlose Ideen haben, muß verzweifeln, wenn es auch nicht nöthig ist!"

Nachdem das gelungene Kunstwerk mit verstellter, völlig unkenntlich gewordener Hand auf dem feinsten Papier ab= geschrieben war, versah er es mit einem eleganten Couvert, dessen Adresse nur den Vornamen Marie voll ehrerbietiger

Einfachheit trug. Hierauf kramte er ein uraltes Siegel, ein Familienerbstück vom seligen Großvater, hervor, auf welchem sich, in Carneol geschnitten, eine große Grafenkrone, von zwei mit heraldischem Schnörkelwerk umgebenen Löwen getragen, befand.

Als ihm dieses, auf rosafarbenen Lack abgedrückt, stolz und klar entgegenlächelte, gestand er mit Freuden ein, daß der Vollendung seiner heilsamen Täuschung nichts mehr mangle und die wohlthätige Wirkung derselben auf Marie gesichert sei.

Er zog sich wie zum Ausgehen bereit an und begab sich, den fingirten Liebesbrief in der Tasche, zu seiner Tochter. Nur ängstlich und zappelnd pflegte er sonst unter solchen Umständen bei ihr einzutreten. Diesmal aber erschien er mit einem festen Schritt und einem so ruhigen Selbstbewußtsein, als wenn er gewohnt wäre, in seinem Hause zu gebieten. Es war der Talisman, der ihm diese Stärke verlieh.

„Marie," sagte er mit ruhigem Ernst, „ich sehe, daß Dir der Aufenthalt hier nicht zusagt. Ich habe mir Alles überlegt. In einem Badeorte kommt allzu viel auf den Zufall an, ob man angenehme Bekanntschaften macht und wann man sie macht. Empfehlungen nützen nichts, da man auf Niemand im Voraus zählen kann. Du besitzest nicht die nöthige Geduld, um abzuwarten, Du bist von den Menschen zu sehr verwöhnt worden, am wenigsten kann man aber Ruhe und Ausdauer von Dir beanspruchen, wenn Dein Nervensystem unleugbar angegriffen ist. Ich glaube Dir aus dem Herzen zu sprechen, wenn ich den Vorschlag mache, daß wir wieder nach Hause reisen."

Marie, von dieser sanft eingekleideten Entschiedenheit des Vaters überrascht, konnte anfangs gar nicht begreifen, wie sich ein fügsamer Mann ohne allen Uebergang in ein eigenmächtiges Wesen habe umwandeln können, welches über Bleiben oder Abreisen Beschlüsse faßt. Sie war aber zu gescheidt, um lange die richtige Erklärung zu suchen. Sie erkannte bald, daß der Entschluß ihres Vaters gleichsam ein Spiegel sei, welcher ihr vorhielt, wie unerträglich ihre Launen seien.

„Wie kommst Du mir vor?" sagte sie. „Hab' ich vom

Abreisen gesprochen? Nicht ich, Du scheinst mir der Un=
geduldige!"

„Ich kam auf die Idee," antwortete der Vater, angenehm
erstaunt, „weil ich Dich so verdrießlich sah, und wollte nicht,
daß Du, aus Rücksicht auf mich, Dich für gebunden hältst,
hier zu bleiben."

„Du irrst," sprach Marie, „wenn Du glaubst, daß ich
fort will. Auch ich habe mir indeß Alles überlegt. Ich sehe
ein, daß man an einem fremden Orte nicht in ein paar
Tagen die Leute finden kann, welche man zum Umgang sucht.
Ich bleibe hier. Sollte ich keine Unterhaltung finden, so
werde ich wenigstens für meine Gesundheit etwas thun. Ist
es Dir recht?"

Der Vater hätte sie umarmen mögen, er war diese Sprache
der Mäßigung und Vernunft von Seiten seiner Tochter nicht
gewohnt. Mit einer Zurückhaltung, die ihn viel kostete, gab
er zur Antwort:

„Bin ich meinet= oder Deinetwegen nach Karlsbald ge=
gangen? Ich richte mich, wie selbstverständlich, nach Dir.
Du willst bleiben, ich bleibe auch, und ich gestehe, daß ich
sehr gern bleibe. Ich habe Dich blos nach Deiner Meinung
gefragt, damit ich, wie es auch komme, von jedem Vorwurf
verschont sei."

Marie war mäuschenstill, während Herr von Rosenstern
rascher als gewöhnlich auf= und abging. Es war, wie man
bei einem so verzogenen Mädchen anzunehmen versucht wäre,
keineswegs Oppositionssucht, daß sie auf der Verlängerung
des Aufenthalts in Karlsbad zu bestehen anfing, sondern eine
flüchtige Rückkehr zur Vernunft, denn es blieb nicht ohne
Eindruck auf sie, auf einem Orte sich Festigkeit entwickeln zu
sehen, wo gewöhnlich nur blinde Nachgiebigkeit geherrscht.

Der verblendete Vater hätte erkennen sollen, daß sein Ver=
zärtelungssystem seiner Ruhe und dem Glücke seiner Tochter
Verderben bringe, und daß es jetzt an der Zeit wäre, durch
fortgesetzte Aufrechthaltung einer vernünftigen Autorität das
Verhältniß zu seinem Kinde auf die natürliche Norm wieder
zurückzuführen.

Leider war er von dieser Einsicht himmelweit entfernt.

Seine Festigkeit war fingirt und hatte, wie wir wissen, den Zweck, eine kleine List auszuführen. Statt die Gelegenheit zu ergreifen, die Zügel fester zusammen zu fassen, sieht man ihn einen neuen Abweg in seiner Vaterschwäche betreten, die ihn vor sich selbst hätte lächerlich machen sollen.

Indessen war es Mittagszeit geworden. Marie legte dem Vater die Frage vor, ob er nicht lieber zu Hause speisen wolle, da ihr Kopfschmerz noch immer nicht nachgelassen habe.

Dem Vater konnte es nur angenehm sein. Seine Tochter konnte ja leicht aus Mangel an Ansprache in eine ihrer wilden Stimmungen verfallen, die Gott weiß! welche Eventualität zur Folge haben konnten, worunter auch die Möglichkeit einer plötzlichen Abreise, trotz Mariens Erklärung, zu zählen war.

Diesem Unfalle wollte der Vater, dessen ganze Hoffnung auf den Liebesbrief gesetzt war, vorbeugen. Er war ja über= zeugt, daß Marie ihren ganzen kecken Uebermuth wiederfinden würde, wenn sie am nächsten Morgen das geheimnißvolle Billet erhalten habe.

Auch die Frage, wohin man Nachmittags den Spaziergang richten werde, erledigte der Himmel auf eine dem bedrängten Vater günstige Weise. Ein feiner Staubregen, der gegen drei Uhr zu fallen begann, artete bald in einen schrecklichen Guß aus, der bis zum Abend fortdauerte. Herr von Rosen= stern segnete das abscheuliche Unwetter, als er auf seinem Sopha mit der Pfeife gewohnheitsgemäß ausgestreckt lag und seine Ruhe genoß, während Marie in seiner Nähe ein Land= schaftsbild zeichnete.

„Es ist doch ein herzensgutes Kind," sagte sich Herr von Rosenstern, als er seine Tochter stundenlang beschäftigt sah, ohne daß er mit einer Silbe barsch angefahren worden wäre. „Ihr heutiges Schweigen kommt mir beinahe wie stille Be= schämung vor, in ihren Launen zu weit gegangen zu sein, oder wie eine stumme Abbitte, mit gleichzeitiger Besserung verbunden."

Diese Annahme war nicht unrichtig. Marie hatte einen scharfen Verstand, und wäre selbst eines furchtbaren Ernstes fähig gewesen, wenn sie durch eine falsche Erziehung nicht

irregeleitet worden wäre. Sie war kein Kind, obwohl sie
sich oft gleich einem solchen geberdete, sie sah ein, baß sie
ihre Sache nicht fördere, wenn sie gegen den Hausfrieden
des Mannes, der ihr stets alle Wünsche abgelauscht, darauflos
rase. —

Der Abend kam früh heran, da die dicken Regenwolken
den ganzen Himmel bedeckten. Der Vater sagte plötzlich:

„Ich werde ein wenig in's Hotel gehen. Vielleicht treffe
ich einen oder den andern Bekannten. Fräulein Ferrère wird
Dir indeß Gesellschaft leisten." Marie war damit einver-
standen und Herr von Rosenstern ging mit einem Regenschirm
versehen und von einem Guttapercha-Ueberzieher geschützt, zur
Thüre hinaus.

„Sie hat keine Ahnung von meinem Vorhaben," sagte er,
als er auf der Straße war. „Wie könnte sie das auch! Ich
will jetzt ein Bouquet kaufen, daran den Brief befestigen und
ihn durch ihr Fenster in's Schlafzimmer werfen."

Als das kostbarste Bouquet gekauft war, dämmerte die
Sonne noch immer mit matten Strahlen durch den Regen-
vorhang. Herrn von Rosenstern's Gang hatte Nacht, raben-
schwarze Nacht nöthig, die auch eine Viertelstunde später
wirklich eintreten mußte. Er beschloß inzwischen das Haus
in Augenschein zu nehmen, um den geeignetsten strategischen
Punkt zu wählen. Als er aber unter die Fenster von Mariens
Schlafzimmer kam, sah er, daß man inzwischen, wahrscheinlich
auf ihren Befehl, einen der Flügel, der den ganzen Tag offen
gestanden, geschlossen hatte. Das war ein großer Schlag für
ihn. Er mußte entweder zu dem Bouquet noch einen Stein
hinzufügen und eine Scheibe opfern, oder den Brief mit einer
unfehlbaren Geschicklichkeit auf den Sims des Fensters schleu-
dern. Das erste Manöver verursachte Aufsehen, erregte Geräusch, das zweite war mit der Gefahr verbunden, daß, wenn
der Wurf mißlang, das Bouquet in dem Kothe der tief auf-
geweichten Straße ein für ewig unpräsentables Aussehen er-
halte. Er entschied sich also mit immer höher steigender
Kühnheit für das erstere. Zu diesem Zwecke kaufte er sich
Bindfaden, holte vom Flusse einen passenden Kiesel herauf,
den er mit dem Sacktuche abtrocknete, verkleinerte das ohne-

hin geringe Format des Briefes durch Zusammenlegen um
die Hälfte und band dann die drei verschiedenen Dinge ge-
schickt und fest zusammen.

Die dunkelste Nacht begünstigte das Unternehmen, als er,
den Mantelkragen bis über die Ohren aufgeschlagen, den
Regenschirm tief niederhaltend, mit vorsichtigen Schritten
unter das Fenster schlich, sich noch einmal umsah, ob kein
Verräther und kein Polizeimann in der Nähe stehe, und endlich nach einigen kühnen Schwingungen des Armes die Liebes-
bombe in's Haus warf.

Die Scheibe klirrte, und zwei Weiberstimmen — offenbar
Marie und Fräulein Ferrère — stießen im anstoßenden
Zimmer einen gellen Schrei aus. Wie von einer unheimlichen That festgehalten, blieb Herr von Rosenstern einen
Moment stehen, während es seinem überhitzten Kopfe vorkam,
als wenn das von ihm verursachte Geräusch rechts vom
Hirschensprunge und links vom Kreuzberg wiederhalle, ehe er,
wie ein Verbrecher, Reißaus nahm. Ohne lange zu irren,
kehrte er im deutschen Hofe ein und nahm an einem einsamen
Tische Platz. Er war zur Unterhaltung zu unruhig, nicht
minder unruhig darüber, wie seine That zu Hause aufgenommen worden, als auch, welche Folgen sie haben werde.

Es war bereits zehn Uhr, als er wieder heimkehrte.
Marie war noch wach, wie das erleuchtete Gemach, wo er
mit ihr Nachmittags gesessen, anzeigte. In höchster Spannung
öffnete er die Thüre.

Marie saß in lebhaftem Gespräch mit Mademoiselle
Ferrère auf dem Sopha. Als sie den scheinbar arglosen
Vater eintreten sah, hüpfte sie ihm freudig entgegen und rief,
indem sie ihn an der Hand faßte:

„Denke den Schrecken, den wir gehabt haben! Jemand
hat eine Fensterscheibe meines Schlafzimmers eingeschlagen!"

„Unerhört!" rief der Vater, den Erstaunten spielend,
während er der Tochter in's Zimmer, wo das Verbrechen begangen worden war, folgte und Mademoiselle Ferrère vor-
anleuchtete.

Er betrachtete die vielen, auf dem Boden verstreuten
Glassplitter mit scharfsuchenden Augen, bis er ein kleines

Blättchen entdeckte, das von dem hinaufgeschleuderten Bouquet abgefallen war. Er entnahm daraus, daß seine Tochter im Besitze seines Wurfgeschosses sei und allem Anschein nach die Gesellschaftsdame zur heimlichen Mitwisserin habe.

Er ging rasch an das beschädigte Fenster und rief mit Entrüstung: „Das ist unerhört! Eine solche Büberei ist mir noch nicht vorgekommen! Ich will noch heute beim Polizeicommissär die Anzeige machen!"

Er wollte zur Thüre hinausschießen, als ihn Marie fest= hielt, den Arm um seinen Hals schlang und schäkernd sagte: „Was liegt an der Scheibe? Wie kannst Du um dieser Kleinigkeit willen auffahren?"

Es gelang ihr, den Empörten zu beschwichtigen, der ihrer Heiterkeit und dem seltsamen Lächeln von Fräulein Ferrère entnahm, daß seine List vollkommen gelungen war.

Als sie sich endlich Alle getrennt und auf ihre Schlaf= zimmer gegangen waren, hörte Herr von Rosenstern seine Tochter durch zwei Zimmer hindurch noch das „Heil dir, mein Vaterland!" singen.

Er hatte sie schon seit Wochen nicht singen gehört.

Sechstes Kapitel.

Bekanntschaften.

Als Herr von Rosenstern am andern Morgen, bereits angekleidet, seine Tochter, welche im Nebenzimmer unter lustigem Trällern die letzte Hand an ihre Toilette legte, erwartete, um mit ihr zum Brunnen zu gehen, athmete er wieder so frei, wie wenn er von einer schweren Brustkrankheit genesen wäre. Der blaue, lachende Himmel draußen war nur ein mattes und blasses Seitenstück seiner seligen Stimmung.

9*

„Der Vater hat Dich gefoppt, kleiner Schelm!" sagte er zu sich mit einem Gesicht, auf welchem sich Gutmüthigkeit und Schlauheit in eigenthümlicher Weise mischten. „Aber wie wohl war es gemeint!... Ich bin doch neugierig, ob sie mir von der Sache etwas mittheilt. Sollte sie auf die Dauer fähig sein, ihrem Vater ein Geheimniß, das sie so tief berührt, zu verschweigen?... Ebenso neugierig wäre ich, zu wissen, wie weit sie Mademoiselle Ferrère eingeweiht hat!"

In demselben Augenblicke trat die genannte Gesellschafts= dame herein, näherte sich ihm, nicht ohne sichtbare Verlegen= heit, und redete ihn, sich häufig nach der Thüre, die zu Marie führte, umsehend, folgendermaßen an:

„Herr von Rosenstern, ich bin in einer sehr mißlichen Lage. Bald glaube ich reden zu müssen, bald glaube ich wie= der verpflichtet zu sein, das Schweigen, das ich gelobt, zu halten. Nach längerem Nachdenken finde ich aber, daß es meiner Stellung unwürdig wäre, wenn ich dem Vertrauen nicht entgegenkäme, das Sie in mich gesetzt haben."

„Was giebt's denn?" fragte Herr von Rosenstern unge= duldig, auf Schlimmes gefaßt. „Es betrifft doch nicht Ma= rie? Aber, mein Gott, ich vergesse in meinem Schrecken, daß sie uns hören kann — hab' ich nicht zu laut gesprochen?"

„Sie kann nichts hören," gab Mademoiselle Ferrère zur Antwort, „ich selbst muß noch mehr als Sie wünschen, bei der Sache aus dem Spiel zu bleiben, ich habe meine gute Absicht, die Sie nur ehren können, aber Fräulein Marie würde mir für immer ihre Gewogenheit entziehen!"

„Rechnen Sie auf meine Discretion," sagte der Vater sehr rasch, „und reden Sie! Doch kein Malheur?"

„Sie wissen," sprach das Fräulein, „daß uns gestern eine Fensterscheibe eingeschlagen wurde —"

Sie lachte; Herr von Rosenstern, der zu begreifen an= fing, wo die Mittheilung hinausgehen solle, hatte Mühe, ernst zu bleiben, das Fräulein fuhr fort:

„Es war kein Gassenjunge, wie Sie angenommen haben, auch war es kein Stein, der die Scheibe durchbrach — es flog ein Bouquet und ein Liebesbrief herein."

„Und meine Tochter sagt mir nichts davon?" rief Herr von Rosenstern mit gespielter Entrüstung.

„Mir verbot sie," sprach Fräulein Ferrère, „Ihnen ein Wort davon zu sagen. Den Inhalt zeigte sie mir nicht. Ich weiß nicht, wer ihn geschrieben hat, ich weiß nichts, als daß Fräulein Marie, nachdem sie den Brief überflogen, wie umgezaubert war."

Herr von Rosenstern mußte sich abwenden, um seine Mienen zu verbergen, so sehr freute er sich, daß sein Product den beabsichtigten Effect hervorgebracht. Als er sich wieder umgedreht hatte, sagte er mit gespielter Besorgniß:

„Sie hat Geheimnisse vor mir! Ich kann zwar blind auf ihre Grundsätze, ihren Geschmack und ihre Ehre zählen, aber — ich danke Ihnen, Mademoiselle! Ich werde für alle Fälle die Augen offen haben!"

Die Gesellschaftsdame entfernte sich schnell und leise, wie sie gekommen, da man Marie sich nähern hörte.

„Es ist merkwürdig!" rief sie lebhaft, auf den Vater zugehend. „Eben will ich zur Thüre herausgehen, da fällt mein Blick rückwärts auf das zerbrochene Fenster — was sehe ich dort? — dieses Bouquet!"

Sie zog den Strauß unter ihrem Taschentuch hervor.

Der Vater nahm ihn in die Hand und schien ihn ernsthaft zu mustern.

„Was hältst Du davon?" fragte er, gern bereit, auf die kleine Erfindung einzugehen, mit der seine Tochter debütirte, um den Strauß auf die Promenade mitnehmen zu dürfen.

„Was ich davon halte?" gab sie zur Antwort. „Ich halte es für höchst seltsam! höchst seltsam!" Sie betonte die letzten Worte mit Indignation.

„Du wirst ihn doch nicht wegwerfen wollen?" fragte der Vater.

„Das hätte ich eigentlich im Sinne!" rief Marie.

„Ei!" sprach der Vater, „der Strauß ist wirklich fein, die Camelien, die Rosen, die Hyacinthen — das ist ein sehr theurer Strauß, der gewiß die stille Aufmerksamkeit eines nicht gewöhnlichen Verehrers bedeutet. Nimm ihn mit, wäre es nur des Spaßes halber!"

„Ich schreibe die tolle Idee auf Deine Rechnung!" warf Marie trocken hin und eilte zur Thüre hinaus, damit der Vater nicht widerrufen könne.

Vor Freude zappelnd eilte Rosenstern nach. „Die Hälfte verschwieg sie," dachte er bei sich, „und glaubte, mich zu belügen! Wie allerliebst ungeschickt diese unschuldigste unter allen Lügen war! Ein Zeichen tiefster Aufrichtigkeit meiner Tochter! Ein Zeichen, wie schwer ein jungfräuliches Gemüth von Dingen der Liebe zum Vater sprechen kann! Ein Engel! ein Engel!"

Als sie auf der Promenade dem Brunnen zuschritten und Marie den Strauß anfangs halb versteckt, nach und nach immer offener und endlich mit Prahlerei trug, wie viel stolzer war ihr Gang, als an den vorigen Tagen, wie ebenbürtig fühlte sie sich den Höchsten, von deren Größe sie gestern niedergedrückt wurde! Wie verachtete sie die Schaar der Kleineren, die sie gestern sogar beneidete!

Ihre Laune war so gut, daß ihr sogar der Büreaukrat, den sie so unerträglich gefunden, heute angenehm vorkam, denn sie lächelte, als er eben quer über ihren Weg daherkam, seinem schüchternen und respectvollen Gruße freundlich entgegen.

„Sieh da, unsere Kranke!" redete sie der Hofrath von Brieg am Sprudel scherzend an. „Wie haben Sie über Nacht ihre Blässe weggebracht? Sie strahlen heute in einem Zauberschein von Leben!"

„Finden Sie das?" gab sie zur Antwort.

„Und gestern, Herr Hofrath," ergriff Herr von Rosenstern mit innerster Befriedigung das Wort, „glaubte ich, bei Gott, daß ich Ihre Hülfe in Anspruch würde nehmen müssen! Ein unerträglicher Kopfschmerz befiel sie gleich Morgens und hielt, trotzdem Marie zu Hause blieb und Umschläge brauchte, so hartnäckig an —"

„Er ging gegen Abend vorbei," berichtigte und milderte Marie die schreckliche Schilderung. Mit einigen schönen Redensarten sprang der Hofrath wieder ab.

Marie hatte inzwischen nicht unterlassen, mit unermüdlichen Falkenblicken den Unbekannten in der auf- und abgehenden Menge zu suchen. Wer sie ansah, und das Bouquet mitbetrachtete, fiel rettungslos in den Verdacht, der Urheber ihres kleinen Abenteuers zu sein, vorausgesetzt, daß er das Aussehen eines den vornehmen Ständen angehörigen Mannes hatte.

Plötzlich gewahrte sie, daß zwei elegante junge Männer in einiger Entfernung ihre Persönlichkeit mit ihren Lorgnetten in ein wahres Kreuzfeuer nahmen. Es war Karpiloff mit seinem schmachtenden Freunde Levini.

„Dort stehen die beiden Reiter," sprach Marie, da ihr Vater sie nicht bemerkt zu haben schien.

„Richtig!" gab er zur Antwort. „Weißt Du, wer sie sind?"

Er brach schnell ab und suchte mit einem verstellten Hüsteln die ihm entwischte Frage vergessen zu machen, denn es war ihm eingefallen, daß er den Stand der Beiden eben kennen gelernt, als er den Galanthomme kaufen gegangen.

„Wie soll ich das wissen?" sprach Marie. „Ich dachte, daß Du es mir sagen willst!"

„Jedenfalls sind es hochinteressante Leute," versetzte der Vater.

Neue Bilder von Vorübergehenden schnitten das Gespräch ab.

Die Zeit des Frühstücks rückte heran, ohne daß Marie ihren Unbekannten entdeckt oder auch nur einen Anhaltspunkt zu einer Vermuthung gefunden hätte. Die Macht ihrer Illusion war aber so stark, daß sich ihr Humor nicht verlor, als sie sich endlich auf der Wiese niederließen, um den Kaffee zu nehmen.

Wie groß und angenehm war ihr Erstaunen, als Karpiloff und Levini gleich darauf an den Tischreihen, Alles lorgnettirend, daherkamen und an der entgegengesetzten Seite Platz nahmen. Nach den artigen Grüßen zu schließen, war der Stolz der Beiden heute minder groß als neulich.

Als der Kaffee kam, machte sich Levini mit großem Appetit über ihn her, während ihn Karpiloff unberührt stehen ließ und in einem Nachdenken, bei welchem sich alle Stirnmuskeln zusammenzogen, in dem üppigen schwarzen Haar mit seinen langen Fingern herumwühlte. Das Geräusch eines vorüberfahrenden Vierspänners riß ihn aus seiner Meditation heraus.

„Die Fürstin!" warf er hin, sich rasch erhebend. Dem Freunde, dessen Kaumuskeln soeben in der größten Thätigkeit waren, schien sie höchst ungelegen zu kommen, dennoch war er noch zur rechten Zeit aufgesprungen.

Ein vornehmer Victoriawagen, von vier schönen vornehmen Mecklenburger Rossen gezogen, fuhr in mäßigem Trabe vorüber. Eine junge Dame von auffallender Schönheit saß darin, und nickte mit vornehmer Grazie, als sie von den beiden Virtuosen gegrüßt wurde.

Als sie vorübergefahren war, nahm der Eine seine meditirende Stellung, der Andere seine vorige Thätigkeit wieder auf, ohne ein Wort darüber zu verlieren.

Es ist unnöthig zu sagen, wie die Scene Marie und ihrem Vater imponirte.

„Der Glückliche!" dachte Herr von Rosenstern, während er Karpikoff anstarrte, der in einem heftigen Kampfe gegen sich selbst zu liegen schien und seinen Kaffee noch immer unberührt dastehen hatte.

Da sagte Levini, mit dem Frühstücke fertig, ganz vernehmlich zu seinem Freunde: „Du bereust doch nicht, daß Du nicht mitgefahren bist?"

Ohne eine Antwort zu geben, ja ohne es gehört zu haben, blickte Karpikoff zum Himmel empor, als wenn ihm dort eben eine Gestalt erschienen wäre, und fing halblaut etwas vor sich hin zu summen an, während er mit der Rechten den Tact gab und mit einem Fuße leise stampfte. Blitzschnell fuhr er sich in alle Taschen, warf ein unbeschriebenes Blatt mit großer Heftigkeit auf den Tisch und fuhr mit rasender Geschwindigkeit nach etwas zu suchen fort.

„Hast Du keinen Bleistift bei Dir?" fragte er Levini ungestüm.

Dieser verneinte es, aber in demselben Moment bot ihm Herr von Rosenstern seinen Stift von massivem Golde an, der ohne alle Umstände angenommen wurde, so zwar, daß jedes Wort des Dankes fehlte. Eine solche Situation mußte natürlich die ganze Aufmerksamkeit von Vater und Tochter verschlingen.

Karpikoff hatte zu schreiben begonnen. Marie, die mit ihren scharfen Augen auf das Blatt sehen konnte, glaubte, daß die vielen Punkte und Striche russische Buchstaben seien. Der kurzsichtige Vater konnte sich gar nichts dabei denken.

Endlich war Karpikoff fertig. Wie von Centnerlast befreit, athmete er auf und reichte seinem Freunde das Blatt mit folgenden Worten: „Da sieh! Bierviertel Tact! Es-dur! Maestoso! Das Motiv einer Festouverture! Ich schreibe heute noch dem Hofmarschall, daß er zum Geburtstag des Kaisers auf mich zählen kann!"

Es waren also Noten, die er geschrieben, er hatte einen Moment der Inspiration auf's Papier gebannt.

Herr von Rosenstern war erstaunt über den neuen Beweis von Genialität, der aus diesem Vorfall hervorleuchtete; Marie, die bisher nichts weniger als Virtuosen vor sich zu haben glaubte, konnte die Sache noch nicht recht zusammenreimen. Da wendete sich Karpikoff an ihren Vater und sagte mit dem verbindlichsten Danke, den Goldstift zurückstellend:

„Mein Herr, ich wünschte in der Lage zu sein, einen Dienst erwidern zu können, der mir werther war, als Sie sich vorstellen können!"

Herr von Rosenstern verbeugte sich, von der Anrede beglückt, endlos, Marie fühlte sich zwar mitgeschmeichelt, aber sie nahm an, daß die Unterhaltung damit abgebrochen sein werde. Sie irrte sich diesmal.

Karpikoff hatte sich kaum eine Tasse seines kaltgewordenen Kaffees eingeschenkt, als er das Wort weiter an seinen Nachbar richtete.

„Ich glaube," sagte er, sich an die Stirne greifend, „mich zu entsinnen, schon einmal die Ehre gehabt zu haben —"

„Ja wohl," gab Herr von Rosenstern rasch zur Antwort. „Vor ein paar Tagen im Freundschaftssaal."

„Ich denke Sie irren," versetzte Karpikoff. „Auch Sie, gnädiges Fräulein, kommen mir bekannt vor —"

„Der Vater hat Recht," antwortete Marie. „Ich habe Sie zum ersten Mal gesehen, als Sie zum Freundschaftssaal geritten kamen."

„Es ist mir kaum erlaubt," sprach Karpiloff, „zu wider=
sprechen, aber mein Gott, wo hätte ich die Augen gehabt, eine
Dame von so hervorstechender Schönheit zu übersehen!"

„Es ist kein Zweifel," ergriff Levini mit einem Anfluge
von Genirtheit, die oft seltsam mit seinem übrigen Auftreten
contrastirte, das Wort. „Wir haben Sie, mein Herr, sogar
zweimal gesehen. Erst gestern im Buchhändlerladen."

„In der That!" rief Karpiloff laut aus. „Levini, Du
hast ein beneidenswerthes Gedächtniß! Ich werde durch den
stürmischen Wechsel von Scenen und neuen Vorstellungen
ganz zerstreut! Ganz recht, im Buchhändlerladen! Sie kauften
ein Buch!"

„Ich kaufte es nicht," gab Rosenstern verlegen zur Ant=
wort, während er bei seinem bösen Gewissen einen prüfenden
Blick auf seine Tochter warf, die von diesem Ausgang nichts
gewußt. „Ich wollte eine Monographie von Karlsbad ha=
ben, ich wollte sehen, inwiefern der Sprudel auf die Nerven
wirkt, aber es war nichts Praktisches da."

„Gewiß im Interesse des Fräuleins?" bemerkte Karpiloff.

„So schlimm ist es nicht," sprach Marie, „als es die über=
triebene Sorge meines Vaters macht!"

„Ich glaube das gerne!" rief Karpiloff mit seiner lauten,
Aufmerksamkeit erpressenden Stimme. „Zerstreuung, Bewegung
und frische Luft sind die beste Kur. Sehen Sie meinen
Freund Levini an —"

Levini zuckte bei der Nennung seines Namens hoch empor,
wie Einer, dessen Gedanken nicht anwesend waren.

„Mein Freund," fuhr Karpiloff fort, „hatte vor einem
Jahre so zerrüttete Nerven, wie nur Nerven zerrüttet sein
können. Die Fürstin Schumuloff, auf deren Schlosse wir
damals unweit von Tula lebten, sagte nicht selten: Karpiloff,
ich fürchte, unser Freund Levini wird nicht alt! Er geht wenig
aus, er reitet nicht, er kennt keine Bewegung, außer eine
ihm höchst nachtheilige, den ganzen Tag über Clavier zu
spielen! Wenn der Abend kommt, trinkt er ein paar Tassen
Thee und entschlüpft scheu unserer Gesellschaft, um das
mörderische Werk einer noch größeren Aufreibung fortzusetzen!
Da sitzt er oft bis zum Sonnenaufgang und componirt!

Geben Sie Acht, er wird uns und der Kunst allzu früh, der Raphael der Musik, entrissen werden!"

Levini antwortete erröthend:

„So ist es. Die körperlichen Anstrengungen, die mit einer Kunstreise in den Orient verbunden sind, haben mich gerettet."

„Sie waren im Orient?" fragten Vater und Tochter zugleich, während das Interesse für die Beiden, das gleich anfangs da war, lavinenhaft anwuchs.

„Sollten Sie das nicht aus den Zeitungen wissen?" rief Karpikoff rasch. „Doch — die musikalischen Zeitungen werden nur von Fachmännern gelesen! Wenigstens werden Sie die eigenthümliche Geschichte kennen, wie mir meine Violine mitten im Concert in Warschau gestohlen wurde? — Die gerichtliche Verhandlung darüber war ja eine cause celèbre in Rußland geworden, alle Pariser Feuilletons haben sich davon wochenlang genährt!"

„Gewiß entsinne ich mich," sagte Herr von Rosenstern, der das Geständniß seiner Unwissenheit als eine grobe Unhöflichkeit ansah. „In allen Salons ist davon gesprochen worden!"

„Wie gefallen Ihnen die Frauen des Orients?" ergriff Marie das Wort, vom Gespräch ablenkend, um auf der beschämenden Unkenntniß hochwichtiger Dinge nicht ertappt zu werden, während sie das Bouquet höher empor hob, da sie nebenbei bemerkt zu haben glaubte, daß der schweigsame Levini darauf unausgesetzt hinstarre.

„Ich habe wenig Frauen gesehen —" gab Karpikoff zur Antwort, „Sie gehen, wie Sie wissen, verschleiert aus, die Alten ausgenommen. Umgekehrt wäre es besser!"

„Auch ich," sprach Levini, bei diesem Gespräch mit auffallender Wärme aufthauend, „kann nicht viel darüber sagen. Ich fühlte mich von keiner Türkin angezogen, ich behalte meine ganze Schwärmerei für unsere Damen!"

„Sehr freundlich!" rief Marie, die den Schluß als ein an sie gerichtetes Compliment deutete. „Aber sagen Sie mir — ist die Sprache des Selam im Orient noch immer so vorherrschend?"

Die Virtuosen sahen sich seltsam an, Levini wurde tief verlegen; endlich stotterte er:

„Die Türkei ist ein großes Reich, von vielen Volksstämmen bewohnt, die verschiedene Sprachen haben; die Sprache des Selam wird nur in einzelnen Districten gesprochen."

„Was Sie sagen!" rief Marie, in der Vermuthung bestärkt, daß am Ende Bouquet und Brief von Levini herrühren dürften, weil ihn die Frage so außer Fassung bringe. „Die Romane erzählen uns noch immer, daß man dort durch Blumensträuße redet, an welchen jedes Blatt etwas bedeutet."

„Die Mode hat ganz abgenommen!" rief Karpiloff keck, um seinen Freund zu retten, der das Wort Selam gar nicht verstanden hatte. „Kommt zwar noch vor — aber da lobe ich mir die europäische Sitte. Man sendet einen Strauß und schiebt ein Brieflein hinein! Nicht wahr, Levini?"

Levini schmunzelte. Marie war jetzt fast gewiß, daß sie eine provocirte Anspielung hörte, während der Vater wie ein Schelm beifällig dazu lächelte.

„Pflegen Sie dergleichen mit Unbekannten zu thun?" fragte Marie, in der Aufregung dreist.

„Wenn es nicht anders geht," meinte Levini.

„Ich hätte Sie für zu schüchtern gehalten," sagte Marie.

„Mein Freund schüchtern?" ergriff Karpiloff mit lautem Protest das Wort. „Merkwürdig, daß alle Damen ihn dafür halten! Mißtrauen Sie, mein Fräulein, dieser Maske der Harmlosigkeit!"

„Ich höre," mischte sich der Vater besorgt in die Rede, um zu verhüten, daß seine durch seine Schuld irregeleitete Tochter sich nicht zu weit hinreißen lasse, „daß wir nächstens ein großes Concert haben —"

„Das wäre himmlisch!" rief Marie, deren Eitelkeit hoch erregt, deren Herz aber unberührt geblieben war. „Karlsbad ist gar zu langweilig!"

„Wir hatten ursprünglich nicht die Absicht, uns hören zu lassen," erwiderte Karpiloff. „Wer, wie wir, in Petersburg, in Constantinopel, in Moskau und Paris gespielt, kann in einem so kleinen Erdenwinkel, wie Karlsbad, wenig Lust, ein Concert zu geben, haben. Dennoch wird es nächstens im Post=

hofe stattfinden, und dürfte, nach den Vormerkungen zu schließen, brillant ausfallen. Die Fürstin Schumuloff, die es um jeden Preis gewünscht, hat uns dazu überredet. Natürlich werden wir, wenn auch ein so schöner Mund, wie der Ihrige, mein Fräulein, uns mitbestürmt, mit doppelter Lust an die Ausführung gehen."

Beide Künstler standen auf, um sich zu empfehlen. Nachdem man sich beiderseits zu der Bekanntschaft Glück gewünscht und die Visitenkarten ausgetauscht hatte, schied man von einander.

„Habe ich es Dir nicht gesagt," sprach der Vater beim Nachhausegehen, „daß bei einem bischen Geduld die interessantesten Bekanntschaften gemacht werden? Ein paar geniale Menschen!"

„Ich denke," sagte Marie, „daß sie uns auch als Haltpunkte dienen werden, um uns die vornehmen Cirkel zu öffnen."

„Unstreitig!" rief Herr von Rosenstern.

Beglückt kamen sie nach Hause.

„Wer hätte das gedacht!" sagte der Vater zu sich, als er sich auf sein Sopha behaglich hingestreckt hatte. „Gestern der Platzregen, heute dieser Sonnenschein! Mein famoser Brief hat eine lange Reihe freudigster Ereignisse eröffnet, die sich, wie ich hoffe, bis zum Ende unserer Kurzeit steigern werden!"

Siebentes Kapitel.

Graf Wellenburg.

Marie war mit diesem glänzenden Anfange höchst zufrieden. In wenig Tagen hatte sie die ehemalige Sicherheit und den ganzen spöttischen Uebermuth ihrer Laune wiedergewonnen. Das Glück schien ihren Verstand zu klären und ihr eine vernünftigere Haltung zu verleihen. Sie zeigte sich nicht mehr als das verhätschelte Kind, das den Vater in ewiger Verzweiflung erhielt. All' diese Wunder hatte der geheimnißvolle Brief und die Bekanntschaft mit den Virtuosen bewirkt, von welchen sie den Einen als den unzweifelhaften Zusender betrachtete.

Wenn es Levini geahnt hätte, daß er eine so großartige Wirkung hervorgebracht, er hätte gewiß auf diesen Triumph stolz sein können. Dennoch durfte er sich nicht viel darauf einbilden. Es war nicht seine Person, die das Mädchen elektrisirt hatte, er war nicht das Ziel, auf welches ein so hoffärtiges Herz lossteuerte. Er war ihr nur der Probirstein, an welchem sich ihre Schönheit auf's Neue erprobt hatte, und welcher ihre verwundete Eitelkeit durch die glänzende Hoffnung heilte, daß ihre hohen Ansprüche noch nicht in das Reich der Träume gehörten.

Dieser vermeintliche Anbeter hatte außer dieser rein ideellen Einwirkung auch noch eine andere, mehr praktische bezweckt, auf welche Mariens speculirender Geist nicht geringen Werth legte. Levini war der Mann, der ihren Namen in die hohen Kreise, in welchen er sich bewegte, tragen sollte, er war ein Künstler, der vielleicht nächstens eine seiner zartesten und poetischesten Compositionen ihr widmen konnte. Seine Liebe sollte sie nicht beglücken, sondern nur verherrlichen, oder um es ohne Umschreibung zu sagen, Levini war für Marie dasselbe, was für einen Autor eine pompöse Annonce seines Buchs.

Sie ließ es daher an Ermuthigungen nicht fehlen, als Levini mit seinem Freunde gleich am nächsten Morgen seine Aufwartung zu machen kam. Sie verstärkte noch das Spiel ihrer Coquetterie am folgenden Tage, als ihr der schmachtende Virtuose am Mühlbrunnen zur Seite ging, aber seine tief verschlossene Leidenschaft war zu keinem offenen Geständniß zu verführen. Marie brang innerlich darauf, denn sie wußte aus Erfahrung, daß die Verehrer erst nach abgelegter Erklärung zu ihren Sclaven herabsänken und daß diejenigen beherrscht werden müssen, die man nicht lieben kann. Obwohl es ihr nicht gelingen wollte, fühlte sie sich doch nicht verstimmt, sie hatte mit einem Male die Alles vergoldende Phantasie früherer Tage wiedererhalten.

Der Vater, dessen Brief mit ruhigem Blick die Eigenthümlichkeit ihres Wesens berechnet hatte, konnte sich zuweilen selbst nicht genug wundern, bis zu welchem Grade der Duldsamkeit und Herablassung die heitere Stimmung seiner jüngst noch so herrischen Tochter hinabstiege.

„Aber Vater," sagte sie einmal am Mühlbrunnen, „wie kommt es, daß wir unsern Büreaukraten gar nicht mehr sehen? Sollte er verreist sein?"

„Er ist vielleicht krank," meinte der Vater.

„Das thäte mir leid," versetzte Marie. „Wenn er auch kein Umgang für uns ist, bleibt er doch ein guter Mann, der einige Bildung zu haben scheint."

Während dieses Gesprächs hatten Beide nicht bemerkt, daß ihnen zwei Herren entgegenkamen, von denen der Eine, der Jüngere, hoch und schlank gewachsen, wie ein vollendeter Weltmann aussah und der Andere jener gravitätische Graf Wellenburg war, den Marie einmal mit boshafter Zunge den Landpostmeister genannt hatte.

„Fräulein Marie!" rief der Jüngere plötzlich. „Welches Glück des Wiedersehens!"

„Flittenbach!" rief Marie gleichzeitig, vor Freude strahlend, während der Vater die Hand des Ankömmlings schon gefaßt hatte, um einen alten Bekannten zu bewillkommnen.

„Das ist nicht schön, lieber Baron," sagte er mit freundschaftlichem Vorwurf, „daß Sie in Karlsbad sind und uns nicht aufgesucht haben."

„Ich bin erst gestern gekommen," gab Flittenbach zur Antwort. „Sie, im Gegentheil, wären an mir vorbeistolzirt, ohne mich zu beachten!"

„Wie lange bleiben Sie? Wo leben Sie? Wie geht es Ihnen? Was treiben Sie?" fragte Herr von Rosenstern in einem Athem.

„Mir geht es nicht so gut," antwortete Flittenbach, „als zur Zeit, da ich in Prag lebte und nur zur Freude geboren schien! An meinem kleinen Hofe festgebannt, von kleinen Geschäften überhäuft, lebe ich der Erinnerung an die Tage, die ich in Begleitung unseres Erbprinzen in Prag und Wien verbracht! Ich denke an die gaſtlichen Häuſer, die mir ſo viel glückliche Abende ſchenkten und unter welchen das Ihrige voranſteht. Es war oft eine tolle Luſt in Ihrem Salon, eine Vergnügungswuth, gegen welche gehalten die Geſellſchaften unſerer nordiſchen Reſidenzen die feierliche Stille eines Bethauſes haben! Ich wollte, der ſelige Fürſt wäre noch am Leben und ſein Nachfolger und meine Wenigkeit wären noch immer öſterreichiſche Officiere!"

„Auch ich möchte jene Tage zurückrufen," ſagte Marie mit einem Seufzer.

„Sie ſeufzen!" rief Flittenbach. „Was hätten Sie zu bedauern, jung und ebenſo ſchön, wie ehedem! Laſſen Sie die armen Opfer ſeufzen, die an Ihrem Triumphwagen ziehen!"

„Sind Sie noch immer ſo boshaft," ſprach Marie, „wie Sie waren, ein unverbeſſerlicher Spötter, der an nichts auf der Welt den Glanz vertragen konnte."

„Nur zuweilen!" verſetzte Flittenbach. „In zahmen Verhältniſſen wird man ſelber zahm. — Halte ich Sie aber nicht auf?"

„Aber, lieber Baron," proteſtirte Roſenſtern, „was ließen wir nicht bei Seite liegen, um Ihre Geſellſchaft länger zu genießen?"

„Wollen Sie nicht ein bischen mit uns auf= und abgehen?" fragte Marie, in dieſem Augenblicke den ganz vergeſſenen Begleiter Flittenbach's bemerkend, der bei Seite ſtand.

„Mit Vergnügen," ſprach Flittenbach.

„Sind Sie allein? Ich glaube, Sie werden von jenem Herrn erwartet?"

„Bei Gott!" rief Flittenbach, „dem iſt gleich abgeholfen! Erlauben Sie mir, Ihnen den Grafen von Wellenburg vorzuſtellen." Er führte den Genannten vor: „Graf von Wellenburg, Major à la suite unſeres regierenden Fürſten."

Der Graf war ein unterſetzter, knochiger Mann von vierundbreißig Jahren, mit einem großen Kopf und flachsgelbem Haar, das ganz kurz geſchnitten war und von dem wettergebräunten Geſicht ſeltſam abſtach. Die buſchigen Brauen und der starke Schnurrbart von derselben Farbe gaben den zusammengezogenen, starken Zügen den Ausdruck ungemeinen Trotzes, den die großen, wasserblauen Augen voll Gutmüthigkeit milderten und bekämpften. Der Mund war auffallend fein und schön, fast unbegreiflich bei dem groben Bau des ganzen Gesichts, der starken Nase, den plumpen, massiven, gerötheten Ohren. Das Innere dieses Mundes zierten zwei Reihen wie Elfenbein blanker, auseinander gerückter, scharf zugespitzter Zähne, die an das Gebiß eines Hechtes erinnerten. Die ganze Physiognomie dieses nordischen Recken ließ eher auf einen Charakter, der alle Tugenden eines alten Normannen abspiegelte, schließen, als auf einen Mann von Geist.

Vater Rosenstern verbeugte sich schmunzelnd bei der Vorstellung und zerschmolz in Wonne, während die mehr geistesgegenwärtige Tochter den Vorgestellten mit scharfen Blicken musterte, wie ein Feldherr, der prüft, was für eine Festung vor ihm stehe und ob sie erobert zu werden verdiene. Der Eindruck der ganzen Persönlichkeit, die eigentlich sehr barock war, war nicht gewinnend, aber bei einem Mädchen wie Marie brauchte ein Mann keine Attribute von Liebenswürdigkeit, wenn er ein Heer stolzer Ahnen, ein Schloß und einen Marstall hatte. Sie wußte es so zu leiten, daß sie mit dem Grafen voranging, und Flittenbach, als ein alter Bekannter, auf den ihre Pläne nicht abzielten, ihrem Vater zur Unterhaltung überlassen wurde.

Während die herkömmlichen, höflichen Redensarten gewechselt wurden, sann Marie bereits auf ein interessantes Thema des Gesprächs, um sich gleich in den Augen des Grafen im günstigsten Lichte zu zeigen, wenn auch ihr eigener Verstand nicht eine angeborene Scheu vor Banalitäten gehabt hätte. Eben wollte sie das Gespräch auf Paris richten, das sie mit ihrem Vater zur Zeit der Weltausstellung besucht hatte, als ihr der Graf in's Wort fiel.

„Finden Sie nicht," fragte er, „die Kurregeln in Karlsbad höchst lästig?"

„Ich wüßte nicht," gab Marie zur Antwort. „Ich mache bei Tische keine Ansprüche. Ich esse, was man mir vorsetzt."

„Auch ich bin genügsam," sagte der Graf, „aber mir schaudert doch vor der Monotonie dieser Mahlzeiten!"

„Ich gestehe," meinte Marie lachend, „daß ich gar nicht gefragt habe, welche Speisen erlaubt und welche verboten sind."

„Das wissen Sie nicht?" rief der Graf ernst, die Sache ziemlich wichtig nehmend. „Streng genommen ist Alles verboten."

„Das wäre schrecklich!" sagte Marie hell lachend.

„Lachen Sie nicht!" sprach der Graf. „So ist es. Was bleibt denn übrig, wenn erstens das Saure, zweitens das Fette, drittens das Gewürzte verboten ist? Der Mensch kann doch nicht von Backpflaumen und von der sogenannten Sprudel= suppe leben, die außer Brodschnitten blos aus aufgelösten Mineralien besteht!"

„Höchst drollig!" rief Marie, „aber Sie übertreiben!"

„Wollte der Himmel," antwortete der Graf, „daß das Uebertreibung wäre! Bei strengem Kurgebrauch sind diese Verbote entsetzlich! Auch habe ich dem Hofrath offen gesagt, daß ich mich gezwungen sehe, den Sprudel auszusetzen. Ich habe seit zehn Tagen nichts mehr getrunken."

Zufällig kam das Hinterpaar vor und man wechselte die Begleitung.

„So viel ich hörte," sagte Flittenbach zu Marie, „scheint sich der Graf mit Ihnen über die Ernährung des Leibes unter= halten zu haben!"

„Seltsam genug!" versetzte Marie. „Ich wollte Sie eben deßhalb fragen. Sehr demüthigend für mich, keinen Eindruck auf ihn gemacht zu haben!"

„Behüte Gott," sprach Flittenbach lustig. „Das beweist nichts! Wenn der Graf das erste Mal nach Rom käme, würde er sich auch zuerst über die Nationalküche unterrichten, ehe er die Peterskirche ansieht. Die Tafel ist seine schwache oder starke Seite, wie Sie es nehmen wollen."

„Ist er ein leidenschaftlicher Gourmand?" fragte Marie.

„Dafür berühmt," gab Flittenbach zur Antwort, „und dazu prädestinirt! Betrachten Sie nur seine Doppelreihe scharfer, herrlicher Perlenzähne, die Ausbildung der Kiefern, die bewegliche, raftlose Zunge. Haben Sie jemals einen so brillanten Eßapparat gesehen?"

Marie lachte.

„Kommt der Graf," fuhr Flittenbach fort, „irgend wohin, wo man ihn als Gourmand nicht kennt, so setzt er bald Alles in Erstaunen und bricht sich auf das Rascheste die Bahn der Anerkennung. Man nennt ihn spöttisch den Eßgrafen! Ein herzlich guter und charakterfester Mann im Uebrigen!"

Herr von Rosenstern war indessen an Flittenbach's Seite getreten und flüsterte ihm in's Ohr:

„Der Graf hat mir geklagt, daß es in den Gasthöfen von Karlsbad so schmale Kost giebt. Wie denn, wenn Sie morgen mit ihm zu uns zu einem kleinen Souper kämen?"

„Herzlich gern," sprach Flittenbach. „Wellenburg wird es nicht abschlagen. Er speist immer bei Hofe und ist sehr verwöhnt. Der Fürst pflegt zu sagen: ich äße nicht halb so viel, wenn ich von Wellenburg's Beispiel nicht fortgerissen würde!"

„Eine Cavalierschwäche!" bemerkte Herr von Rosenstern, indem er Flittenbach in Beschlag nahm, um den Grafen seiner Tochter, die es zu wünschen schien, wieder auszuliefern.

„Herr Graf," sagte Marie, „nach Ihrem Accent zu schließen, sind Sie in Norddeutschland zu Hause."

„Ganz recht," antwortete der Graf. „Schloß Wellenburg trägt nicht umsonst seinen Namen, denn es steht an der Küste der Nordsee und sieht keck in den Meeresgrund hinab. Dieses Schloß ist sehr merkwürdig, sehr merkwürdig! Wären Sie in der Laune, eine Geschichte zu hören?"

„Sie verbinden mich," gab Marie zur Antwort, froh, daß es ihr gelungen, daß Eßgespräch zu verjagen.

„In grauer Vorzeit," erzählte Wellenburg, „hat dort einer meiner Vorfahren, Graf Lothar, über ein weites Land geherrscht. Durch den Raubzug einer skandinavischen Horde kam er um Alles, bis auf das Schloß, in welchem er auf's Unerträglichste zu Wasser und zu Lande belagert wurde. Der Feind, der ihm von der Meeresseite nicht beikommen konnte, beschränkte sich darauf, alle Zufuhr von Mannschaften und Lebensmitteln abzuschneiden. Endlich kam es so weit, daß sich die Besatzung

10*

in den letzten Proviant getheilt hatte, und der Tag war da, sich zu ergeben oder Hungers zu sterben. Mein Vorfahr hatte schon volle drei Tage nichts gegessen, denn er zog es vor, seinen Theil den Uebrigen zu überlassen. Haltet Euch zwei Tage, sagte er zu seiner entmuthigten Mannschaft, ist dann nicht Proviant da, so ergebt Euch! Man versprach es, wie räthselhaft es klang. Graf Lothar schlich hierauf heimlich fort und ließ sich an die Meeresküste hinab, wo er einen Kahn aus sicherem Versteck hervorzog. Das stürmende Meer und die dunkle Nacht schienen sein heldenmüthiges Vorhaben zu begünstigen. Mit seemännischer Bravour warf er sich mit dem Kahn in die See hinein, aber eine Gipfelwoge, die heran= fuhr, warf ihn mit Ungestüm auf eine Klippe, wo er halb= todt liegen blieb. Als er aus einer stundenlangen Ohnmacht erwachte, tagte der Morgen. Er schlug die Augen auf, neben ihm saß ein wundervolles Mädchen, das seine Wunden ver= bunden hatte und ihn sanft anlächelte. Du mußt zum Lohne mein Weib werden! sagte mein Vorfahr. Das Mädchen lächelte, steckte ihm einen goldenen Ring an den Finger, als Zeichen der Verlobung, und stürzte sich in die Wellen, aus denen sie noch einmal hervortauchte, pfeilgeschwind hinein. Mein Vorfahr kam noch früher, als er versprochen, zurück. Wie erstaunt war er, als ihm seine Reisigen jubelnd entgegensprangen und erzählten, daß der Sturm der letzten Nacht die Wachtschiffe des Feindes vernichtet und den Weg freigemacht habe. Mein Vorfahr bekam Zuzug von Lebens= mitteln und Leuten, überraschte den Belagerer, der ihn in seiner Sorglosigkeit für verhungert hielt, und schlug ihn gänzlich auf's Haupt. Das ganze Lager und ein unermeß= licher Vorrath von Lebensmitteln fiel in seine Hände. Nach= dem der Sieg mit einem großen Gastmahl gefeiert worden war, stieg der Sieger wieder auf die Stelle, wo ihn die Nixe gepflegt hatte, und sprach: Dein Ring hat mir Glück gebracht! Ich schwöre, daß ich kein anderes Weib als Dich heimführen werde! Er hat nie geheirathet. Als er starb, wurde er auf seinen Wunsch in die See geworfen."

„Hochinteressant, Herr Graf!" rief Marie, die das Lachen während der Erzählung stellenweise kaum zu verbeißen vermocht

hatte. „Der Nixenring drückt symbolisch aus, daß die Wellen=
burg von den Wellen vertheidigt und gerettet worden ist!"

„Keineswegs, mein Fräulein," versetzte der Graf, so ent=
schieden, daß sich sein braunes Gesicht noch dunkler färbte.
„Dabei ist nichts Symbolisches, keine Allegorie! Der Ring
existirt wirklich, er ist noch immer vorhanden!"

„Ich glaubte, weil Sie die Erzählung für eine Sage
ausgaben," meinte Marie, vor Erstaunen lächelnd, „und es
doch nie Nixen gegeben —"

„Gleichviel!" rief der Graf, wie Einer, der keinen Spaß
bei der Sache versteht. „Ob es Nixen gegeben oder nicht,
das ändert nichts; es ist ein Factum, daß sich der goldene
Ring fortgeerbt und daß sein Besitz den Reichthum und das
Ansehen unseres Hauses garantirt hat. Der Ring ist das
Palladium unserer Familie und mit seinem temporären Ver=
luste ist, wie uns mehrere Fälle im Mittelalter schon gezeigt,
unser Glanz auf so lange verschwunden, bis er wieder ge=
funden war."

Unter diesem Gespräche war die Gesellschaft bis in das
Innere der Stadt gelangt.

Flittenbach und Wellenburg verabschiedeten sich.

„Herr Graf," sagte Herr von Rosenstern, „mein alter
Freund Flittenbach ist morgen Abend mein Gast, wollten Sie
mir nicht die Ehre geben, ein kleines Souper mit einzu=
nehmen?"

„Ein Souper? — Mit Vergnügen!" gab der Graf zur
Antwort, sich tief verbeugend, während sein Gesicht strahlte
und sein schöner, mit dem hechtartigen Gebisse ausgerüsteter
Mund sich lüstern öffnete.

„Morgen um Acht, meine Herrschaften, falls ich Sie bis
dahin nicht sehen sollte!" rief Rosenstern den Beiden im
Scheiden nach.

„Wie gefällt Dir der Graf?" fragte der Vater, als sie
zu Hause angekommen waren.

„Ganz gut," antwortete Marie. „Seine Gourmandise ist
allerdings eine Eigenschaft, die mir ihn nur von einer beinahe
drolligen Seite gezeigt hat."

„Was willst Du?" rief der Vater. „Es ist eine der

nobeln Paſſionen, eine wahre Tugenb bei Cavalieren! Die Ariſtokratie hält auf Küche ebenſo viel, wie auf gute Pferde!"

„Abgeſehen bavon," ſprach Marie, „hat er ein geſeßtes Weſen, bas mir an Männern wohlgefällt. Seine Würde, bie er immer aufrecht zu halten ſucht, fällt oft ſehr ſteif aus, bennoch verräth er in allen Manieren unb in ſeiner Art zu reben Tournüre. Flittenbach iſt jebenfalls geiſtreicher unb amüſanter!"

„Ohne Zweifel!" erwiberte ber Vater, „aber er iſt zu flüchtig, ein Mann, ber glänzt unb nicht erwärmt! Ich halte ihn auch einer tieferen Empfinbung unfähig."

Auf bieſe verblümte Art brückte Herr von Roſenſtern ſeinen immer unvergeſſenen Aerger über bie Täuſchung aus, baß Flittenbach nicht, wie er gehofft, ſein Schwiegerſohn ge= worben war.

„Du haſt nicht Unrecht," ſtimmte Marie bei. Sie hatte eine Zeitlang auf Flittenbach gerechnet, war aber inbeß auf bas Maß ber Salonfreunbſchaft zurückgekommen.

„Ich freue mich wirklich auf ben morgigen Abenb," rief ber Vater aus, ber ſich's inzwiſchen wieber bequem gemacht hatte.

„Auch ich!" ſagte Marie.

„Kinb!" rief ber Vater exaltirt, „wie thöricht hätten wir gehanbelt, wenn wir abgereiſt wären! Mann kann ſagen, baß uns ſeit geſtern bie intereſſanteſten Perſonen von Karlsbab umgeben. Unb boch iſt es ber Anfang erſt! Zuleßt werben wir, bei Gott, in einem Gewimmel von nobeln Bekannt= ſchaften erbrückt werben!"

„Ich bin oft ungebulbig!" ſagte Marie, „ich weiß es, unb boch kann ich meine üble Laune nicht beherrſchen! Du barfſt es mir nicht gar zu übel nehmen. Wenn Du wüßteſt, wie es oft in meinem Gemüthe ausſieht, Du würbeſt mich be= bauern!... Sei gut, mein Vater!"

Sie hüpfte an ihn heran, küßte ihn auf bie Stirn unb flog in's Nebenzimmer.

„Ein gutes Mäbchen!" ſagte Roſenſtern, als er allein war. „Ein vortreffliches Herz! Sie iſt nur zu geſcheibt für ein Mäbchen, ſie weiß, baß bie Schönheit nur eine kurze

Blüthe hat und daß von dem Moment das Lebensglück ab=
hängt. Sie ist zu wenig leichtfertig, um die Sorge um die
Zukunft im Genuß des Augenblickes zu vergessen. Ich bin
wirklich glücklich!"

Er wälzte sich vor Entzücken auf seinem Sopha und
schwelgte in der Aussicht auf eine ununterbrochene Kette hal=
cyonischer Tage! —

Achtes Kapitel.

Großhändler Solm.

Die kleine Colonie auf dem Schloßberge lebt noch immer,
von der übrigen Gesellschaft abgeschieden, ihr zurückgezogenes
Leben. An Solm laufen jeden Morgen Briefe und Depeschen
ein, er beantwortet sie so kurz als möglich und bleibt dessen=
ungeachtet alle Vormittage mehrere Stunden am Schreibtische.
Bertha ist fast den ganzen Tag im Garten mit einem Buche
oder einer Arbeit in der Hand zu treffen.

Seit jenem Abend, wo Horsky sich ein Herz gefaßt, ihr
ein Wort von seinen inneren Vorgängen zu sagen, ist keine
Silbe von Herzenssachen zwischen Beiden gesprochen worden.
Der achttägige Aufenthalt in Karlsbad, den er ihretwegen
genommen und den er seiner Beschäftigung gewaltsam abge=
stritten, hatte die Hoffnungen, mit denen er kam, schrecklich
herabgestimmt. Bertha kam ihm so gleichgültig vor, wie er
sie vorher nie gesehen. Seitdem hatte er oft den Entschluß
gefaßt, abzureisen, und nur die der Liebe eigene martervolle
Zähigkeit des Ausharrens hielt ihn noch immer auf.

Horsky wandelt heute mit schwerem Herzen den Schloßberg
hinauf und hält fast bei jedem Schritt nachdenklich inne.

„Der Onkel," sagt er zu sich, „beschützt und unterstützt
meine Wünsche. Er giebt mir immer wieder die Möglichkeit,

sie zu sprechen, und gewiß, er hätte, sobald ihre Neigung für mich spräche, nichts gegen eine Heirath einzuwenden. Aber sie! Reizende, böse, herzlose Zauberin, wie deute ich sie! In letzter Zeit ertappe ich sie so oft in heimlichem Nachsinnen, das ich früher nicht an ihr gekannt. Was ist ihr? Sie scheint auch zu leiden. Und ich forsche und forsche und finde doch Keinen, den sie zu begünstigen schiene. Rede ich sie an, verschwindet der sinnende Zug auf ihrem lieben Gesichte, sie blickt mich mit ihrer strahlenden Heiterkeit an und antwortet mit einem Scherz. Ich fasse wieder Muth, lebe auf, und ein paar Minuten später raubt sie mir wieder jede Hoffnung. Ist sie nur ein halbes Kind, das von Liebe noch nichts ahnt — der Onkel behauptet's — oder trägt sie ein anderes Gefühl im Herzen? Wie komme ich zur Gewißheit, wie ende ich diesen langen, unerträglichen Kampf?..."

Er hatte an Bertha's Thüre geklopft und fand sie, wie so oft, an ihrem Schreibtisch.

„Ist Ihr Herr Onkel zu Hause?" fragte er.

„Haben sie ihn nicht unten im Garten bemerkt?" gab Bertha zur Antwort.

„Ich will nachsehen," sagte Horsky. „Vielleicht ist er die Terrassen hinabgegangen. Ich muß ihn sprechen, denn in Folge eines Briefes, den ich soeben erhalten, muß ich schon heute Abend abreisen."

„Schon heute?" sagte Bertha, „aber das wird ja den Onkel sehr unangenehm überraschen —"

Sie sprang an das Fenster und sah in den Garten hinunter.

Horsky stand noch an der Thüre, den Hut in der Hand, wie vernichtet. Er hatte mit der kleinen Finte einer plötzlichen Abreise das Herz des Mädchens prüfen wollen, und die Art, wie sie es aufnahm, ihre Haltung, sagte es ihm genugsam, daß ihr an seinem Gehen oder Bleiben gar nichts liege. Seine Zunge war wie gelähmt, er wäre glücklich gewesen, schon weit, weit fort zu sein. Er schwor, sie nicht mehr sehen, nicht mehr an sie denken zu wollen.

„Geht denn noch heute eine Post ab?" fragte Bertha am Fenster, im gleichgültigsten Tone.

„Man findet immer einen Wagen und ein paar Pferde, wenn man fort will und muß!" erwiderte Horsky dumpf vor sich hin.

„Ach wie tragisch Sie das nehmen!" lachte Bertha. „Doch wirklich, Sie sehen ganz verstört aus ... was ist Ihnen?"

Horsky brachte kein Wort hervor, denn die lächelnde Miene des Mädchens, der Blick, in dem er keinen Antheil las, bannten alles Leben in ihm. Er fand nicht die Kraft, den Unbefangenen zu spielen, und nicht den Muth, das zu offenbaren, was er empfand. Da trat Solm ein, ihm in seiner Verlegenheit ein rettender Engel.

„Wo stecken Sie heute den ganzen Tag?" sagte der Kaufmann und schüttelte die Hand des jungen Advocaten auf's Herzlichste.

„Ich — ich habe ein paar Abschiedsbesuche gemacht," versetzte der junge Mann mit mühsam erzwungener Gelassenheit.

„Hoho! So plötzlich? Was ist Ihnen durch den Sinn gefahren?"

„Ich habe einen Brief erhalten," murmelte Horsky. „Eine Tagsatzung —"

„Können Sie sich nicht vertreten lassen? Hat es diese Wichtigkeit?"

„Es ist sehr wichtig."

„Das thut mir sehr leid."

„Mir gewiß auch!" versetzte Horsky, mit einem verzweiflungsvollen Blick auf Bertha, die am Fenster stand, weit in's Egerthal hinaussah und nicht zu hören schien.

„Wann wollen Sie reisen?" fragte Solm, der sich in die Sache gefügt hatte.

„Heute Abend, spätestens morgen früh."

Da hüpfte Bertha heran: „Die lange verabredete Partie nach Hammer ist noch immer nicht gemacht. Können Sie nicht einen Tag zugeben?"

„Es geht nicht mehr," sagte der junge Advocat mit Ernst, in seinem Innern jedoch hatten die freundlichen Worte des Mädchens seinen Entschluß wie Sonnenstrahlen den Schnee geschmolzen.

„Geschäfte gehen vor!" sagte Solm.

Er schnitt Horsky, ohne es zu wissen, die aufdämmernde Hoffnung, noch einen Tag zu bleiben, ab.

Der Kaufmann hatte sich gesetzt und Horsky mußte sich neben ihm niederlassen. Bertha griff nach ihrem Strohhut, um in den Garten hinabzugehen, und sagte freundlich: „Ich sehe Sie wohl noch? Somit: Sans adieu!"

Sie flog hinaus.

„Obwohl ich alle Ihre Aufträge bereits empfangen," ergriff Horsky das Wort, als er mit Solm allein war, und es kostete ihm einen schrecklichen Kampf, seine Gedanken von dem Gegenstande, der ihn ganz erfüllte, auf etwas Anderes hinzulenken, „so möchte ich doch auf die Angelegenheit, um derentwillen ich Ihnen nach Karlsbad nachgeeilt bin, vor meiner Abreise noch einmal zurückkommen."

„Sie meinen die Geschichte mit Borr..." rief Solm verdrießlich. „Lassen Sie das! Ich ziehe vor, daß der Kukuk die ganze Hypothek hole! Soll ich, um die Hypothek zu retten, einen noch größeren Ankauf machen, der mir doppelte Sorgen und, wenn das Unglück es will, doppelten Verlust verursacht?"

„Ich stemme mich nicht gegen Ihren Willen," versetzte Horsky. „Nur einen Vorschlag will ich machen, der Sie nicht beirren kann. Ich habe mir vorgenommen, mir die Herrschaft mit eigenen Augen anzusehen, weil ich der Ansicht bin, daß die bloße Kenntnißnahme aus den Grundbüchern nur eine mangelhafte Vorstellung vom Ganzen giebt. Wenn Sie nach Prag zurückkommen, werde ich mich an Ort und Stelle unterrichtet haben, und Sie behalten dann noch immer freie Hand, zu thun und zu lassen was Ihnen beliebt, da der zweite Licitationstermin erst auf den ersten August fällt. So lange können Sie Ihren Beschluß in der Schwebe lassen. Man kann sich immer Bedenkzeit gönnen, ehe man auf hundertundfünfzigtausend Gulden resignirt."

„Es ist wirklich unverantwortlich von meinem früheren Sachwalter!" rief Solm. „Hätt' ich ihn nicht mit Ihnen vertauscht, so war das Geld verloren, ohne daß ich vorher auch nur eine Anzeige davon gehabt hätte!"

„Sein Fehler," versetzte Horsky, „bestand darin, daß er

zur Sicherung das Vermögen des Baron von Borr auf dem
Stande annahm, wie es vor drei Jahren war, und nicht nach-
rechnete, was ein toller Verschwender, dem die Verzweiflung
das letzte Maß von Vernunft geraubt, in kurzer Zeit durchbringen kann. Als die Sequestration über ihn verhängt ward,
da war es freilich zu spät und der Ruin wurde nur beschleunigt, denn Gauner lösten einen Verschwender ab."

„Ich glaube," meinte Solm, „Baron von Borr hatte noch
eine zweite Herrschaft, die weit größer war. Ist dem
nicht so?"

„Allerdings," versetzte Horsky. „Diese ist jedoch seit
einem Jahre an einen Wiener Bankier übergegangen, der
sich unter ähnlichen Umständen, wie sie hier Ihnen vorliegen,
zu dem Kauf entschließen mußte. Er hatte gleichfalls das
größte Capital unter den Gläubigern auf ihr liegen und
erstand sie beim zweiten Termine, als sich bei dem ersten kein
Käufer gemeldet hatte, um sich nicht der Gefahr auszusetzen,
daß sie unter dem Abschätzungspreise abgehe und seine
Forderung ungedeckt bleibe. Wie ich höte, hat er daran ein
herrliches Geschäft gemacht."

„Dann hatte er seine Leute!" rief Solm. „Ich verstehe
gar nichts von Gutsverwaltung und war stets gewohnt, alle
meine Kräfte auf ein einziges Ziel zu concentriren. Dabei
bin ich gut gefahren. Indeß sehen Sie sich die Herrschaft
an, wenn Sie dazu Lust und Zeit haben, vielleicht gelingt es
Ihnen, irgend einen Geldmann für sie zu interessiren, wenn
Sie den Kauf aus eigener Erfahrung empfehlen können. Ich
gehe schwerlich daran."

„Ich werde Ihnen keinen Zwang anthun," versetzte Horsky.

„Gott, Gott!" sprach Solm, der eine Zeitlang nachgedacht hatte, „meine Phantasie faßt es gar nicht, wie man mit
einem so riesigen Vermögen in wenigen Jahren fertig werden
kann. Wenn der alte Baron von Borr, — ein so trefflicher
Landwirth — ein so kluger, umsichtiger Mann — wieder aus
dem Grabe zurückkommen könnte und nun keine Scholle
Lands mehr sein nennen dürfte — der Himmel giebt den
Eltern oft einen sonderbaren Schatz an ihren Kindern —"

„Der junge Baron Borr," erwiderte Horsky, „ist ein

Tollkopf, von dem man die seltsamsten, tollsten, aber auch die furchtbarsten Züge erzählt. Mit den elterlichen Gütern ist er fertig geworden, aber wäre es möglich, die Todten im Grabe ihrer Verdienste und ihres ehrlichen Andenkens zu berauben, auch dieser Güter wären sie durch ihn verlustig geworden."

„Gott behüte Jeden," seufzte Solm, „vor solchen Kindern! Wenn ich solche Dinge höre, bin ich immer zufrieden, daß ich ein Junggeselle geblieben bin."

„Solche Söhne sind aber zum Glück die seltensten Ausnahmen!" versetzte Horsky.

„Und wie, wenn uns die Ausnahme trifft? Lieber wollte ich dem Fiscus mein Vermögen vermachen als solchen Nachkommen! Meine Einsamkeit ist freudlos, aber ihr ist auch der Kummer fern."

„Sie könnten sich wirklich nicht entschließen," fiel Horsky dem Kaufmann in's Wort, „eine Heirath einzugehen?"

„Sie spotten!" erwiderte Solm, „oder halten mich für toll!"

„Keins von Beiden! Warum sollten Sie nicht noch heirathen? Stehen Sie nicht im besten Mannesalter? —"

„Wär' ich nur um fünf Jahre jünger, wer weiß, was ich thäte! Da sehen Sie mein graues Haar!"

„Ei," rief Horsky, „es giebt blühende Männer unter Dreißig, die gar kein Haar haben! Sie sind geistig frisch und auch körperlich wohler, als Sie zugeben. Der Reiz des Familienlebens würde Sie verjüngen, und sagen Sie, was Sie wollen, ich merke aus unserer doch noch nicht so alten Bekanntschaft, daß Sie, ein Mann, der wie ein Fürst jede Laune befriedigen kann, doch kein Mittel besitzen, um die Forderungen Ihres so warmen, innigen, anschlußbedürftigen Gemüthes zu stillen."

„Sie sprechen, wie ein Mann in Ihren Jahren spricht," antwortete Solm mit einer Bewegung, die Horsky kaum vorausgesetzt hätte und die den Eindruck erst bemessen ließ, den seine Worte auf den Kaufmann gehabt haben mußten. „Sie können das ausführen, was Sie fühlen, ich kann es nicht mehr!"

Er war aufgestanden und fuhr sich mit der Hand über

die Stirn. Aus seinen milden, beredten, schönen Augen
drang ein seltsames Licht, als wenn er tief innerlich litte.
Es war eine eigene Scene. Barg der Kaufmann hinter
seiner ruhigen Hülle ein schmerzliches, verzehrendes Geheim=
niß?... Es schien fast. Dann standen sich zwei durch Liebe
unglückliche Menschen gegenüber, ein alter und junger, jeder
mit einem andern Leib.

Horsky brach zuerst das Schweigen. „Sie sprechen,“
sagte er zu Solm, „wie ein Greis, der Sie noch lange, lange
nicht sind! Noch lange nicht!“

„Hören wir auf!“ rief Solm, von dem Gebiete dieses
Gesprächs scheu forteilend. „Gehen wir in den Garten hinab.“

„Fräulein Bertha hat Gesellschaft,“ sagte Horsky, der
mit dem scharfen Ohr des Liebenden Bertha's heiteres Lachen
gehört hatte.

„Wen?“ fragte Solm.

„Den Grafen Wellenburg.“

„Ein seltsamer Kauz, aber, wie mir scheint, ein nobler
und braver Charakter.“

„Wenn ich ihn nicht dafür hielte,“ sprach Horsky, „hätte
ich ihn Ihrer Nichte gewiß nicht vorgestellt.“

„Die Wellenburgs,“ antwortete Solm, „sind eins der
wenigen deutschen Häuser, die sich mit den großen Aristokraten
in Oesterreich im Punkte des Reichthums messen können. Ich
hätte mir einen solchen Sprößling stolzer und spröder vor=
gestellt.“

„Nun,“ meinte Horsky, „das Hochgefühl seiner Abstam=
mung scheint ihn doch nur selten zu verlassen! Er spricht gar
zu gern von seinen Ahnen und seinem Familiengenius: der
Nixe von Wellenburg.“

„Wie der Geldmann von seinen Papieren, der Künstler
von seinen Producten, der Soldat von seinem Regiment.
Seien wir nachsichtig. Kommen Sie!“

Sie gingen hinunter.

„Ihr kommt zu spät!“ redete sie Bertha an. „Der
Wellengraf mit den Perlenzähnen ist nicht mehr da! Er
wollte Dich besuchen, lieber Onkel, als ich aber sagte, daß

Du mit Horsky über geschäftliche Angelegenheiten zu sprechen habest, wollte er nicht stören."

„Apropos," fragte Horsky das Fräulein, „wer war wohl die bildschöne Dame, mit welcher der Graf heute Morgen am Mühlbrunnen umherging?"

„Ich habe sie nicht gesehen."

„Eine auffallende Schönheit, brünett, etwas südlicher Typus. Nach ihrer Toilette möchte man sie für eine Pariserin halten, nach ihrem Gesicht von ernster, statuarischer Schönheit könnte sie am ehesten eine Italienerin sein. Sie ist gewiß erst gestern oder vorgestern angekommen."

Er meinte Marie von Rosenstern.

„Da Sie uns durchgehen," sagte Bertha, „wollte ich den Grafen einladen, uns morgen nach Hammer zu begleiten. Er ist leider bereits versagt und muß morgen punkt Acht auf der Wiese sein. Es giebt irgendwo ein Souper, und der Graf scheint sich unermeßlich zu freuen, einmal von der schmalen Kurkost frei zu werden. Aber worüber sinnst Du, Onkel?"

„Ich denke nach," erwiderte Solm, noch immer in Nachdenken versunken, „wer die schöne Dame gewesen sein mag, die Horsky meint — —"

„Was? Du hättest wirklich an eine junge Dame gedacht!" rief Bertha lachend und flog dem Onkel an den Hals, indem sie ihm frei und offen in die Augen sah, „an ein so armes, geringfügiges Ding wie eine junge Dame? Ich denke, Dir haben die Damen von jeher wenig Kopfzerbrechen gekostet!"

„Hier," antwortete der Onkel, über die ihm entschlüpfte Antwort verlegen, „wo man den ganzen Tag müßig geht, hat man auch oft müßige Gedanken!"

Eben wurde der Kaffee in die Laube getragen. Man setzte sich an den Tisch und das Gespräch fiel auf andere, gleichgültige Dinge.

Am andern Tage war Horsky in der That abgereist.

Neuntes Kapitel.

Das Souper bei Herrn von Rosenstern.

Herr von Rosenstern liegt auf seinem Sopha, mit seinem Geschick vollkommen ausgesöhnt. Ein seltsamer Mensch! Katastrophen nähern sich ihm, sie werfen ihm schon ihre Schatten entgegen, er sieht sie nicht, er berechnet sie nicht, er hat den Kopf voll nichtigster Bagatellen und raucht seine Pfeife. Ist ihm denn jeder kaufmännische Sinn, den er einst besaß, verloren gegangen, jeder Ernst, jedes Nachdenken? Seine Lage ist hohl, jeder Andere würde erschreckt auffahren, diesem elenden Müßiggang Lebewohl sagen, sich aufraffen und an Rettung denken, er denkt an nichts und raucht. Doch ja, er denkt an etwas, er denkt an den Abend, und wie er als glänzender Wirth in den Augen seiner Gäste strahlen wird! Mitten in diesen Hochgefühlen rüttelt ihn ein Einfall empor. „Marie!" ruft er plötzlich so dringend und laut, als wenn ein Brand ausgebrochen wäre. „Marie!"

Marie kommt auf den ungewöhnlichen Ruf rasch herbei.

„Mir ist etwas eingefallen," sprach er, „weißt Du, wer bei unserem Souper fehlt?"

„Nun?" fragte Marie.

„Unser Virtuosenpaar. Ich will es gleich einladen."

„Es ist wahr," gab Marie zur Antwort. „Die Virtuosen könnten dabei sein. Dann eile aber, daß Du sie noch triffst."

Sie ging wieder hinaus, während der Vater seine Ruhe zum Opfer brachte, um der beiden Berühmtheiten für den Abend gewiß zu sein.

Als er wieder heimkam, hatte er die freundliche Zusage der Beiden in der Tasche.

„Marie," rief er von Weitem, „sie kommen! Karpiloff scheint zwar etwas Anderes vorgehabt zu haben, aber er ließ sich von Levini davon abbringen."

„Er wollte gewiß zur Fürstin!“ meinte Marie und malte sich Levini’s leidenschaftliches Drängen, den Abend in ihrer Nähe zuzubringen, aus.

„Das Souper ist von mir großartig besorgt worden,“ sprach der Vater weiter. „Ich sage nichts, Du sollst überrascht werden. Ich sage nur so viel, daß die Virtuosen glauben werden, sie speisen bei ihrer Fürstin, und Graf Wellenburg denken soll, er sitze nicht bei einem Rentier, sondern, wie immer, an der Hoftafel!“

Langsam schlichen den Erwartenden die Tagesstunden hin, bis endlich der ersehnte Abend herankam.

In einem kleinen, aber elegant möblirten Salon wurde ein runder Tisch für das Souper hergerichtet. Vergoldetes und silbernes Service repräsentirte den orientalischen Luxus des Hauses. Wo sonst eine Commode stand, hatte der weitausblickende Wirth ein Pianino aufstellen lassen, um neben dem Reichthum auch den Kunstsinn zu zeigen; es war um so bringlicher nöthig, als der Pianist, vom Champagner angeregt, leicht den Drang empfinden konnte, den überwältigenden Inhalt seiner Brust in einer musikalischen Phantasie auszutoben.

Marie hatte die sorgfältigste Toilette gemacht. Sie trug ein hellblaues Moiréekleid, das bis an die Achseln herab die plastische Vollendung von Hals und Nacken sehen ließ. Ihr Schmuck war kostbar und doch einfach. Die Ohrringe stellten zwei aus Türkisen zusammengesetzte Vergißmeinnicht vor, der blendend weiße Arm war von einem Bracelet umfangen, das eine schwarzgrüne Schlange von Email mit Diamantenaugen bildete.

Marie sah in der That wundervoll aus. Ihr Teint war vor Aufregung durchsichtiger geworden und das sonst matte Roth ihrer Wangen hatte einen tieferen Farbenton angenommen. Ihre großen Augen leuchteten und blendeten, der Ausdruck derselben, der gewöhnlich räthselhaft ruhig war, schien von einem schwärmerischen Feuer durchglüht.

Ungeduldig erwartete sie im Empfangszimmer, den Fächer bald hastig schließend, bald wieder öffnend, ihre Gäste, während der Vater im schwarzen Frack und weißer Halsbinde trällernd am Fenster stand und heruntersah, um der Erste, Einen und den Andern der Kommenden zu annonciren.

„Die Virtuosen!" rief er plötzlich, vom Fenster an die Thüre eilend.

Der kleine Groom draußen, von einem gemietheten Lohnlakaien unterstützt, öffnete gleich darauf die Thüre.

Levini trat, in Gala geworfen, langsam, mit der ihm eigenthümlichen Schüchternheit ein, im Gegensatz zu dem ihm nachstürmenden Freunde, dessen laute, des Aufsehens bedürftige Persönlichkeit mit dem Geräusch eines Waldstromes nachfolgte, so daß Vater und Tochter kaum gewahr wurden, daß Levini schon dastehe.

Nachdem Karpikoff eine Flut von schmeichelhaften Redensarten vom Stapel gelassen hatte, gab Marie zur Antwort:

„Es freut mich, dies zu hören, denn ich fürchtete, daß Sie uns ein Opfer bringen!" Indem sie solchergestalt auf die Schwierigkeiten, die Karpikoff nach des Vaters Bericht bei der Annahme der Einladung erhoben, anspielte, warf sie einen dankbaren Blick auf Levini.

„Ich verstehe diese Anspielung," sprach Karpikoff, indem er sich mit einer gewaltigen Nonchalance in einen Fauteuil warf. „Es war unrecht von Ihnen, Herr von Rosenstern, es wiederzusagen. Uebrigens haben Sie großen Scharfblick bewiesen, denn ich glaube meine anfängliche Weigerung nicht plump angedeutet zu haben..."

Herr von Rosenstern wollte sich entschuldigen, jedoch Karpikoff ließ die Menschen nicht so leicht zu Worte kommen.

„Offen gesprochen!" sagte er. „Ich liebe Offenheit, sollte sie auch momentanen Anstoß erregen. Wir hatten bereits über den Abend verfügt —"

„Gewiß bei der Fürstin —" fiel ihm Marie in's Wort.

„Gott behüte!" rief Karpikoff. „Das kann die Fürstin nicht verlangen, daß wir alle Tage dort hocken! Die Abhaltung war eine andere. Levini sagte mir nämlich in aller Frühe, daß er sich äußerst gedrückt fühle, so lange wir uns bei einer Menge von einzelnen Herren, die uns bewirthet, nicht revanchirt hätten. Ich stimmte ihm bei und wir beschlossen, den heutigen Abend zur Revanche zu wählen. Gerabe, ehe Herr von Rosenstern kam, hatte Graf Walbheim, den der Zufall an unserem Fenster vorüberführte, die erste Einladung von uns erhalten. Sie sehen, gnädiges Fräulein, daß die Schwierigkeiten, die ich erhob, nicht von der Art waren, daß die Beschuldigung aufkommen kann, wir hätten die uns von Ihnen angethane Ehre nicht genugsam zu würdigen gewußt."

In diesem Augenblicke that sich die Thüre auf und Graf Wellenburg trat mit der steifsten Grandezza ein. Nachdem er einige Worte mehr gemurmelt als gesprochen, bat er Herrn von Rosenstern, Flittenbach zu entschuldigen, der ihm morgen selbst die Gründe seines unverhofften Ausbleibens auseinandersetzen werde. Nach gegenseitigen Vorstellungen nahm er auf einem Fauteuil neben Karpikoff Platz, die Uebrigen hatten sich im Halbkreise gegenüber placirt.

„Herr Graf," ergriff Karpikoff das Wort, „ist Graf Wellenburg, der russische Generallieutenant in Moskau, ein naher Verwandter von Ihnen?"

„Ja wohl," sprach der Graf mit langsamer Gemessenheit. „Mein Vetter!"

„Ich hatte oft die Ehre," fuhr Karpikoff fort, „mit ihm zusammen zu kommen. Er wird sehr gefeiert. Bei der Erstürmung eines Auls von Schamyl war er der Erste, der den russischen Adler auf der zertrümmerten Mauer aufpflanzte."

„Seine Kühnheit ist berühmt!" versetzte der Graf. „Schon als Kind zeigte er militärische Anlagen. Der wird es noch zum Feldmarschall bringen."

„So ein Mann verdient es auch, bei Gott!" bemerkte Herr von Rosenstern ziemlich albern; seine berauschte Eitelkeit fing mit seinem Verstande durchzugehen an.

„Ich habe einmal in Moskau bei ihm dinirt," sagte Karpikoff. „Er zeigte mir bei dieser Gelegenheit eine tscherkessische Bergkanone, die er mit eigener Hand erbeutet, eine Kugel, die ihm in seinen Stulpstiefel gefahren, und einen Rosenkranz von Bernstein, den er einer der gefangenen Frauen Schamyl's abgenommen."

„Diese Trophäen," rief der Graf laut lachend, „waren

bei diesem Diner gewiß das Beste! Seine Küche war immer eine wahre Feldküche. Ha, ha, ha!"

„Du hast ja einmal," rief Karpikoff, sich an den stummen Levini wendend, „dem Grafen etwas dedicirt?"

„Ich?" stotterte Levini, wie Einer, der gar nicht anwesend. „Du meinst doch nicht das Nocturno im C-moll?"

„Du bist wieder einmal recht zerstreut," rief Karpikoff. „Hast gewiß an eine Symphonie gedacht! Die Gesellschaft muß an Künstlern Nachsicht üben. Levini hat einen Wellenburg-Marsch componirt, der in kurzer Zeit so populär wurde, wie die russische Volkshymne!"

„O den müssen Sie heute spielen!" rief Marie voll Begier, Levini's Zunge in Fluß zu bringen.

„Ich bedaure," sprach dieser, „daß ich ihn nicht auswendig weiß. Sonst wäre ich glücklich —"

„Es ist merkwürdig!" rief Karpikoff. „Er spielt den ganzen Beethoven ohne Noten, vermag aber nicht zehn Tacte seiner eigenen Compositionen auswendig vorzutragen."

Die Unterhaltung wurde ausgesetzt. Auf ein gegebenes Zeichen war Marie aufgestanden und hatte dem Grafen den Arm angeboten, um sich zum Souper führen zu lassen.

Das fürstlich-reiche Arrangement desselben machte auf die Gäste einen bezaubernden Eindruck. Marie ließ sich mit dem Grafen auf dem Sopha nieder, zu ihrer Rechten saß Levini, neben ihm der Vater, so daß Karpikoff an Wellenburg's Seite den Kreis schloß.

Einen Moment lang herrschte Ruhe, die der Vater zur Beobachtung seiner Gäste benutzte. Nach Bewunderung wie ein Emporkömmling dürstend, war er mit der Theilnahmlosigkeit Levini's nicht minder unzufrieden, als mit der vornehmen, von nichts zu überraschenden Blasirtheit Karpikoff's. Dagegen gewährte das Bild Wellenburg's einen wohlthuenden Gegensatz, der ihn reichlich entschädigte. Der Graf war neubelebt. Die starren Züge hatten den Ausdruck unglaublicher Weichheit erhalten, seine Augen irrten mit großem Behagen auf den Tellern umher und schienen mit den Flaschen leidenschaftlich zu liebäugeln, während seine Rechte schon die Gabel

11*

ergriffen hatte und mit ihr spielend eine unschuldige Vor=
übung vornahm.

Karpikoff brach das Schweigen und debütirte mit einigen
harmlosen Einfällen, die bei guter Laune immer wirken und
allerseits erwidert wurden. Er erstaunte nicht wenig, als
der Graf aus seiner steifen Rolle fiel und von einer wahren
Sprechlust, die bei ihm gar nicht vorauszusetzen war, ergriffen
wurde. Doch kaum wurden die Tassen mit Bouillon servirt,
als er gewaltsam abbrach und verstummte.

Dem Bouillon folgte ein böhmischer Karpfen von riesiger
Größe. Der Graf hatte ihn kaum bemerkt, als er durch
Blick und Miene die naivste Freude ausdrückte. Er begrüßte
seine Ankunft mit lautem Lachen, indem er ausrief:

„Ein Riesenkarpfen, in welchem der Prophet Jonas Platz
gehabt hätte!"

Marie, der der Karpfen zuerst servirt wurde, wies ihn
zurück und sagte, daß sie Fische nicht esse.

„Was? Keine Fische? Mir unbegreiflich! Unfaßbar!"
rief der Graf, als wenn er ein Paradoxon, das den Verstand
zum Stillstehen bringt, vernommen hätte. „Keine Fische?"
Er faßte sich aber schnell und löste mit Hülfe von Löffel und
Gabel ein Stück heraus, groß genug, einem Cyklopen vor=
gesetzt zu werden. Die Anderen folgten, Karpikoff nahm sehr
wenig, es schien, als wolle er durch enorme Appetitlosigkeit in=
teressant sein und glänzen.

Ein Kunstgespräch entspann sich zwischen Karpikoff und
Herrn von Rosenstern, und gleichzeitig fing Marie auf seine
Weise an Levini zum Geständnisse zu bringen, den anonymen
Brief geschrieben zu haben. Während dieses Wortkampfes,
der oft rechts und links eines Schiedsrichters bedurfte, blieb
Graf Wellenburg in der gewissenhaftesten Neutralität. Seine
Augen waren tief auf den Teller gesenkt und schienen mit=
zuessen, so daß es Herr von Rosenstern für sündhaft hielt,
ihn anzureden, als er, von Karpikoff's Logik furchtbar bedrängt,
einen Alliirten brauchte.

„Aber Fräulein Marie," murmelte der Graf ein einziges
Mal, nachdem er mehrmals nach der Schüssel gelangt hatte,

ohne sich umzusehen, „ich begreife nicht, wie Sie beim Fisch=
essen so viel reden."

„Ich esse ja keinen Fisch!" rief Marie, über die Ver=
tiefung des Grafen lachend, der gar nicht sah, was neben
ihm vorging, und erinnerte sich der Charakteristik, die ihr
Flittenbach von ihm entworfen.

In der Pause, als die Couverts gewechselt wurden, fühlte
sich Wellenburg bewogen, ein bischen zu conversiren. Nach=
dem er nach der Regel, daß der Fisch schwimmen müsse, ein
paar Gläser Bordeaur hinabgeschluckt hatte, sagte er, da er
das Wort Selam in Mariens Gespräch mit Levini erhascht
hatte:

„Interessiren Sie sich denn für den Islam? Ich höre
Sie ja immer davon sprechen."

„Selam, Herr Graf!" berichtigte ihn Marie lachend, nicht
ohne einen verächtlichen Zug; sie entnahm, daß der Graf vor
Eßlust fast stupid wurde.

Ein gastronomisches Kunstwerk von einer Pastete wurde
aufgetragen.

„à la Suwarow? Wildgeflügel, Schnepfen? O, eine Lieb=
lingsspeise von mir!" rief der Graf. Man nahm davon,
Karpiloff, treu seiner Rolle, nippte nur gleichsam daran, der
Graf dagegen, ein Antipode solcher Ziererei, lud auf den
Teller, was er faßte.

Als Marie die große Aufgabe, die sich der Graf zur
Lösung gestellt, sah, erinnerte sie sich an die Geschichte vom
Nirenring, und es kam ihr vor, als ob Wellenburg mit seinem
Ahnherrn Lothar soeben die Belagerung ausgestanden und
volle drei Tage nichts gegessen habe. In einem Anfall
von Ironie ergriff sie plötzlich die Schüssel und reichte sie
ihm dar.

„Sie nehmen so wenig," sagte sie mit der unschuldigsten
Miene, „als wenn kein Proviant mehr da wäre!"

Der Graf griff in allem Ernst nach der Schüssel und
nahm, kurz bemerkend, daß man einer so schönen Hand nichts
abschlagen könne, zum zweiten Male.

Als der Fasan darauf folgte, konnte der Graf nicht um=
hin, dem liebenswürdigen Wirthe ein Wort der Anerkennung

zu sagen, das zugleich eine Ermuthigung enthielt, recht bald wieder ein ähnliches Essen zu geben.

Als endlich ein süßes Gelée kam, durfte man erwarten, daß dasselbe vom Grafen unberührt vorübergelassen werde. Welche Täuschung! Er nahm davon, als ob er von diesem Gericht allein satt werden sollte.

Marie war glücklich, daß das Essen ein Ende genommen, früher war keine Aussicht da, aus dem Grafen einen Gesell= schafter zu machen.

Karpikoff ergriff das Glas mit perlendem Champagner, hob es und brachte urplötzlich folgenden Toast aus:

„Es lebe die Kunst! Sie trage über unser materielles Jahrhundert den Sieg davon!"

Alles stieß mit Begeisterung an.

„Ich trinke," nahm Herr von Rosenstern das Wort, „auf das Wohl meiner Gesellschaft und wünsche, daß wir noch oft so fröhlich bei einander sitzen mögen!"

Auf diesen Toast leerte Graf Wellenburg zwei Gläser. Er stand dann auf, räusperte sich und sprach:

„Mein Trinkspruch gilt der Geselligkeit, der Freundschaft und der holden Liebe! Möge diese köstliche Trias das Mahl des Lebens uns würzen, ohne daß je ein Augenblick der Uebersättigung eintrete oder der Becher zur Neige gehe!"

Eine entfesselte Heiterkeit brach sich Bahn. Der Cham= pagner begann den Köpfen Schwung zu geben.

„Levini!" rief Herr von Rosenstern, „spielen Sie uns eine Phantasie!"

Der schüchterne Künstler mußte sich, von Karpikoff ge= stoßen, an's Clavier setzen. Bedächtig und langsam that er die Claviatur auf, hob die Hände und ließ sie wieder rathlos fallen. Es war, als sähe man einen verlegenen Schüler statt eines berühmten Virtuosen. Aber als er einmal in die Tasten griff, war ein Sturm von Tönen entfesselt, es war, als ob sechs Hände auf und ab führen. Als er geendet hatte, erntete er ein maßloses Bravo. Marie flog an ihn heran und sagte:

„Sie sind ein Meister! Ich habe einen Seeorkan gehört,

in welchem die Melodie wie die Stimme eines auf dem treibenden Wrack weinenden Mädchens hindurchklang!"

„Ein geistvolles Bild!" rief Karpikoff. „Es erinnert mich an das, was einst der regierende Sultan Abbul Medschid zu Levini mit echt orientalischer Naivetät sagte. „Levini," sagte er, „Du hast in dem frembartigen Instrument einen Dämon eingesperrt, der die Welt erschüttert!"

„Was?" rief Graf Wellenburg, „hatte denn der Sultan früher noch kein Clavier gehört?"

„Noch nie!" rief Karpikoff mit aller ihm zu Gebote stehenden Sicherheit. „Mein Freund Levini da ist der Erste, welcher das Clavier nach den Osten getragen."

„Jeder Zoll ein Genie!" sagte Herr von Rosenstern, vor Bewunderung zappelnd. „Welcher Unternehmungsgeist, zu spielen der Erste in Constantinopel!"

„Ich denke," meinte der Graf, „den Türken muß zu Muthe gewesen sein wie den Mexikanern, als sie das erste Roß sahen!"

Ein langes Gespräch über diese orientalische Kunstreise, bei dem vorzugsweise Karpikoff's graphisches Darstellungsvermögen Bewunderung erregte, drängte das Verlangen nach weiteren Claviervorträgen zurück.

Marie, die anfangs aufmerksam zugehört hatte, wurde der Erzählungen bald müde und wünschte eine Unterhaltung, die sich mehr ihrem Herzensinteresse näherte. Sie war daher sehr erfreut, als Karpikoff, im Augenblick, da Levini das Wort ergriffen hatte, auf ein galantes Thema hinübersprang. Sie beschloß, Karpikoff's Verschwiegenheit auf die Probe zu stellen, um von ihm zu erfahren, ob sein Freund jener anonyme Bouquetsender sei, da sie die Hoffnung aufgeben mußte, aus Levini's Munde selbst ein Geständniß hervorzulocken. Obwohl Karpikoff aus ihren Reden bald den Sinn des Anliegens errathen zu haben glaubte, stellte er sich doch unwissend und bemerkte, daß er sich schmeichle, Levini's ganzes Vertrauen zu besitzen, in einem Punkte aber von ihm gleich einem Fremden behandelt werde.

„Er würde mir," schloß er, „jedes Verbrechen eingestehen, er würde mir einen Mord, den er begangen, nicht verschweigen, aber er wird mir nie sagen, daß der Name der Dame, die er liebt, diesen oder jenen Anfangsbuchstaben habe, selbst wenn diese Dame in Indien oder Brasilien wohnte!"

„Das ist ja höchst ritterlich!" meinte Marie.

„Glauben Sie," rief Karpiloff, „daß ich eine einzige Dame kenne, mit welcher er ein Liebesverhältniß gehabt? Ich habe keine Spur davon! Dennoch weiß ich, daß er eine mir unerklärliche Anziehungskraft auf das schöne Geschlecht ausübt! Wenn Sie mich aber fragen, was ich von der Eindrucksfähigkeit seines Herzens halte, so antworte ich Ihnen, daß es keine Natur giebt, welche liebebedürftiger als die seinige ist, so zwar, daß er nicht componiren kann, ohne zu lieben. Er weiß auch, daß sein Herz das Bassin ist, welches den Strom seiner musikalischen Ideen nährt, und ich zweifle sonach nicht, daß er auf diesem fremden Orte bereits ein Ideal getroffen, das er heimlich als seine himmlische Muse verehrt!"

„Und hat er denn kein Bedürfniß," fragte Marie, die mit großem Wohlgefallen zugehört hatte, „mit der Dame bekannt zu werden? Angenommen, es entflammte sich sein Herz für eine der Damen in Karlsbad, die er nicht kennt, was thäte er?"

„Ich glaube," gab Karpiloff rasch zur Antwort, „er schriebe ihr auf der Stelle —"

„Und bäte um eine Zusammenkunft?" fragte Marie mit wachsendem Interesse.

„Nicht immer," erwiderte Karpiloff nach einigem Nachdenken. „So abenteuerlich ist er nicht. Die Dame, die er liebt, hat ihn vielleicht, wenn sie den Brief empfängt, noch gar nicht bemerkt. Sie ist noch kalt, während er schon brennt. Bei solchem Mißverhältniß würde man sich nur eine abschlägige Antwort holen."

„Das ist wahr!" versetzte Marie, die mehr als je glaubte, daß Levini ihr geschrieben. Sie erklärte sich jetzt das Räthsel seines fortdauernden Schweigens nach Karpiloff's Angabe aus seinem empfindsamen Stolz.

„Aber, mein Fräulein," redete Graf Wellenburg die schöne Coquette an, während ihm bei seiner Annäherung der Platz von Karpikoff geräumt wurde, der sich zu seinem Freunde begab, „ich hege ernstliche Besorgnisse, daß Ihnen die Bered= samkeit des Herrn Karpikoff noch gefährlich wird."

„Wären Sie eifersüchtig?" fragte Marie rasch, in medias res springend.

„Welche Frage!" rief Wellenburg, in Folge seiner auf's Beste vor sich gehenden Verdauung höchst aufgeräumt.

„Ich sollte denken," sagte Marie, „daß Sie viel zu ernst sind, um sich einer so leichten Tändelei, wie die Liebe ist, hinzugeben!"

„Gnädiges Fräulein," erwiderte der Graf, „ein Mann ist für die Gefühle der Liebe niemals zu ernst und niemals zu alt! Liebe spielt ihm einen Streich, wenn er sich am sicher= sten glaubt."

„Sprechen Sie aus Erfahrung?" fragte Marie, angenehm erstaunt, daß der Mann, der sich bisher nur als ein Straußen= magen gezeigt, auch eine galante Seite zu besitzen scheine. Sie verstand ihn noch nicht. Wenn der Graf sich von der Tafel erhob, hatte er einen offenen Sinn für Alles, für Kunst, Industrie, Politik; hatte er aber noch nicht seinen Proviant gefaßt, so war sein Geist beengt und gleichsam auf einer Speisekarte festgebannt.

„Ob ich aus Erfahrung spreche?" versetzte Wellenburg. „Ich kann die Frage bejahen. Doch muß ich vorausschicken, daß ich nie unter die tollen Männer zu rechnen war, die von einer Blume zur andern flattern."

„Da wären Sie eine Ausnahme!" erwiderte Marie. „Die Tugend der Beständigkeit ist heutzutage kaum zu finden und wäre bei einem Manne wie Sie doppelt rühmenswerth."

„Es mag sein," sprach Wellenburg. „Ich habe zweimal im Leben geliebt und war zweimal Bräutigam. Meine erste Braut kam auf der Fahrt nach England im Meere um, die zweite, eine ungarische Gräfin, starb kurz vor der Hochzeit am Nervenfieber."

„Das ist ein eigenthümliches Verhängniß!" rief Marie, seltsam erstaunt, daß dieser Mann eine so tragische Vorge= schichte habe.

„Wirklich ein Verhängniß!" wiederholte der Graf, den

Kopf nachdenklich senkend. „Der Mensch vergißt Vieles und setzt sich endlich über das Schicksal hinweg. Doch diese Erinnerungen machen mich oft schwermüthig. Ich bin nicht mehr jung und der Letzte meines Stammes!"

„Nach solchen Erlebnissen," bemerkte Marie mit sichtlicher Zaghaftigkeit, „muß man den Muth verlieren, noch einmal zu freien!"

„Beinahe!" sagte der Graf mit seiner vorigen Heiterkeit. „Doch seit dem letzten Unglücksfall sind sieben Jahre hingegangen. Seitdem sehe ich wieder freier um mich und glaube, daß der Fluch, der auf mir gelegen, für immer gewichen. Ich gestehe, daß ich aus Herzensbedürfniß und aus Rücksicht auf mein uraltes Haus längst geheirathet hätte, wenn mir das Glück eine seiner Töchter entgegengeführt."

„Setzen wir uns drüben!" sagte Marie plötzlich und hüpfte nach der andern Seite des Zimmers, um dort den edlen Heirathscandibaten, von den Uebrigen ungestört, mit ihren Netzen zu umspinnen.

Der Graf folgte auf das Bereitwilligste, hatte sich jedoch auf dem Wege mit einem Glase Cliquot neu gestärkt, bevor er sich neben Marie niederließ.

Der Vater, der diese strategische Bewegung gemerkt hatte, fühlte es als seine Pflicht, die beiden Virtuosen in ein neues und heißes Wortgefecht zu verwickeln, damit sie nicht etwa durch ihr ungelegenes Erscheinen den Angriff des Grafen paralysirten.

Marie hatte indeß ihr vis-à-vis scharf in's Auge gefaßt. Der Graf, der zwar die ihm geschenkten Ermuthigungen merkte, blickte denn doch noch allzu unbefangen in die schwarzen, glänzenden, verführerischen und doch unerbittlichen Augen, die bis zum heutigen Tage nur gezeigt, daß sie Wunden schlagen, nicht aber dieselben wieder heilen konnten. Marie knüpfte das Gespräch wieder an der abgerissenen Stelle an:

„Es giebt ein Liebesunglück," sagte sie, „das immer lächerlich ist, das Ihrige ist tragisch und webt um das Haupt dessen, den es getroffen, einen romantischen Schleier. Ich gebe Ihnen den Rath, dasselbe überall zu erzählen, wo Ihnen daran liegt, Frauenherzen zu interessiren. Was ist das, wenn

ein Mann sagt: Ich hatte mit dieser oder jener Prinzessin
ein langes Verhältniß! Das Erstaunen darüber ist kurz und
kalt. Wenn man aber sagt: Ich habe geliebt und das Schicksal ist vom Himmel heruntergestiegen und hat mir die Geliebte aus den Armen gerissen — das ist groß, poetisch und
läßt die Phantasie nicht mehr los!"

Marie war in eine Wärme, ja eine Exaltation gerathen,
die bei ihr selten war. Ihre Augen schienen Funken hervor-
zuschleudern und sie schien den Zuhörer in das Feuer ihrer
Worte einzuhüllen. Dieser leidenschaftliche Moment, von
ihrer unbestreitbaren Schönheit unterstützt, riß den Grafen
aus seiner Nüchternheit mächtig empor.

„Ich bin," sagte er, „über Ihre Worte entzückt. Ich bin
stolz, einige Wirkung auf Sie hervorgebracht zu haben. Es
ist mir gelungen, weil ich's nicht beabsichtigt. Ich habe meine
unglücklichen Brautfahrten schon oft erzählt, doch noch nie
einen so süßen Lohn von einer meiner Zuhörerinnen wie von
Ihnen erhalten. Ich will gern glauben, ich will zu Ihrer
Verherrlichung glauben, daß eine so glühende Phantasie und
ein so poesievolles Herz nöthig seien, um die schmerzlichen
Täuschungen Anderer so edel zu würdigen!"

Er faßte ihre Hand und drückte einen ehrerbietigen Kuß
darauf. Gleich darauf stand er, wie emporgeschreckt, auf.

„Lassen Sie uns wieder zu den Uebrigen gehen," flüsterte
er. „Sie würden sonst meine innere Ruhe auf dem Gewissen
haben. Ich will Ihnen auch sonst nur selten begegnen, denn
ich fühle, daß Sie eine furchtbare Macht über mein Herz erlangen könnten!"

Mit diesem Geständnisse ließ ihn Marie, hochzufrieden
lächelnd, zu den Herren hinübergehen. Diese aber kamen ihm
auf halbem Wege entgegen, und er kehrte mit ihnen zu Marie
zurück.

Nach einem kurzen Geplauder trennte sich die Gesellschaft;
die Nachtstunde war bereits weit vorgerückt.

Beim Weggehen hatte Levini noch Zeit, Marien einige
Worte zuzuflüstern.

„Mein Fräulein," sagte er, „nächstens werde ich Ihnen
schwere Geständnisse ablegen!"

Sie hörte es fast gleichgültig an. Levini's Gestalt hatte allen Schimmer verloren, der riesige Schatten des Grafen lag auf ihr und verdunkelte sie.

Zehntes Kapitel.

Der Büreaukrat.

Als Herr von Rosenstern und seine Tochter auf der Morgenpromenade erschienen, war an ihnen keine Spur mehr von dem gedrückten Wesen, welches man in den ersten Tagen ihres Aufenthalts an ihnen bemerkt haben würde, zu entdecken.

Der Vater war theils von Stolz auf die Erfolge seiner Tochter erfüllt, theils hielt er sich für überzeugt, daß seine vornehmen Gäste, besonders der beredte Karpikoff, seinen Ruhm als Wirth in alle aristokratischen Kreise getragen hätten. Ihm war zu Muthe wie einem Unbekannten, der über Nacht einen glänzenden, berühmten Namen errungen, und er warf sich wie ein Souverän in die Brust.

Marie fühlte ebenfalls ihre ganze Uebermacht, die sie schon verloren zu haben glaubte, wieder. Da ihr jedes schwärmerische Ziel fremd war, dachte sie an den Liebesbrief und dessen vermeintlichen Verfasser kaum ernstlich mehr, sie lächelte höchstens mit dem Wohlgefallen einer Königin über den romantischen Streich des Virtuosen, den sie ihm huldvoll verzieh, weil er ihrem unwiderstehlichen Zauber nicht hatte entgehen können. An diesem Umschwung war die Bekanntschaft mit dem Grafen Wellenburg Schuld. Er hatte ihrem kundigen Blicke verrathen, daß er der Liebe nicht so unzugänglich war, wie es sein Aussehen und seine gastronomische Leidenschaft hätten annehmen lassen. Sie mußte die schwache Seite seines Herzens herauszufinden und hatte das feste Vertrauen, daß es ihr gelingen werde, ihm den Liebespfeil so tief hineinzubohren, daß er nicht ohne Schmerz herauszuziehen war. Der Graf besaß ja alle Attribute in ihren Augen, die ihr seit einiger Zeit als die idealen Züge eines Freiers galten, einen hochadeligen Namen, ungeheuern Reichthum und ein gewisses gutmüthiges Etwas, das nicht herrschen, sondern sich beherrschen lassen will. Marie war aber nicht so phantastisch, die Schwierigkeiten zu übersehen, die der Verbindung einer geadelten Rentierstochter mit dem Stammhalter einer der edelsten Familien entgegenstehen. Sie sah es nur als einen Traum an, als ein fabelhaftes Glück, dem man entgegengehen müsse auf die Gefahr hin, daß es ihr plötzlich den Rücken kehre.

Acht Uhr war schon längst vorbei: die Schaar der Gäste hatte sich gelichtet und schon nach Hause oder auf öffentliche Plätze zum Frühstück begeben. Marie, die das Brunnentrinken als eine überflüssige Comödie ganz zu verschmähen anfing, war sehr spät gekommen. Graf Wellenburg hatte das Trinken gleichfalls ausgesetzt und pflegte auch erst bei vorgerückter Morgenstunde am Platz zu erscheinen. Da er ihr Ziel war, lag ihr nichts an den Uebrigen, die indessen fortgegangen waren.

Es war ihr daher sehr empfindlich, als sie den Grafen nirgends fand, jedoch die Aussicht, daß sie ihn unfehlbar auf der Wiese finden werde, wo er sich des Frühstücks wegen länger als alle anderen Menschen aufhielt, ließ sie nicht in Verstimmung verfallen.

„Sieh doch,“ flüsterte sie dem Vater unweit von der Johannisbrücke zu, „dort kommt unser verschollener Büreaukrat, der uns aber mit Fleiß auszuweichen scheint!“

„Ich sollte ihn anreden,“ meinte der Vater.

„Gewiß, thue das!“ rief Marie, während der Vater seine Absicht auszuführen ging.

„Guten Morgen,“ sagte er mit eben so viel Freundlichkeit als ermuthigender Herablassung. „Man sieht Sie gar nicht mehr! Meine Tochter vermuthete schon, daß Sie abgereist wären.“

Verlegen bis zur Befangenheit bückte sich der Angeredete immer noch, als er schon vor Marie getreten war.

„Mein Fräulein,“ stotterte er, „Sie erzeigen mir eine

große Ehre, sich meiner zu erinnern. Ich ging allerdings
in der letzten Zeit wenig aus, die Gewohnheit, mich zu be=
schäftigen, ist die Hauptschuld, Briefe vom Hause haben auch
meinen Humor niedergedrückt —"

„Da kommt viel zusammen!" rief Marie lachend. „Ge=
rade bei solchen Anlässen ist Umgang mit Menschen ein heil=
sames Gegengewicht. Die Absperrung verdoppelt die Ver=
stimmung, statt sie zu heben."

„Meine Marie hat ganz Recht," fiel der Vater ein.
„Sie weiß es aus eigener Erfahrung. Als sie hier ankam,
wollte sie auch immer zu Hause sitzen und Clavier spielen,
oder eine belletristische Novität lesen. Seit sie meinen Rath
befolgt, ist sie ein neues Wesen! Finden Sie nicht, daß sie
besser aussieht? daß ihre Wangen neu aufgeblüht sind?"

„Wunderbar!" sagte der Herr, aber das nächste Wort,
das er hinzufügen wollte, blieb ihm im Munde stecken, und
eine eigenthümliche Schüchternheit erlaubte ihm nicht, Mariens
Gesicht länger anzusehen, ohne die Augen niederzuschlagen.

„Glauben Sie mir," fuhr der Vater, der dies räthsel=
hafte Benehmen wohl bemerkt hatte, „man wird immer mehr
weltscheu, je mehr man sich zurückzieht. Meine Tochter zum
Beispiel —"

„Ach, das Fräulein!" rief der Herr, dem Vater das
Wort abschneidend. „Welche Parallele läßt sich zwischen der
Jugend und dem Alter ziehen? Ich bin ein alter Mann..."

„Da sehen Sie meinen Vater an!" versetzte Marie. „Er
ist gewiß ein Dutzend Jahre älter. Wie würden Sie ihn
beleidigen, wenn Sie ihn einen alten Mann nennen wollten!"

Herr von Rosenstern brach in ein selbstgefälliges Lachen
aus, während Marie fortfuhr:

„Mein Vater lacht Sie aus! Ich merke, daß Ihre ganze
Krankheit Hypochondrie ist! Sie sollten immer Jemand um
sich haben, der Sie aus der Stubenluft jagt, der Sie mit
tollem Geplauder vom Schreibtisch aufstört! Sie haben doch
wohl eine Frau? Wenn ich an der Stelle Ihrer Frau wäre,
Sie sollten mir nicht so viel Grillen fangen!"

„„Mein Fräulein," antwortete der Fremde, während die
wehmüthigen Züge seines Gesichts flüchtig aufstrahlten, „ich

zweifle nicht, daß Ihnen alle Wunder möglich wären! Ich wünsche Ihnen einen guten Morgen!"

Er stürzte eilig fort.

„Ein sonderbarer Mensch!" sagte Marie.

„Wir haben vielleicht gut reden," meinte der Vater. „Wir können nicht wissen, welche häuslichen Sorgen auf ihm liegen! Unsere Rathschläge sind bei knappen Einnahmen schlecht auszuführen!"

„Möglich!" warf Marie hin, auf einen andern Gegenstand übergehend und sich sehnsüchtig umsehend, ob der Graf zu erblicken sei.

Wellenburg hatte keine Ahnung, daß Marie in der Nähe spaziere. Er war früh zum Brunnen gegangen und hatte sie dort nicht gesehen, er war auf die Wiese zurückgekehrt, wo er sie beim Verlassen des Hauses zu finden hoffte. Er hatte sie verfehlt und war darüber in einer weit größeren Unruhe, als die Ersehnte. Mariens Liebenswürdigkeit hatte nämlich einen überwältigenden Eindruck auf ihn gemacht, und Marie wäre vor Freude hoch aufgesprungen, wenn sie gewußt hätte, wie weit die Gedanken des Grafen den ihrigen entgegenkamen. Wellenburg war nicht blos verliebt in sie, sondern er gab sich bereits den ernstesten Betrachtungen hin, ob nicht Fräulein von Rosenstern, falls sie seine Neigung erwiderte, würdig wäre, seine dritte Braut zu werden, und eine, die, glücklicher als ihre beiden Vorgängerinnen, dem letzten Nachkommen Lothar's auf die meerumgebene Wellenburg folgen würde! Der Graf gehörte nicht zu den Naturen, die Luftschlösser bauen und mit solchen Gedanken leichthin spielen, im Gegentheil, jede neue Idee brach sich in ihm schwer Bahn, dann aber führte er sie auch mit einer blinden Thatkraft durch und hätte er mit dem Kopfe Mauern einrennen müssen. Schon glaubte er nach langem Auf- und Abgehen auf die Begegnung verzichten zu müssen und wollte sich eben an einen der Tische vor dem Elephanten setzen, um beim Frühstück sein Herzeleid zu vergessen, als er Marie, an einer Seite von Flittenbach, auf der andern vom Vater umflügelt, daherkommen sah.

Von dem Anblick angefeuert, verwandelte er den langsamen

und schweren Tact seiner Schritte in einen raschen Trab und
flog, den Hut aus großer Entfernung ziehend, der Ersehnten
entgegen.

Marie empfing ihn mit den schmeichelhaftesten Vorwürfen,
welche er mit der ganzen Fülle der ihm zu Gebote stehenden
Galanterie erwiderte.

Da die Begegnung gerade vor einem Café stattfand und
Alle die Absicht hatten zu frühstücken, nahm man einen freien
Tisch in der Nähe in Beschlag.

Der Kaffee wurde gebracht, nur vor den Grafen wurden
auch noch eine Menge von Tellern mit compacteren Sub=
stanzen aufgestellt. Er selbst hatte sich augenblicklich von dem
heitern Geplauder losgesagt, und begann sich mit einer ernst=
haften Miene, die jeden Störenfried zurückschreckte, einer lang=
samen aber sichern Bewältigung der vor ihm aufgestapelten
Stoffe zu widmen. Marie, die diese ihr bekannte Eigenheit
des Grafen respectirte, unterhielt sich inzwischen mit Flitten=
bach auf das Munterste. Sie hatten den ungezwungenen Ton
alter Bekanntschaft schnell gefunden und sprangen mit lustigem
Humor von einer Erinnerung zur anderen aus den in Prag
verlebten Tagen über.

Da bemerkte Marie, daß ein Zetttelträger eine großge=
druckte Anzeige auf die Tische hinschleudere und an die Um=
stehenden mit verschwenderischer Hand vertheile. Kaum hatte
sie gefragt, was es gäbe, als der Mann einen Zettel auf den
Tisch legte. Neugierig griff sie darnach.

„Ah!" rief sie mit unendlichem Erstaunen. „Gottlob!
Das Concert! Vater, unsere Virtuosen geben morgen im
Posthof ihr vielbesprochenes Concert!"

„Vortrefflich!" rief der Vater. „Ich werde mir gleich
heute gute Plätze sichern!"

Marie las, über das weniger Interessante murmelnd
wegschlüpfend, mit lauter Stimme:

„Grand Concert! Iwan Karpiloff und Giulio Levini.
Große Phantasie in C-moll über ein Motiv aus der Fest=
oper: „Die Gründung von St. Petersburg", von Karpiloff.
— Souvenir de Constantinople, Elegie von Levini, vorge=
tragen von demselben. — Adieu aux dames de Varsovie,

großes Concertstück von Karpikoff. — Deutsche Frauen, Lied ohne Worte von Levini."

„Interessantes Programm!" rief Herr von Rosenstern, der, nebenbei gesagt, ohne allen musikalischen Sinn war. „Classisch! Höchst classisch!"

„Werden Sie das Concert besuchen?" fragte Marie Flittenbach sehr lebhaft.

„Gewiß nicht!" gab dieser rasch zur Antwort.

„Es scheint," versetzte Marie mit leiserer Stimme, „daß Sie noch immer wie ehemals Alpensänger, Harfenisten und Localsängerinnen protegiren!"

„Ich gestehe," antwortete Flittenbach, „daß mir ein Alpenlied, von vier gesunden Männerstimmen gesungen, lieber ist, als alles musikalische Quinqueliren auf Geige und Fortepiano; daß ich den Localsängerinnen feind bin, will ich auch nicht behaupten, aber gegen die Vorliebe für Harfenistinnen muß ich doch Protest einlegen!"

„Karpikoff und Levini," sprach Marie, „müssen doch ein bedeutendes Renommée, besonders in Rußland, haben! Sie werden sie wohl schon gehört haben?"

„Nein," gab Flittenbach, sich besinnend, zur Antwort.

„Sie sehen hochinteressant aus," rief Marie. „Levini hat ein Gesicht, glatt, rein wie ein schöner Knabe, wie ein knabenhafter Antinous, während Karpikoff mit seinen derben Zügen und seinem Vollbart die Personification wilder Energie ist, ein wahrer Salvator Rosa."

„Jetzt besinn' ich mich!" rief Flittenbach aus. „Erst gestern bin ich dem Paar begegnet, als es Arm in Arm aus der Buchhandlung kam! Und diese Beiden nennen Sie interessant? O Geschmack der Damen! Der Kleine, den Sie für einen Antinous halten, kommt mir wie ein Schuljunge vor, ängstlich, von mattem, trübseligem Wesen, als wäre er eben beim Examen durchgefallen; der Andere ist das lächerlichste Geschöpf, das ich seit lange angetroffen. Ein plumpes, freches Gesicht mit kleiner Stirn, an welchem unnatürliche Grimassen den gemeinen Ausdruck verbergen sollen, von einem Wald von röthlich braunem Haar überdeckt, von einem langen Schnurr- und Backenbart überwuchert! Den nennen Sie

einen Salvator Rosa? Meiner Meinung nach sieht er aus
wie ein kranker Schimpanse, dem an manchen Stellen um
die Augen und die Nase herum die Haare ausgefallen sind.
In den Wäldern von Ceylon wäre er vielleicht ein schöner
Affe, hier ist er ein abscheulicher Mensch!"

„Nein," rief Marie entrüstet. „So spricht man von
einem Künstler! Ihre Malice ist seit unserer Trennung gerade=
zu giftig geworden!"

„Aber, mein Fräulein," wollte Flittenbach erläuternd drein=
reden. Marie ließ ihn aber nicht zu Worte kommen, sie fuhr
zornig dazwischen:

„Reden wir nicht weiter über den Punkt, das Alles ver=
letzt mich, da ich mich für Beide interessire. Für mich hat
der Eine etwas höchst Sensitives, der Andere etwas Ti=
tanisches und Himmelstürmendes. Für den Ersten könnte ich
sogar schwärmen —"

„Gut, daß das der Vater nicht hört!" rief Flittenbach
lachend. „Der fordert von Ihnen praktischere Ansichten über
Männer. Die Schwärmerei für Jemand, der nicht viel mehr
als ein armer Schlucker zu sein scheint, würde er scheel
ansehen!"

„Immer auch spielen Sie darauf an," versetzte Marie,
mit dem kleinen Füßchen ärgerlich aufstampfend, „daß in
meiner und meines Vaters Beurtheilung der Männer das
Vermögen die Hauptrolle spiele. Sie sehen da, daß dem
nicht so ist!"

Sie betonte die letzten Worte auf's Schärfste.

„Wirklich?" sprach Flittenbach, Marie ironisch oder un=
gläubig ansehend. „Hätte ich Ihnen Unrecht gethan? Sie
könnten einen jungen Mann lieben, welcher kein Reitpferd
besitzt?"

Dieser Hohn brachte Marie zur Wuth. Glücklicherweise
hinderte das plötzliche Erscheinen des Hofrath von Brieg den
Ausbruch. Dieser sagte, nachdem er lächelnd allseits ge=
grüßt hatte:

„Ei, Herr Graf, Sie geben den Kurgästen durch Ihren
Appetit ein schreckliches Beispiel von Insubordination gegen
mich!"

Doch ehe der Graf mit Kauen fertig geworden, um eine Antwort zu geben, hatte sich der Hofrath bereits an Marie gewendet:

„Mein Fräulein," sagte er, „Ihr Aussehen hat sich durch ein geheimes Zaubermittel, das Sie zu besitzen scheinen, so vollkommen verändert, daß ich es gar nicht wage, Sie noch mit meinen langsam wirkenden Verordnungen zu belästigen."

„Gottlob!" rief Herr von Rosenstern. „Sie ist wieder frisch wie eine Sennerin! Kein Nervenanfall mehr dagewesen, selbst der halbseitige Kopfschmerz ganz verschwunden!"

„Bei solchen Patienten," versetzte der Hofrath, „thut die gesunde Bergluft und die Zerstreuung Alles."

Nachdem er sich nachsinnend an die Stirne gegriffen, fuhr er fort: „Aber, mein Gott, wer erkundigte sich vor einigen Tagen bei mir, wer Sie wären, mein Fräulein! Richtig, richtig! Der Großhändler Solm, den Sie, Herr von Rosenstern, jedenfalls kennen!"

„Solm!" erwiderte Herr von Rosenstern. „Ich kenne ihn nicht. Kennst Du ihn, Marie?"

„Nicht im geringsten," gab Marie zur Antwort.

„Wunderbar," sprach der Hofrath, „daß Sie einen so bedeutenden Mann in der Stadt, wo Sie leben, nicht kennen sollten! Solm ist der Chef der Firma Adlerswald und Comp."

„Die Firma kenne ich," rief Herr von Rosenstern rasch. „Ich stand in vielfacher Verbindung mit ihr; jedoch seit ich mich vom Geschäft zurückgezogen, hat der Wechsel ihres Chefs stattgefunden. Herr Robert Solm ist mir nur dem Namen nach bekannt."

„Aber sagen Sie mir dann," fragte der Hofrath, der diese Verleugnung für eine ihm unerklärliche Affectation hielt, „wer der Herr war, mit welchem ich Sie mit meinen eigenen Augen vor einer halben Stunde bei der Johannisbrücke sprechen gesehen?"

„Mein Gott!" rief Marie mit höchstem Erstaunen, dem Vater dabei einen Blick zuschleudernd. „Dieser unscheinbare Herr wäre der Großhändler Solm?"

„Merkwürdig!" rief Herr von Rosenstern. „Wir sprachen drei- oder viermal mit ihm, ohne uns gegenseitig zu kennen!"

12*

„So ist es," sagte der Hofrath.

„Ein sehr freundlicher und gebildeter Mann," rief Marie.

„Er war voll Ihres Lobes!" sagte der Hofrath. „Das will viel sagen bei einem Hagestolz, der schon seit sieben Jahren hieher kommt, ohne daß ich ihn mit einer Dame sprechen gesehen hätte. Guten Morgen, meine Herrschaften!"

Der Hofrath verschwand, Vater und Tochter warfen sich wiederholt lange Blicke zu.

Der Mann, den sie für einen Büreaukraten, den zu Hause Nahrungssorgen quälen, gehalten, war der Chef einer der ersten Firmen Oesterreichs.

Diese Enthüllung, die alle ihre vorigen Begriffe auf den Kopf gestellt hatte, versetzte Beide in eine so lebhafte Unruhe, daß sie zur Fortsetzung der Unterhaltung am Tische unaufgelegt wurden und sich bald nach Hause begaben.

Elftes Kapitel.

Das Concert im Posthofe.

Levini befand sich auf seiner Stube im Gasthof zum Schild und legte die Musikalien zurecht, die er für den heutigen Abend nöthig hatte. Sein schwarzer Anzug mit der unvermeidlichen weißen Weste und Halsbinde hing über zwei Stuhllehnen. Er wartete auf seinen Freund, um sich anzukleiden, da der Abend schon vorgerückt war und die Production um sieben Uhr stattfinden sollte. Endlich kam, als es bereits Sechs geschlagen hatte, der titanische Karpiloff hereingestürmt und warf sich auf's Sopha.

„Wo steckst Du?" fragte ihn Levini im Tone des Vorwurfs. „Es ist die höchste Zeit!"

„Welche Eile!" rief Karpikoff. „Wir haben noch eine volle Stunde!"

„Man hat doch so viel zu sprechen," sagte Levini. „In dem Duett sind einige Schreibfehler. Auf mehreren Stellen kommst Du zwei bis drei Tacte zu spät."

„Laß mich ungeschoren!" rief Karpikoff. „Lappalien! Ich finde mich zurecht!"

„Ich aber werde leicht irre," versetzte Levini kläglich.

„Dafür laß mich sorgen," erwiderte Karpikoff. „Spiele, was auf dem Blatt steht, rücksichtslos herunter. Es wird meine Sache sein, zu rechter Zeit einzufallen. Doch das ist Nebensache. Warst Du bei Fräulein von Rosenstern?"

„Nein," antwortete Levini kleinlaut, vor dem Zornblick seines Freundes, der bei der verneinenden Antwort auf ihn fiel, die Augen niederschlagend.

„Unverantwortlich!" rief Karpikoff. „Was hast Du den ganzen Nachmittag getrieben? Musikalien zusammengelegt, fehlerhafte Pausen controlirt, — da hast Du die Zeit wirk- lich vertrödelt, daß Du Dich schämen solltest!"

„Mein Gott," vertheidigte sich Levini, „es war auch noth- wendig! Uebrigens fehlt mir alle Laune, um bei einer Dame den Liebenswürdigen zu spielen. Ich wollte um drei Uhr hingehen, als eben der Commissionär kam und mir sagte, daß bisher nur fünf bis sechs Billets abgesetzt wären. Eine so traurige Aussicht konnte mich nicht begeistern, den Hof machen zu gehen!"

Die Nachricht, daß der Absatz der Concertbillete schlecht sei, machte auf Karpikoff einen bösen Eindruck, doch schwang er sich rasch darüber hinaus.

„Zugegeben," sagte er, „der Absatz ist schlecht, treibst Du aber die Leute, wenn Du zu Hause den Kopf hängst, in das Concert? Nein. Du beförderst den Besuch also nicht, und das Interesse, das Marie offenbar für Dich hat, schläft ein. Dann hast Du da nichts und dort nichts!!"

„Ist es meine Schuld," versetzte Levini verzweiflungsvoll, „daß ich von Natur aus durch Mangel an Absatz, Erfolg, Anerkennung verstimmt werde? Wo soll die Begeisterung

für die Kunst herkommen, wenn man nur für Leute, die Frei-
billete haben, spielt?"

„Du verstehst es," erwiderte Karpikoff, „Dich zu quälen!
In Badeorten nimmt man die Karten nicht in Voraus, um
sich nicht zu binden. Paganini könnte hier auftreten, er
würde seine Karten erst Abends bei der Kasse ausgeben. Verlaß Dich darauf!"

„Du meinst?" fragte Levini, von diesem Trost erheitert.

„So gewiß, wie zweimal zwei vier ist!" rief Karpikoff.
„Wäre ich nur früher gekommen, ich hätte Dich schon zu
Marie getrieben!"

„Du bist schrecklich sanguinisch!" sagte Levini, der schon
zu sehr gereizt war, beißend. „Wenn mich ein Mädchen auffallend anblickt, oder zweimal anredet, muß es noch nicht in
mich verliebt sein!"

„Du verdienst wirklich das immense Glück, das Du bei
den Damen hast!" rief Karpikoff höhnisch. „Auf diesem
ganzen großen Erdenrunde giebt es sicherlich keinen Menschen,
der es weniger auszubeuten versteht als Du! So talentlos
wie Du darin bist, kann ich mir Niemanden denken!"

Levini, beleidigt, daß ihm ein Talent abgesprochen werde,
antwortete: „Dieses Talent überlasse ich gern Anderen. Ich
bin kein Aufschneider wie Du. Mir liegt vor Allem daran,
daß mein Anschlag auf dem Clavier tadellos ist und meine
Nocturnos Poesie besitzen!"

„Du bist ein Narr!" versetzte Karpikoff. „Die Kunst,
wie das Leben, hat doch einen Zweck? Man ist doch nicht
nur deshalb Künstler, um Töne in die Luft zu hauchen!
Man will doch, abgesehen vom Eintrittsgeld, auch eine
Stellung erringen. Nicht wahr? Es steht der Künstler auf
der Menschheit Höhen. Er will, wenn auch nicht mit dem
König, wie Schiller sagt, doch mit dem Bankier gehen. Nicht
wahr? Er braucht daher eine Jahresrente von mindestens
viertausend Gulden, um etwas in der Welt zu gelten. Die
kann er sich nicht durch die Kunst der Töne herbeischaffen,
ergo — muß der Künstler eine reiche Frau suchen! Für die
Kunst allein kann er nicht leben, das kann nur die Geige
oder die Harfe oder sonst ein Instrument!"

„Aber lieber Gott!" rief Levini, von den Vorwürfen auf's Aeußerste gebracht. „Was sollte ich thun? Zu Marie rennen, auf die Kniee fallen, gleich wieder auffpringen, zum Vater eilen, um ihre Hand bitten und der steinreichen Bankiers= tochter von meinem Vermögen fabeln? Du freilich wärst im Stande, Dein Vermögen so hoch anzugeben, daß Du auf alle Aussteuer verzichten kannst!" Er lachte boshaft, da ihm der Ausfall eine gelungene Geiselung seines Freundes zu sein schien.

„Du glaubst mich zu verhöhnen?" sprach Karpikoff ruhig. „O arkadische Unschuld, Einfalt vom Lande, Du triffst den Nagel blind auf den Kopf! Gewiß thäte ich so etwas, wenn ich Dein rasendes Glück bei den Weibern hätte, dies Glück, das in Dir steckt, aber weiß der Kukuk worin! Mit Wind lenkt man das Schiff des Lebens, mit brillanten Lügen treibt man die Sachen vorwärts, bis —"

„Die Lügen platzen!" fiel ihm Levini schadenfroh in das Wort.

„Warum müssen sie platzen?" fragte Karpikoff. „Sieh mich an! Hab' ich etwas mit der Fürstin Schumuloff? Ich kenne sie gar nicht! Sie existirt nicht einmal dem Namen nach, ist ein Fabelbild meines Kopfs, ein lieblich schönes Luftgebilde meiner Phantasie —"

„Die Bekanntschaft mit einem solchen Fabelgebilde," ver= setzte Levini, „nützt uns auch sehr viel! Was soll uns eine solche Fürstin Schumuloff nützen, welche uns weder protegiren noch recommandiren, weder zu Tische laden, noch in unser Concert kommen kann? Sage offen, Freund, was haben wir eigentlich von der Fürstin Schumuloff?"

„Das wird fade!" versetzte Karpikoff verächtlich, „das wird dumm! Was wir von der Fürstin Schumuloff haben? Glaubst Du, Herr von Rosenstern hätte uns ein Souper ge= geben und ein so reichhaltiges obendrein, wenn er nicht mit der Fürstin Schumuloff hätte rivalisiren wollen? Lehre Du mich Menschen kennen!"

„Handle Der so, dem es gegeben ist!" meinte Levini trocken, indem er die Lackstiefel anzuziehen begann.

„Gegeben ist es Keinem!" versetzte Karpikoff rasch. „Du

ahnst nicht, mit welcher Mühe ich dichte, wie lange ich oft auf ein Geschichtchen sinne, mit welcher Mühe! Aber dann der Effect! der Effect!"

„Lassen wir jetzt den Streit," sagte Levini. „Wir haben die höchste Zeit. Auf Sieben hin ist es nicht mehr weit."

Stumm, finster, mit Levini tief unzufrieden, fing sich auch Karpikoff anzuziehen an. Eine Pause trat ein. Plötzlich kam er auf die Sache wieder zurück und sagte:

„Aber die Capitallüge, daß Du der Erste das Clavier in den Osten getragen, also in ein Land, wo Du gar nie gewesen, hat Dir doch gefallen! Nicht wahr?"

„Da hättest Du aber auch," meinte Levini ernst, „leicht etwas abkriegen können!"

„Und warum ist es nicht geschehen?" fragte Karpikoff im Selbstgefühl eines glücklichen Charlatans. „Weil die Phrase brillant war, verblüffte, zur Phantasie sprach, keinen Gedanken aufkommen ließ! Ach, mit Dir kann ich noch zehn Jahre herumreisen und werde Dich nicht genial machen!"

Er trat bei diesen Worten an die Thüre und zog heftig die Klingel.

Ein Kellner erschien.

„Wagen da?" fragte Karpikoff barsch, ohne sich umzusehen.

„Er ist erst zehn Minuten vor Sieben bestellt," gab der Kellner schüchtern zur Antwort, indem er auf weitere Befehle wartete.

„Keine Visitenkarten für uns abgegeben worden?" fragte Karpikoff, seine Weste abgewandt schließend.

„Gar nichts," war die Antwort.

„Keine Botschaft von der Fürstin Schumuloff?"

„Ich will nachfragen!" Mit diesen Worten ging der Kellner fort.

Levini lachte heimlich, Karpikoff that aber, als wenn er es gar nicht merkte.

Da trat der Kellner wieder ein und meldete:

„Der Oberkellner sagt, die Fürstin hätte bis jetzt nichts ausrichten lassen."

Keiner Erwiderung gewürdigt, drückte er sich wieder hinaus.

„Lache nur zu," sagte Karpikoff zu seinem Freunde, „die Menschen glauben daran, wie Du mit eigenen Ohren hörst!"

Da rasselte unten der Wagen vor.

Karpikoff, schon angekleidet, schoß zur Thüre hinaus, indem er Levini zurief:

„Jetzt bist Du derjenige, der auf sich warten läßt!"

„Ich komme!" rief Levini, der vor einem Spiegel bestrebt war, sein langes Haar in eine interessante Unordnung zu bringen.

Als Karpikoff bis an die Treppe kam, begegnete ihm der von ihm gemiethete Saaldiener, der rasch seine Kappe von der mit Schweißperlen bedeckten Stirne zog und ihn athemlos anrebete:

„Herr Karpikoff, der Herr Kapellmeister läßt sagen, daß er in größter Verlegenheit ist. Er weiß nicht, soll er die Ouvertüre anfangen lassen oder nicht!"

„Es ist schrecklich," rief Karpikoff, „wenn man sich auf Niemanden verlassen kann! Wozu ist das Orchester engagirt, als um zu spielen?"

„Der Kapellmeister," versetzte der Saaldiener, „meint es gut. Es ist schon bald sieben Uhr und der Saal ist ganz leer."

Das wirkte denn doch höchst niederschlagend auf Karpikoff's Muth. Seine Augen fuhren umher und seine ewig berebte Zunge suchte nach Worten.

„Da meint eben der Kapellmeister," fuhr der Diener fort, „daß es sich wegen einer Handvoll Leute doch nicht der Mühe lohne, zu spielen und die Lichter zu verbrennen."

Da streckte sich Karpikoff wieder mächtig empor, stemmte den Arm in die Hüfte und sagte:

„Das Concert ist hauptsächlich für den Adel, der erst um halb Acht kommen dürfte. Es sind zweihundertsiebzehn Karten bei mir geholt worden. Der Kapellmeister soll unverzüglich mit der Ouvertüre anfangen!"

Mit diesem Befehl flog der Diener in den Posthof zurück, während Karpikoff auf sein Zimmer eilte.

Im Saale des Posthofes sah es wirklich betrübend aus. Die vorderen Sitzreihen waren ganz leer, mit Ausnahme der zweiten, wo ungefähr vier Menschen saßen. Tief im Hintergrunde befanden sich einige Mädchen, welche, sowohl ihrem Anzuge als der bescheidenen Wahl ihrer Plätze nach, den Eintritt ihren Freibillets verdankten. Man kann sich also nicht wundern, daß der Kapellmeister, der sich mit seinem Orchester in einer so entschiedenen Majorität sah, zweifelhaft wurde, ob er den Tactstock ergreifen solle. Unter den vier Menschen, die auf der zweiten Sitzreihe Platz genommen, war Marie mit ihrem Vater.

Beide waren sehr früh, sogar die Ersten, gekommen, um vortheilhaft zu sitzen und womöglich im dichten Gewühle des Adels unterzukommen. Marie, die die prächtigste Toilette ge= macht hatte, wurde trostlos, als eine Minute nach der andern verstrich, ohne daß Jemand eintrat, sie zu bewundern.

Endlich kam ein anständig gekleideter junger Mann, der aber bei dem Anblick des leeren Saales anfangs zurückweichen wollte, trotzdem aber wieder vorwärts drang und sich unweit von Herrn von Rosenstern an der Seitenwand postirte.

Herr von Rosenstern erkannte in ihm sofort den Commis, dem er den Galanthomme abgekauft hatte, und wandte sich von ihm beharrlich ab, weil er fürchten mußte, der junge Mann werde ihn endlich, von der imposanten Einsamkeit ge= drückt, anzureden versuchen. Es war eine unbehagliche Nach= barschaft, von der ihn Graf Wellenburg, der mit dem Groß= händler Solm eintrat, wie ein rettender Engel befreite.

„Durch einen angenehmen Zufall," sagte der Graf, Solm vorstellend, „habe ich Herrn Solm auf dem Wege in's Con= cert getroffen und freue mich, die Herrschaften mit einander bekannt zu machen, damit es ihnen bei künftigen Begegnungen nicht wieder so gehe, wie bisher."

„Der Herr Graf hat Ihnen also erzählt," sprach Herr von Rosenstern zu Solm, „wie wir durch Herrn Hofrath von Brieg erst aufmerksam gemacht worden sind — —"

„Gewiß," versetzte Solm mit der ihm eigenen Befangen= heit. „Es war höchst sonderbar! Der Name Rosenstern stand in einer fast zwanzigjährigen Verbindung mit meinem Geschäft, wie ich aus den Büchern meines Vorgängers ge=

sehen habe, persönlich hatte ich nicht die Ehre, den Träger dieses Namens zu kennen."

„So ging es auch mir," fiel Herr von Rosenstern ein, „wir haben vor Jahren große Wechselgeschäfte mit der Firma Adlerswald und Comp. gemacht. Da sind Hunderttausende im Jahre herüber= und hinübergegangen. Der jetzige Chef der Firma, wiewohl eine der größten industriellen Berühmtheiten Böhmens, war mir persönlich unbekannt geblieben. Es geht manchmal so. Ich habe mich aus der Geschäftswelt völlig zurückgezogen, um der Ruhe und meinem geliebten Kinde zu leben. Doch nehmen Sie Platz!"

„Jetzt erst sehe ich," redete Marie, als sich Alle neben= einander gesetzt hatten, Solm an, „was für ein Einsiedler= leben Sie führen müssen! Da ist es kein Wunder, wenn Sie hypochondrisch werden! Weder der Vater noch ich haben Sie jemals in Prag in einer Gesellschaft getroffen!"

„Ich komme im buchstäblichen Sinne des Worts nirgends hin," antworte Solm. „Die Geschäfte sind so weitläufig, so mühsam zu besorgen, daß eine Dame es kaum fassen kann! Uebrigens gestehe ich gern, daß ich selbst Schuld bin, wenn ich mich von der Welt zurückziehe, und heute ist es zu spät, meine Gewohnheiten zu ändern."

„Ich glaube gar," sagte Marie, „daß Sie selbst in Karlsbad den größten Theil des Tages mit Correspon= denzen zubringen. Wo haben Sie seit acht Tagen gesteckt? Es ist kein Tag vergangen, an dem ich nicht zu meinem Vater meine Verwunderung darüber ausgesprochen hätte!"

„Sie müssen, mein Fräulein," erwiderte Solm, „ein vor= treffliches Gedächtniß besitzen, daß Sie meine bescheidene Per= son im Gewühle der Kurgäste nicht ganz vermißten!"

„Wen ich einmal in's Auge gefaßt," versetzte Marie, „der geht mir nicht leicht mehr verloren!"

„Ich würde das Gegentheil behaupten," meinte der Graf. „Wer in Ihre Augen geblickt, kann Sie nicht mehr vergessen!"

„Sie sind ein großer Schmeichler," sagte Marie mit stolzer Ruhe.

„Marie," rief plötzlich der Vater, „Du wolltest morgen den Herrn Grafen zu einer Landpartie einladen —"

„Ja," rief Marie lebhaft, „wenn das Opfer nicht zu groß wäre — "

„Mein Fräulein," antwortete der Graf entzückt, „ich stehe zu Ihren Diensten!"

„Dürfen wir Sie vielleicht auch auffordern?" sagte Herr von Rosenstern zu Solm.

„Ich bin in Verlegenheit," stotterte Solm, „da ich meiner Nichte halb und halb zugesagt habe, mit ihr nach Hammer zu gehen."

„Nach Hammer?" sagte Marie. „Dahin soll ein wundervoller Weg durch die Wälder führen. Ich glaube, er heißt der Faulenzerweg. Wie denn, wenn wir gemeinsam hingingen?"

„Ich wäre hocherfreut," gab Solm zur Antwort. „Aber mein Gott," fügte er hinzu, wie Einer, der einem Zustand der Verlegenheit entkommen will, „es ist bereits Sieben und der Saal ist ganz leer!"

„Merkwürdig!" rief Herr von Rosenstern. „Mir räthselhaft! Das Programm ist ja höchst anziehend, höchst classisch!"

„Ich gestehe," nahm Solm das Wort, „daß ich mehr aus Curiosität hieher gekommen bin, als um einen Kunstgenuß zu haben. Ich habe nämlich die beiden Virtuosen einst im Freundschaftssaal gesehen."

„Wir saßen ja damals mit Ihnen," rief Marie hinein.

„Ganz richtig," fuhr Solm fort. „Da war es mir, als wenn die Beiden recht sonderbare Menschen wären. Der Eindruck, den sie auf mich machten, war ein höchst ungünstiger. Sie mögen alles erdenkbare Talent besitzen, ihr Benehmen aber war widrige Windbeutelei."

Solcher unbarmherzigen Kritik wagte weder Marie noch der Vater zu widersprechen. Noch weniger brüsteten sie sich mit der gemachten Bekanntschaft, da auch der Graf, der sie beim Souper gesehen, stumm geblieben war.

Da plötzlich, als man es kaum mehr hätte erwarten sollen, schlug der erste Accord der Ouvertüre an ihr Ohr. Der Befehl Karpikoff's war soeben vom Saaldiener ausgerichtet worden.

„Weiß Gott," sagte der Graf, sich in der Oede umsehend, „sie spielen beinahe für uns allein!"

„Seltsam!" versetzte Marie, die das Fiasco der Virtuosen mit seiner zersetzenden Macht unwillkürlich herabzustimmen begann.

„In Karlsbad," meinte der Vater, „gelingen die Concerte nicht so wie in Homburg oder Baden-Baden —"

Er begann von einem Concert zu erzählen, dem er im vorigen Jahre im Conversationshaus beigewohnt hatte. Indeß war der letzte Tact der Ouvertüre verhallt. In größter Spannung sahen besonders Marie und ihr Vater dem Hervortreten der beiden genialen Männer entgegen. Statt ihrer kam ein höchst alltäglich, aber gutmüthig aussehender Greis hervor, verbeugte sich hochachtungsvoll vor dem fast unsichtbaren Publikum, und redete es folgendermaßen an:

„Wegen eines Unglücksfalles kann das für heute angesagte Concert nicht stattfinden. In der großen Verwirrung, die entstand, konnte das hochverehrte Publikum nur zum Theil davon in Kenntniß gesetzt werden. Herr Giulio Levini ist nämlich plötzlich einem Nervenschlage erlegen."

Nicht ohne eine gewisse Sensation erregt zu haben, trat der bescheidene Greis ab, während die Musiker ihre Instrumente auf's Eiligste einpackten.

„Das ist gräßlich!" rief Marie, die nach der vernommenen Erklärung die Künstler wieder mit der ehemaligen Bewunderung zu betrachten begann.

„Die Fürstin hat richtig prophezeit!" sagte der Vater. „Levini hat sich zu Tode componirt!"

„Sonderbar, sonderbar!" murmelte Solm vor sich hin, als sie wieder in's Freie gekommen waren. Es that ihm leid, über die Beiden so hart geurtheilt zu haben, während der Eine, in Schmerz gestürzt, zu Hause saß und der Andere eine Leiche war!

Zwölftes Kapitel.

Die Landpartie nach Hammer.

Das herrlichste Wetter begünstigte die Partie nach Ham=
mer, die für Nachmittag drei Uhr verabredet war. Der Him=
mel war klar und wolkenlos, ohne daß die Sonne des Juli
doch eine lästige Hitze erzeugt hätte. Auf der Johannisbrücke
sollte der Versammlungspunkt sein.

Es ist wohl selbstverständlich, daß Morgens auf der
Promenade das Gespräch sich hauptsächlich um den unglück=
lichen Levini drehte. Man war neugierig, die Details der
schrecklichen Katastrophe zu erfahren. Sowohl Solm als
Herr von Rosenstern hatten sich bereits bei den Kellnern im
Schilde erkundigt. Seltsam genug war der Todesfall rück=
sichtslos geleugnet worden. Es ist aber bekannt, wie die In=
sassen der Badeorte in diesem Punkte die Wahrheit zu unter=
drücken pflegen. Sie disputiren jede schwere Erkrankung, um
so mehr jeden Sterbefall weg, und wenn in Folge allzu fa=
natischen Sprudeltrinkens, wie nicht gar zu selten, ein plötz=
licher Tod erfolgt, heißt es meist: der Kranke sei abgereist.
Alles natürlich in bester Absicht, um die übrigen Badegäste
nicht zu erschrecken.

Als Herr von Rosenstern nun vom Brunnen nach Hause
kam, fand er eine Visitenkarte Karpiloff's vor. „Bei seiner
soeben erfolgten Abreise" stand mit Bleistift darauf. Nun
war es kein gewagter Schluß, daß der Genannte von seinem
todten Freund einen raschen Abschied genommen. Mit einem
humanen Bedauern, wie es einer so flüchtigen Bekanntschaft
entsprach, ging man über das Erlebniß rasch hinaus. Auch
Marie verschmerzte bald den Verlust ihres stillen Verehrers,
die Landpartie verdrängte bald alle anderen Gedanken.

Herr von Rosenstern hatte seine Tochter mit einem wun=
dernetten Sonnenschirm überrascht. Der elfenbeinerne Griff

war mit echten Türkisen besetzt. Er war von einer fürstlichen Eleganz, so daß selbst das verwöhnte Mädchen bei seinem Anblick in ein aufrichtiges Entzücken gerieth und dem Vater um den Hals fiel.

Herr von Rosenstern war in frohester Laune, weil er seine Tochter glücklich sah. Sein Gemüth hatte schon längst alle ursprünglichen und ihm selbst angehörigen Regungen verloren, er war heiter oder trübe, frei oder gedrückt, je nachdem seine vergötterte Marie lustig oder mißlaunig war. Sein Gemüth gab mit der Treue·eines Spiegels alle Stimmungen seiner Tochter wieder, es strahlte ihre Freuden zurück, es war mit einem schwarzen Schatten bedeckt, wenn sie finster war. Sie war seine Liebe, sein Ehrgeiz, sein Stolz, ja sein Leben!

Bei dieser opferfreudigen Selbstentäußerung, bei dieser ihn gänzlich bedingenden Abhängigkeit von i h r e m Wesen, mußte er instinctiv mit der Zeit eine solche Kenntniß ihrer Natur erlangen, daß er die zartesten Nüancen ihrer Seelenzustände witterte und mit dem unendlich feinen Gefühl einer Quecksilbersäule jede Luftveränderung spürte, lange bevor noch ein anderer menschlicher Nerv fähig war, sie zu empfinden.

Es war um die Mittagsstunde. Herr von Rosenstern saß am Fenster, den Kopf auf die Hand gestützt, und gab sich dem seligsten dolce far niente hin.

Marie war seit dem Morgen im Nebenzimmer mit Fräulein Ferrère beschäftigt, die Toilette für den heutigen Nachmittag zusammenzustellen. Ihr Gelächter und Roulaben aus italienischen Opern, die abwechselnd von Zeit zu Zeit herüberbrangen, erquickten mit unauslöschlichem Zauber das Ohr ihres Vaters.

„Sie ist doch hinreißend liebenswürdig, wenn sie glücklich ist!" fing er still zu philosophiren an. „Aber worin besteht ihr Glück? In der Liebe? Wer liebt sie? Ihr Geist ist zu praktisch, um sich blos über das Wetter oder meinen Sonnenschirm zu freuen! Es kann nicht anders sein, als daß sie geliebt wird oder sich ernstlich geliebt glaubt. Sollte Graf

Wellenburg? Nein, nein! der Gedanke ist zu kühn, zu stolz, zu verwegen!"

Er hielt nachdenklich inne und fuhr dann wieder fort: "Doch warum nicht? Warum der Graf nicht? — — Leben wir denn im Mittelalter? Haben denn die ausgezeichnetsten Geister so wenig für die Aufklärung gethan, daß das alte blinde Kastenvorurtheil noch so unumschränkt herrschen sollte? Im Gegentheil! Wohin man blickt, tritt uns die Verbindung der heterogensten Dinge entgegen, in der Politik, wie im Leben! Diese Erscheinung ist so auffällig, daß die Historiker, die einmal unsere Geschichte schreiben, unsere Zeit — bei Gott! — das Zeitalter der Mesalliancen nennen sollten!"

Mariens Eintreten unterbrach ihn in seinen tiefsinnigen Reflexionen. Sie hüpfte im Anzuge, in welchem sie Nachmittags erscheinen wollte, den neuen Sonnenschirm in der Hand, an den Vater heran, um sich ihm zu zeigen.

Freudestrahlend war Herr von Rosenstern aufgesprungen. Marie sah in dem leichten, durchsichtigen Stoffe so reizend aus, daß selbst ihre erklärteste Feindin kein Wort des Tadels hätte hervorbringen können.

"Dein Geschmack ist unübertrefflich!" rief der Vater in Extase. "Bei Gott, eine verkörperte Sylphe glaubt man vor sich zu sehen!"

Innig vergnügt, daß ihre Toilette den Beifall des Vaters gefunden, tanzte sie wieder zur Thüre hinaus.

"Das wird ein göttlicher Nachmittag werden!" dachte er, als er wieder allein war. "Ich muß ein scharfes Auge auf den Grafen behalten, um herauszukriegen, ob er nicht gar schon im heimlichen Einverständnisse mit ihr ist. — Im heimlichen Einverständnisse — das wäre himmlisch! Wie schön würden unsere langjährigen Erwartungen gekrönt werden!"

Er setzte sich an den Tisch. Seine leicht berauschte Eitelkeit verstieg sich auf den höchsten Gipfel zauberischer Hoffnungen.

Beinahe nur mechanisch griff er nach einem der Blätter, die seit Morgen unberührt auf dem Tische lagen. Es war die officielle Prager Zeitung, sein Lieblingsblatt, das er als den beredten und geistreichen Ausdruck aller seiner politischen

Ueberzeugungen schätzte. Nur waren ihm die Leitartikel darin oft zu ernst, zu gedankentief, wie er sich ausdrückte, gar zu gehaltvoll. Nachdem er den politischen Theil heute rasch übersprungen, warf er sich mit ganzem Interesse auf's Feuilleton, das die Referate über das Theater, sein Lieblings= thema, enthielt. So viel er daraus ersehen konnte, hatte er nichts Interessantes versäumt, keinen Löwen der Saison, nichts als die größeren und kleineren Fiascos unberühmter gastspielender Pudel der Oper und der Comödie. Beruhigt ging er nun an die Liste angekommener Fremden, um unge= fähr zu wissen, wer wohl des Abends an den Gartentischen im schwarzen Roß sitzen möge. Dort saß er ja in den war= men Monaten alle Abende nach dem Theater und ließ sich vom Oberkellner regelmäßig alle interessanteren Persönlich= keiten bezeichnen. Als er auch damit fertig geworden war, wandte sich Herr von Rosenstern den Inserten zu, um sich zu unterrichten, ob der Geist des Fortschritts und die nimmer ruhende Industrie nicht einen neuen eleganten Modeartikel, ein unfehlbares kosmetisches Wasser, eine alleinseligmachende Pomade, irgend ein geistvolles Zukunftskleidungsstück erfunden, worüber er dann Abends Marien einen staunenerweckenden Bericht erstatten könne. Da fiel in dem Wust der Inserte sein Auge zufällig auf eine gerichtliche Bekanntmachung, die durch einen ihm wohlbekannten Namen, den sie enthielt, seine Aufmerksamkeit erregte. Sie lautete im Wesentlichen also:

„Da nach der Insolvenzerklärung des Baron von Borr in dem dafür anberaumten Termine keine gütliche Abfin= dung stattgefunden und das Gericht auf Antrag der Gläubiger auf die öffentliche Veräußerung der freiherrlich Borr'schen Herrschaft Tiboretz erkannt hat, auch sich bei der gerichtlich vorgenommenen Licitation keine den gerichtlich festgestellten Ausrufspreis erreichende Offerte ergeben hat, so wird hierdurch öffentlich bekannt gemacht, daß der gesetz= lichen Vorschrift gemäß der zweite Licitationstermin in dem Gebäude des Bezirksgerichts von Tiboretz am 1. August d. J. abgehalten werden wird.

„Alle bei vorliegender Ueberschuldung etwa noch ein= laufenden Liquidationen anderer Gläubiger können keine

Berücksichtigung mehr finden, sondern werden ad acta gelegt werden."

Herr von Rosenstern hatte kaum die Hälfte zu Ende gelesen, als ihm die Zeitung aus der Hand fiel. Er mußte sich sammeln, um die Stärke zu haben, den Schluß zu ertragen.

Mit zitternden Händen das Blatt haltend, las er endlich weiter. Als er an's Ende gekommen war, fiel er mit einem schweren Seufzer auf das Sopha zurück und blieb mit geschlossenen Augen liegen. Der Gedanke aber, daß Marie eintreten und ihn in diesem Zustande sehen könne, riß ihn bald wieder empor.

Ein großer, großer Theil seines Vermögens stand auf dem Spiele. Er hatte Wechsel und Schuldverschreibungen des Baron von Borr im Besitz und nur ein Bruchtheil der ganzen Summe hatte auf der Herrschaft Tiboretz eine hypothekarische Sicherung.

Während er mit seiner Tochter in der schönen Welt umherflatterte, waren in der ernsten Welt der Realitäten Veränderungen vorgegangen, deren Herannahen er aus hundert Anzeichen hätte voraussehen können, wenn ihm sein ehemaliger geschäftlicher Sinn nicht beinahe abhanden gekommen wäre.

An Händen und Füßen leise zitternd, stand er in der Mitte des Zimmers, schreckensbleich, mit beklemmtem Athem, ohne einen Funken von Fassung, wie eine der schwachen Naturen, die mit den schweren Situationen des Lebens nicht kämpfen können und im Gefühl der Ohnmacht die Waffen strecken.

In diesem halb bewußtlosen Zustande war sein erster heller Gedanke nicht, wie zu erwarten war, ein Einfall oder Plan, wie wenigstens ein Theil seiner Güter aus dem Schiffbruch zu retten wäre, sondern das Bestreben, einen Ausweg zu finden, um seiner Tochter von dem empfangenen Schlage nichts merken zu lassen, damit ihre gute Laune nicht darunter zu leiden habe.

Welch ein Fluch seiner Vaterschwäche! Was ist natürlicher, als daß er bei der Einzigen, die er über Alles liebt, die den Unfall mitverschuldet, Trost und Beistand sucht und

das schwere Herz entladet! Statt dessen will und muß er das
Geheimniß verbergen, seine Mienen künstlich ausglätten und
den Unbefangenen spielen! Wie sehr sich ihm die Nothwendig=
keit aufdrängt, spornstreichs nach Prag zu fliegen, um an
Ort und Stelle zu sein, um den Brand zu löschen, zieht er
es vor, auf alle Gefahr hin das Ende der Kurzeit abzuwarten,
und beschränkt sich darauf, mit einem Briefe an seinen Advo=
caten die Sturmglocke zu läuten...

Als der Brief geschrieben war, griff Herr von Rosenstern
nach Hut und Stock, um ihn heimlich auf die Post zu tragen.
War die Sache hinter dem Rücken seiner Tochter abgethan,
so glaubte er heiterer zu werden und mit einiger Anstrengung
auch auf der Landpartie einen ganz leidlichen Gesellschafter
vorzustellen.

Der Himmel war über ihm eingestürzt, aber er gab eine
Landpartie nicht auf. Bedenkt man, daß er sich klar bewußt
war, daß er, wenn die fraglichen Summen verloren gingen,
seinen Salon über kurz oder lang schließen und seine Tochter
der großen Welt für immer Lebewohl sagen müsse, so weiß
man nicht, ob man diesen Entschluß für den Leichtsinn eines
Verrückten halten oder als einen Heroismus der Schwäche
anstaunen soll.

Als er den Brief auf verstohlene Weise befördert hatte
und zurückkam, war es Essenszeit. Sie aßen seit einigen
Tagen zu Hause.

Bei Tische nahm er sich alle Mühe, eine heitere Laune
zur Schau zu tragen. Wie entschlossen aber auch sein Wille
dazu war, die Zunge blieb unbeweglich und wollte nicht ge=
horchen. Er wünschte sich Glück, daß Marie diesmal, in der
lebhaftesten Unterhaltung mit Fräulein Ferrère begriffen,
keinen Anspruch auf Betheiligung von seiner Seite machte.
Mehrmals bemerkte Marie jedoch laut, daß dem Vater kein
Bissen zu munden scheine, dieser aber redete sich aus und
sagte, die Sommerhitze raube ihm nicht selten allen Appetit,
wie sie ja aus Erfahrung wissen müsse. Er hätte sonst jedes
Opfer gebracht, um Marie heiter zu sehen; heute that ihm
ihr Humor wehe und ihr aus glücklichster Brust geschöpftes
Lachen schnitt ihm in's Herz. Er mußte mehrmals unter

13*

irgend einem Vorwande aufstehen, um ungehört einige schwere
Seufzer zu thun und sich ungesehen in die Haare zu fahren.

Nach beendigter Mahlzeit eilte Marie an ihre Toilette.
Um drei Uhr sollte das Stelldichein an der Johannisbrücke
stattfinden. Es war ein schrecklicher Contrast zwischen der
Tochter, die sich unter lautem Singen ankleidete, und dem
Vater, dem beim Anziehen immer wieder ein Kleidungsstück
aus den erstarrten Fingern fiel.

Endlich stand er im blauen Frack mit vergolbeten Knöpfen,
den Kopf mit dem feinsten Panamahute geschmückt, in meer=
grünen Handschuhen, in der Rechten ein elegantes Stöckchen,
da, aber unbeweglich, starr, von der verheimlichten Erschüt=
terung erschöpft, wie eine Statue oder eine Kleiderpuppe im
Modeladen.

Stolz und siegesbewußt schwebte seine Tochter herein.

„Nun,“ rief sie, „gefalle ich Dir noch immer?“

Sie wandte sich rechts und links mit verführerischer Grazie.

„Famos!“ — stotterte der Vater. „Aber höchste Zeit,“
fügte er unruhig hinzu, indem er seine Verwirrung unter
gespielter Ungeduld zu verbergen suchte.

„Du scheinst sehr mißgelaunt,“ sagte Marie, ihn mit
scharfen Augen musternd. „Dir ist gewiß etwas nicht recht!“

„Welche Idee!“ warf der Vater hin und wollte zur Thüre
hinauseilen.

„Es ist so!“ sprach Marie, ihn zurückhaltend.

„Sei nicht kindisch,“ versetzte der Vater, der gar nicht
wußte, wohin er die Augen richten sollte, um sich nicht zu
verrathen.

„Die Art,“ fuhr Marie fort „wie Du mich zu beruhigen
suchst, vermehrt meine Unruhe. Ich kenne Dich zu gut. Es
ist etwas vorgefallen, was Du mir verhehlst!“

Der Vater schwieg und starrte zu Boden.

„Mein Gott!“ rief Marie erschreckt, „wie verändert Du
aussiehst! Es ist keine Einbildung von mir. Bist Du krank?
Zwingst Du Dich, die Landpartie mitzumachen, um mir den
Nachmittag nicht zu verderben?“

„Ich fühle mich allerdings unwohl,“ gab der Vater zur
Antwort. „Ich habe — mir ist —“ er brachte nichts hervor.

„Meinetwegen thue Dir keinen Zwang an!" sagte Marie entschieden. „Verlegen wir die Partie auf morgen." Sie legte den Sonnenschirm und das Taschentuch auf den Tisch.

Der Vater, der, wie er sah mit Unrecht, ein im Grunde so kleines Opfer nicht erwartet hatte, war von diesem raschen Entschlusse seiner Tochter gerührt. Das Bedürfniß zu reden, sich mitzutheilen brach sich wohlthuend Bahn.

„Mein Kind," sagte er und wiederholte das Wort mehrmals, ehe er zu einem festen Fluß der Rede kam — „ich habe allerdings etwas auf dem Herzen. Es ist freilich ein blinder Alarm, den ich Dir ersparen wollte; dennoch aber hat er eine Seite, die ernst genug ist, wiewohl ein Brief, den ich vor einer Stunde abgeschickt habe, hoffentlich Alles in sein altes Geleise bringt."

„Nicht leere Worte!" rief Marie mit einer überraschenden Fassung. „Die Sache! die Sache!"

„Kurz und gut," erwiderte Rosenstern, „ich habe — kurz, ich habe heute früh einen Brief erhalten —"

„Wo ist er?" fragte Marie rasch.

Der Vater, der keine Erwähnung von der Zeitung thun wollte, damit Marie bei der Lesung der Bekanntmachung den Umfang des drohenden Verlustes und seine Sorglosigkeit, die dieselbe verschuldet, nicht errathe, gab vor, einen Brief erhalten zu haben. Marie war zwar ohne allen Geschäftssinn und hatte sich niemals um finanzielle Angelegenheiten gekümmert, aber der Vater mußte ihr mit Recht den Verstand zutrauen, aus der Anzeige auf die Spur der vollen, schrecklichen Wahrheit zu gelangen.

„Den Brief," gab der Vater zur Antwort, „habe ich wieder zurückgeschickt, da er eine ergänzende Beilage des meinigen bildete."

„Das Alles," rief Marie, „ist offenbar wichtiger, als Du mir einreden willst! Ich will die Wahrheit wissen. Ich rühre mich nicht von diesem Stuhl, ehe Du gesprochen hast."

„Wenn Du es wissen willst — ein Capital ist in Gefahr," fing der Vater zu beichten an.

„Noch nicht verloren?" fragte Marie mit Betonung.

„Nein" gab Rosenstern zur Antwort. „Jetzt aber sei ruhig und komm!" Er griff nach der Thürklinke.

„Ist nicht am Ende," fragte Marie, „Deine augenblickliche Anwesenheit in Prag nothwendig?"

„Nein, nein!" sagte Rosenstern, aber alle Mienen straften ihn Lügen.

„Ich lese," versetzte Marie, „aus Deinem Gesicht das Gegentheil!"

Der Vater blieb stumm, während Marie fortfuhr:

„Du unterschätzest meinen Verstand und hältst mich für ein thörichtes Kind, das Du auf einer Landpartie zerstreuen willst, während Dir Haus und Hof, die auch die meinigen sind, in Brand stehen. Fräulein Ferrère!" rief sie mit durchdringender Stimme.

„Fräulein," sagte Marie ruhig, „kleiden Sie mich aus. Wir haben unangenehme Nachrichten erhalten und müssen den Nachmittag mit Packen verbringen."

Die beiden Damen verließen das Zimmer. Der Vater konnte sich vor Erstaunen über die ruhige Fassung seiner Tochter kaum erholen. Ein Stein war von seinem Herzen gewälzt.

„Sie hat Recht," sagte er zu sich, „Sie hat Recht. Sie hat einen glänzenden Verstand, sie hat, was bei ihrem Geschlecht selten ist, Charakter. Wie klein und, um das Wort zu sagen, wie erbärmlich hab' ich von ihr gedacht! Verzeihe es mir, meine einzige, meine geliebte Marie!"

Marie erschien in einer einfachen Toilette wieder.

„Wann sollst Du in Prag sein?" fragte sie.

„Mein Kind," gab der Vater zur Antwort, „in Folge meines Briefes wird hoffentlich Alles in Ordnung kommen. Da Du aber darauf bestehst, so wollen wir, der Beruhigung halber, lieber früher, als später abreisen. Es hängt von Dir ab."

„Von mir!" rief Marie, unwillig darüber, daß der Vater überflüssigerweise die Wahrheit zu verdunkeln suchte. „Das hängt von der Sache ab! Reisen wir morgen. Es bleibt dabei!"

Rosenstern, herzlich froh, hätte sie für diesen Ungestüm küssen mögen.

„Wie machen wir es mit der Gesellschaft," fragte er, „die uns schon an der Johannisbrücke erwartet?"

„Einfach," gab Marie zur Antwort. „Wir gehen hin und entschuldigen uns mit dem wahren Sachverhalt. Ich sehe nichts Beschämendes darin. Weder Solm noch Wellenburg würden unter solchen Umständen bleiben, und ich weiß, daß sie uns verstehen werden. Kurz und gut, Du sagst, daß Dich eine wichtige Geschäftssache abrufe."

Dieser Entschluß wurde rasch ausgeführt, als sie sich unmittelbar darauf an die Johannisbrücke begaben, wo sie von dem Grafen und Solm, der seine Nichte Bertha mitgebracht, erwartet wurden.

Mit Bedauern vernahmen die Wartenden, daß die Landpartie nicht, wie beabsichtigt, zu Stande komme; aber einen fast betrübenden Eindruck brachte die Anzeige hervor, daß die Familie Rosenstern noch heute ihre Abschiedsbesuche machen und morgen abreisen werde!

Am andern Tage um fünf Uhr Morgens erschien der Graf noch am Wagenschlage, als sich der Vater mit seiner Tochter bereits eingesetzt hatte und der Postillon, in die Zügel greifend, zu blasen begann. Mit warmen Worten nahm er noch einmal Abschied und versprach, die Scheidenden bald in Prag zu sehen, da ihn sein Weg dorthin führe. Er zeigte dabei auf sein Herz.

Als der Wagen Karlsbad den Rücken gewendet hatte und am Bergwirthshaus vorüberfuhr, wurde den Reisenden noch eine unerwartete Begegnung zu Theil.

Solm kam ihnen von einem großen Morgenspaziergange in den Feldern, wie er sagte, zufällig entgegen.

Vater und Tochter schmeichelten sich, daß es eine zarte Aufmerksamkeit und nicht ein Zufall war.

Zweites Buch.

Erstes Kapitel.

Don Juan.

Die Badereise der Familie Rosenstern hatte ein abruptes und höchst trauriges Ende genommen. Der Vater, der seit Jahren kein größeres Unglück gekannt hatte, als die trübe Laune seiner Tochter, wurde plötzlich von einem furchtbaren Ernst überrascht und festgehalten.

Es geschieht nicht selten, daß Katastrophen heilsame Wirkungen hervorbringen, den Leichtsinnigen und Sorglosen wecken und die erschlaffte Thatkraft zu neuen und fruchtbaren Anstrengungen anspornen. Bei Herrn von Rosenstern war dies leider nicht der Fall. Die Katastrophe übte auf ihn nur eine negative Wirkung aus; sie beklemmte seinen Muth, sie trübte sein Gemüth und erfüllte seinen Kopf mit schwermüthigen aber unfruchtbaren Gedanken. Ihm brachte das Unglück keine Lehre, stählte ihn nicht, weckte ihn nicht. Ein Anderer hätte einsehen müssen, daß er sich auf einem Irrwege befinde und der Augenblick gekommen sei, den er zur Umkehr benutzen solle; er sah es nicht ein.

Vierzehn Tage waren seit seiner Abreise von Karlsbad verflossen. Er residirte wieder in seiner eleganten, weitläufigen Wohnung auf dem Graben, seine Ausgaben wurden nicht eingeschränkt, die Loge im Theater nicht aufgegeben, der Groom nicht weggeschickt, sein Haus blieb auf dem Fuße stehen, auf dem es seit Jahren vornehm und stolz gestanden.

Obwohl er die Gründe, die zur Sparsamkeit riethen, genau
kannte und sie sich tausendmal vorführte, wies er doch jede
Einschränkung von sich, da sie ihm wie ein Eingeständniß
seiner herabgekommenen Finanzlage erschien. An dieser Ver-
blendung war seine Eitelkeit nicht allein Schuld, sondern
hauptsächlich falsche Rücksicht auf seine Tochter, welche sich in
kleineren Verhältnissen unwohl fühlen und grämen würde. Es
lag aber auch diesem Starrsinn ein speculativer Gedanke zu
Grunde, der unnachsichtig zu tadeln war, weil er auf der Lüge
und dem Schwindel beruhte. Herr von Rosenstern hatte
immer für reicher gegolten, als er es war, ohne daß es ihm
ein einziges Mal eingefallen wäre, den Leuten den nur ihm
selbst verderblichen Wahn zu benehmen. Er nahm im Gegentheil ihre Anspielungen auf eine Weise hin, daß es die über-
triebenen Vorstellungen, die man von seinem Reichthum hatte,
zu bestätigen schien. Thatsächlich hatte die Höhe seines Vermögens nie den Betrag von zweimalhunderttausend Gulden
überschritten. Die Rente, die eine solche Summe abwarf,
war für ihn zu gering. Es hatte, seitdem er sich von dem
Geschäftsleben zurückgezogen, keinen Jahrgang gegeben, in
welchem die Zinsen die Ausgaben zu decken vermocht, und so
kam es, daß alljährlich ein größeres oder kleineres Stück vom
Capital abbröckelte und verloren ging. Die Bedenken, die
sich oft heimlich in seiner Brust gegen eine solche Wirthschaft
erhoben, waren nie von langer Dauer. Sie wichen zuletzt
immer der glänzenden Illusion, daß endlich ein brillanter
Freier die Hand seiner Tochter verlangen und die kostspielige
Haushaltung von des Vaters Schultern auf die eigenen laden
werde. Diese Hoffnung war jedoch immer auf's Neue wieder
getäuscht worden und hatte eigentlich bis zur jetzigen Stunde
keine reale Unterlage. Die Frage, wie lange sich sein Ausgabebuch eine solche Ueberlastung gefallen lassen könne, mußte
sich ihm jetzt aufdrängen und von seiner Seite eine Antwort
erfahren, welche keine Verheimlichung des wahren Sachverhalts
mehr zuließ. Sein Vermögen war geschmolzen und die In-
solvenz des Baron von Vorr hatte, wenn man sich auf das
Gelindeste ausdrücken will, noch die Hälfte des vorhandenen
in Frage gestellt. Die Herrschaft Tiboretz, das einzige Ob-

ject, welches Baron von Borr seinen Gläubigern zu überlassen
hatte, war, wie wir bereits wissen, durch gewissenlose Ver-
wahrlosung von ihrem ursprünglichen Werthe weit zurückgekommen. Dieser Werth war sogar von der Summe der bar-
auf liegenden Hypotheken beinahe überschritten. Nur aus
Billigkeitsrücksichten hatte das Gericht, den eher zu hoch als
zu niedrig gegriffenen Ausrufspreis von einer halben Million
festgestellt, weil derselbe mit den verbücherten Schulden im
Gleichgewicht stand. Welches traurige Ergebniß die erste Licitation geliefert, weiß man, und unter solchen Umständen
konnte man von der Wiederholung derselben, die am 1. August
stattfinden sollte, nur geringe Erwartungen hegen.

Herr von Rosenstern hoffte freilich vom zweiten Termin
sehr viel, nicht aus Kurzsichtigkeit, denn er war sonst ein
guter Rechner, sondern in Folge seiner gebundenen, hülflosen
Lage, wie Einer, dem nichts übrig bleibt, als zu der trügerischen Göttin, Hoffnung genannt, mit gefalteten Händen zu
beten. Und so redete er sich ein, die Kauflust werde sich heben,
die Herrschaft um ein Meistgebot, das die Schätzungssumme
weit überragte, erstanden werden. Es war furchtbar
sanguinisch von ihm, sich so etwas einzureden, aber welche an-
genehmere Lüge konnte ihm seine Phantasie erfinden, um ihm
den Muth zu sparen, sich kaltblütig einzugestehen, daß seine
Hypothek, das Viertel der ganzen Schuldsumme, sich in
Lebensgefahr befinde, weil sie der Reihe nach die letzte war,
und daß an die Auslösung der in seinen Händen befindlichen
Wechsel und Obligationen nicht im Traume zu denken sei!

Marie, welche doch einen so überraschenden Starkmuth an
den Tag gelegt und gezeigt hatte, daß sie eine starker Entschlüsse fähige Seele besaß, hätte sich sicherlich über den Leichtsinn des Vaters entsetzt, wenn sie den ganzen schrecklichen
Umfang der obschwebenden Calamität gekannt hätte. Wer
weiß, zu welchen Opfern sie sich bereit erklärt hätte, um noch
zu retten, was zu retten war! Er selbst wiegte ihre anfangs
auf's Aeußerste erregten Besorgnisse mit trügerischen Be-
ruhigungen wieder in Schlaf. In falscher, mißverstandener
Zärtlichkeit begann er ihr vorzufabeln, daß Wechsel von einigen tausend Gulden in Gefahr gewesen wären, wenn er

nicht zu rechter Zeit eingetroffen wäre, um sie persönlich protestiren zu lassen. Marie, die von Wechseln so viel wie von Logarithmen verstand, glaubte die nur auf einen Un= kundigen berechnete Erfindung, und da der Vater, der seine Sorge versteckt hielt, eine heitere Laune wieder zurückgewonnen zu haben schien, schwand der Rest ihres Mißtrauens völlig. Ihm fiel die Verstellung schwer genug, sie wurde ihm nur dadurch einigermaßen erleichtert, daß er Marie bald wieder so munter und guter Dinge fand, wie sie es nur einst in ihren besten Tagen gewesen. Er erinnerte sich kaum, sie je so gesehen zu haben. Wenn ja ein Wölkchen auf ihrer Stirne er= schien, mußte es der Vater durch geschickte Ablenkung des Ge= sprächs auf die Tage von Karlsbad jedesmal glücklich zu verscheuchen. „Sie verdankt,“ sagte er dann heimlich zu sich, „ihre gute Stimmung nicht der Jugend allein, wie andere Mädchen ihres Alters, sie muß einen heimlichen Talisman besitzen!“ Dieser Talisman konnte nur Graf Wellenburg sein, wie er es schon in Karlsbad gemerkt hatte und auch jetzt in Prag aus zahlreichen Andeutungen seiner Tochter ent= nahm. Sie sprach oft von ihm, lachte über ihn, entschuldigte seine Schwächen und machte kein Hehl daraus, daß sie ihn bestimmt erwarte. Sie verharrte in fester Zuversicht, ihn bald wiederzusehen, obwohl schon vierzehn Tage verflossen waren, ohne ein einziges Mal in Ungeduld auszubrechen. Letzteres war dem Vater, der die große Reizbarkeit seiner Tochter am besten kannte, ein Räthsel. Wie blieb sie so ruhig, sie, die wie eine Königin jede ihrer Launen im Augenblick erfüllt sehen wollte und nie warten gelernt hatte? Der Vater konnte sich's nur dadurch erklären, daß Beide in heimlicher Corre= spondenz ständen. Bei diesem Gedanken jauchzte sein altes, unvernünftiges Herz hoch empor. Er war nun sicher, daß der adelstolze Graf von der schönen Bankierstochter fester und fester umgarnt werden würde, bis er sie heimführen und durch die That „das Zeitalter der Mesalliancen“ einweihen werde. Eines Tages, als Vater und Tochter eben von einem Spaziergang im Canal'schen Garten nach Hause gekommen waren, sagte Marie:

„Ich fange zu zweifeln an, daß wir den Grafen in Prag sehen werden. Er versprach, uns in einigen Tagen zu besuchen, und nun sind bereits zwei Wochen um. Er wird seinen Reiseplan geändert haben."

Der Vater wußte nicht, welche passende Antwort zu geben wäre, er besann sich eine Weile und Marie fuhr fort:

„Es wäre artig von ihm gewesen, Dir mit ein paar Zeilen für die Einladung, die er angenommen hatte, zu danken. Ich hätte ihn für rücksichtsvoller gehalten."

„Eben darum," versetzte Rosenstern, „glaube ich, daß er noch persönlich erscheinen dürfte! Er hat auf mich den Eindruck eines Charakters gemacht, auf den das Sprichwort: ein Mann, ein Wort! anzuwenden ist."

„Hm!" warf Marie, die Lippen verächtlich zusammenziehend, mit skeptischem Lächeln hin; „heutzutage könnte man eher sagen: ein Mann, eine Redensart!"

„Herrliches Kind! Welche Weltkunde! Welche Richtigkeit des Urtheils!" dachte der Vater. Er schmunzelte still vergnügt. Da stellte sich die Reflexion ein, daß es doch sehr traurig wäre, wenn Graf Wellenburg nicht höher als andere Männer zu stellen, mit einem Worte kein Charakter wäre, und das Behagen über das gelungene Witzwort machte wieder einer höchst nüchternen Stimmung Platz.

„Der Graf," dachte er, „ist am Ende auch nur so wie alle übrigen Männer, die in meinem Salon seit Jahren herumgetänzelt sind, die die Cour gemacht haben und, als man sich dessen am wenigsten versah, plötzlich ausgeblieben sind. Ja, ja, unsere Zeit, das ist eine ausgemachte Sache, hat keine wahren Charaktere! Ich hatte Vertrauen zum Grafen, weil er ein Norddeutscher ist, an diesen lobt man ja den Ernst und die Tiefe der Gesinnungen, aber er ist wohl auch nur Einer, wie alle Anderen! Nichts ist klarer, als daß er mit meinem lieben Kinde nicht in Correspondenz steht! Bei Gott, ich wollte lieber ein Schock Söhne haben, als eine einzige schöne Tochter!"

Marie unterbrach ihn. Sie hatte einen Blick auf die Uhr geworfen und sagte: „Wir haben keine Zeit zu verlieren, wenn wir in's Theater wollen."

„Was giebt man doch heute?"

„Den Don Juan."

„Meine Lieblingsoper! Unsere Primadonna ist noch lange keine Schröder-Devrient, aber ihre Donna Anna ist doch eine herrliche Leistung! Ach, Kind, wenn Du die Schröder-Devrient gesehen hättest, welches Feuer, welche Leidenschaft, welch dramatischer Ausdruck! Hingerissen war ich, hingerissen! Ich ginge gern. Aber Du hast noch nicht Toilette gemacht."

„Für wen sollte ich Toilette machen?" sprach Marie melancholisch. „Laß den Wagen vorfahren!"

Sie ging in's Nebenzimmer.

„Ihr Humor verfliegt wieder," sagte der Vater zu sich. „Ich habe schlimme Ahnungen! Ich habe gezittert und gebebt, wenn sie böser Laune war, als noch meine Finanzen verhältnißmäßig glänzend standen, wie soll ich es jetzt ertragen? Bei Gott, auf meinen Schultern liegt eine schreckliche Last, es fällt mir gräßlich schwer, ewig den Sorglosen zu spielen, und wenn ich über Alles nachdenke, weiß ich nicht, wo mir der Kopf steht! Ich möchte mit der Stirn gegen die Wand rennen, ich möchte mir in die Haare fahren!"

Er that es nicht, wohl aber ordnete er sie vor dem Spiegel. Dann versank er wieder in ein tiefes, schmerzliches, bodenloses Nachdenken.

Marie war, den Fächer in der Hand, eingetreten. Sie sah den Vater starr, reglos, mit schmerzlich entstellten Mienen mitten im Zimmer stehen.

„Vater!" sagte sie, „was ist Dir? Du machst ein verzweifeltes Gesicht. Ist etwas vorgefallen?"

„Bewahre!" versetzte der betroffene Vater, rasch gefaßt. „Ich habe nur meine gelben Glacéhandschuhe irgendwohin gelegt und kann sie jetzt nicht wiederfinden."

„Du wirst doch noch ein anderes Paar vorräthig haben?" sagte Marie.

„Gewiß! Noch ein halbes Dutzend! ein halbes Dutzend!" sagte der Vater und eilte in sein Zimmer.

„Der Vater hat doch etwas auf dem Herzen," sagte Marie zu sich. „Wenn ich nur wüßte, was es ist! — —"

Herr von Rosenstern kam zurück, er hatte die neuen

Handschuhe angezogen. Da der Wagen nicht eben bereit stand, bot er der Tochter den Arm und sie gingen den kurzen Weg in's Theater.

Als sie in ihre Loge eintraten, schallten ihnen bereits die Zauberklänge der gewaltigen Ouvertüre entgegen.

Stumm nahmen sie nebeneinander Platz. Marie sah mit einer marmornen Ruhe vor sich hin; in dem gedrückt vollen Hause schien sich kein Gegenstand, der eines ihrer Blicke würdig war, zu befinden. Der Vater dagegen drang mit dem kost= baren Binocle in das Halbdunkel jeder Loge. Er manövrirte wie ein lebensfroher Dandy, aber es war nur eine Comödie, die er für die Welt und seine dämonisch schweigende Tochter spielte.

Indessen war der Vorhang aufgegangen. Don Juan schlug sich eben mit dem Gouverneur. Durch das Schwerter= geklirr aufmerksam gemacht, legte der unmusikalische Rentier rasch das Opernglas hin und wandte sich mit langvorgestreck= tem Halse der Bühne zu.

Man sah den Gouverneur fallen, sah den, sein Schwanen= lied sarkastisch mitsingenden Mörder triumphiren, bis er sich, in seinen langen, mauerfarbenen Mantel gewickelt und von den Schatten der Nacht begünstigt, mit ein paar Sprüngen hinter die Coulissen rettete.

„Bravo! bravo!" rief Herr von Rosenstern und klatschte enthusiastisch in die Hände. „Das ist meine Lieblingsscene in der Oper!" wandte er sich an Marie, die sich tiefer in die Loge zurückgesetzt hatte.

„Sonderbar!" gab Marie zur Antwort. „Was kann Dir da besonders gefallen? Der Hohn des Schicksals, das den Verbrecher siegen und den Redlichen fallen läßt? Don Juan sollte erstochen werden, nicht aber der beleidigte Vater!"

„Wohl wahr!" murmelte Rosenstern verlegen, „aber mein Kind, das Theater ist nicht das Leben!"

„Leider ist aber," versetzte Marie trocken, „das Leben ein Theater."

„Und doch, liebes Kind," erwiderte der Vater, „thust Du der Scene da sehr Unrecht. Sie ist wirklich schön. Wenn das Theater auch nicht das Leben ist, so stellt es doch dasselbe oft vor. Diese Scene hat sogar einen großen, sinnbildlichen Sinn. Wenn man die Tochter in's Unglück stürzt, stößt man gewissermaßen jedem Vater ein Eisen durch's Herz!"

Marie heftete einen langen und sonderbaren Blick auf ihren Vater, ohne eine Miene zu verziehen, geschweige zu sprechen. Herr von Rosenstern, der diesen Blick zwar fühlte, aber ihn nicht zu deuten vermochte, wurde ganz irre. Er hatte geglaubt, daß die von ihm ausgesprochene Idee, von seiner Verlegenheit dem Kopfe geboren, eine ganz glückliche Eingebung sei, da sie aber Mariens Billigung nicht erhalten zu haben schien, nahm er an, daß er etwas Verkehrtes oder Verletzendes gesagt haben müsse.

„Was sie wieder haben mag!" sagte er zu sich, indem er wieder seinen Operngucker ergriff und die Theaterbesucher sämmtlich, Jung und Alt, zu mustern begann.

Es kam der Zwischenact. Alle Welt begann laut zu conversiren, nur in der Rosenstern'schen Loge war es todtenstill.

„Dieser Mozart ist doch unsterblich!" rief der Rentier, um nur etwas zu sagen und Mariens üblem Humor auf den Zahn zu fühlen.

Marie würdigte diese Banalität keiner Erwiderung, und der Vater fuhr in demselben Tone, aber etwas gelehrter, un= gefähr im Jargon der niedrigsten Halbkenner fort:

„Alle Motive sind so einfach und doch so tiefsinnig! Der Geist der Grazie verleugnet sich nirgends, ebenso nicht der Sinn der Form. Die Instrumentirung ist zwar viel schwächer wie bei Meyerbeer oder Richard Wagner, aber sie hat doch ihre großen Effecte!"

Marie hatte sich abgewendet. Ihr Schweigen war wirk= lich unheimlich, und der besorgte Vater verglich es mit der eigenthümlichen Windstille, welche dem ausbrechenden Orkan vorangeht.

Er hatte nicht den Muth, sie anzusehen oder sie nach der Ursache dieser Verstimmung zu fragen; da er aber auch nicht zeigen wollte, wie sehr er sie fürchte, hielt er das Gesicht immerfort der Bühne zugekehrt, bis der Schlußact begonnen hatte.

Don Juan führte indeß sein Lasterleben lustig fort. Er

hatte bereits die schmachtende Elvira gefoppt, die racheschnauben= den Bauern an der Nase geführt, Masetto geprügelt und auf dem Kirchhof, in der unheimlich schimmernden Mondnacht, den steinernen Gouverneur zu Gaste gebeten. Eben hatte er sich an den Tisch gesetzt, um sein leckeres Abendessen zu schmausen und seine Champagnerflasche zu leeren, als an Herrn von Rosenstern's Logenthüre heftig gepocht wurde.

Vater und Tochter wandten sich überrascht um. Es war, wie wenn der Gouverneur, der zur Abendtafel ging, die rechte Thüre verfehlt hätte.

Es klopfte wieder.

Da erhob sich Herr von Rosenstern, muthiger als Don Juan, auf's Rascheste.

Er hatte die Logenthüre kaum geöffnet, als ihm ein Freuden= laut entfuhr, welchen Marie gleichzeitig mit einem Ausrufe freudigster Ueberraschung begleitete.

Der Besucher war Graf Wellenburg.

Kein Volk hat seinem Befreier freudiger zugejauchzt, als Herr von Rosenstern dem Eintretenden. Selbst Marie gerieth in Wärme. Die Bewillkommnung war eine so enthusiasti= sche, daß sie selbst durch das allseitige Zischen des gestörten Publikums nicht ganz gedämpft werden konnte.

„Was aber, Graf," flüsterte Marie ihm zu, „hat Sie so lange in Karlsbad aufgehalten?"

„Die Antwort darauf ist nicht leicht," antwortete Wellen= burg. „Die Kur habe ich nicht gebraucht, wie Sie wissen, Zerstreuung gab es für mich dort nicht, ich lebte so zurückge= zogen, daß ich nach Ihrer Abreise, außer einige Mal mit dem Großhändler Solm, mit Niemanden zusammenkam."

„Ist Solm noch in Karlsbad?" fragte Marie.

„Er ist," gab der Graf zur Antwort, „drei Tage vor mir abgereist. Hat er Sie noch nicht besucht?"

„Sie sehen, daß ich gar nicht weiß, wo er ist."

„Wunderbar!" rief Wellenburg. „Sie glauben nicht, wie er von Ihnen bezaubert ist! Er sprach sich zwar mit großer Gemessenheit aus, aber jedes seiner Worte verrieth eine tiefe Ueberzeugung!"

„Sie machen mich glücklich!" rief Marie spöttisch.

14*

„Sie glauben wohl auch," verſetzte Wellenburg, „daß ich Ihnen dies kaum ſagen würde, wenn nicht Solm an Geſinnungen und Alter weit über die Liebesepoche hinaus wäre! In allen Fällen hätte man an ihm keinen gefährlichen Rivalen —"

„Sie ſind ſehr übermüthig geworden," ſagte Marie, „aber ich fühle, daß ich es ein wenig ſelbſt verſchuldet habe!"

Sie warf dem Grafen einen beredten Blick zu.

„Und doch ſteht es immer in Ihrer Gewalt," verſetzte Wellenburg, „mir wieder die Zügel anzulegen."

„Ich werde es verſuchen, wenn es nicht zu ſpät iſt."

„Welche Macht hätte ich," verſetzte der Graf, „Ihrer Gleichgültigkeit, wenn ſie mich träfe, zu trotzen?"

„Genug der ſchönen Floskeln!" rief Marie. „Ich that, als wenn ich von Ihrer Galanterie düpirt wäre. So leichtſinnig ſetze ich mein Herz doch nicht auf's Spiel! Seien Sie offen! Wem haben Sie in meiner Abweſenheit die Cour gemacht?"

„Grauſame!" erwiderte der Graf. „Hätte Fräulein Bertha Wahlmuth nicht ganz Unrecht?"

„Worin? fragte Marie, ſich wie zum Kampf emporrichtend.

„Sie meinte," antwortete der Graf, dem das Citat entſchlüpft war, und gab Bertha's Wort in äußerſt euphemiſtiſcher Faſſung wieder, „ſie meinte, daß Fräulein Marie bei allen Vorzügen einzelne coquette Momente beſitzt."

„Ihr Ausſpruch hat wohl ganz anders geklungen," ſagte Marie mit bitterem Lachen. „Sie wird geſagt haben: Marie Roſenſtern iſt die herzloſeſte Coquette! Sie wird mir die monſtröſeſten Fehler angedichtet haben, blos, weil ſie von mir nicht ſagen kann: Marie iſt häßlich, Marie iſt ſchief gewachſen! So iſt die Sache, Herr Graf, ſo iſt ſie!"

„Es thut mir unendlich leid," entſchuldigte ſich der Graf, über die entſchlüpfte Aeußerung ſehr ärgerlich. Seine Ungeſchicklichkeit hatte Bertha Wahlmuth beinahe compromittirt.

„O, wenn Sie wüßten," ſprach Marie ruhig, aber mit einer intenſiven Verachtung, „wie gleichgültig mir die Meinung der Welt iſt, und am allermeiſten das, was mein Geſchlecht über mich ſchwatzt! Die Welt ſieht nur das Aeußere, ben Schein, und so muß es kommen, daß die guten Heuch= lerinnen besser stehen, als die Offenen, die Freimüthigen, die Natürlichen!"

„Ich habe auch," versetzte der Graf, „meine Lanze gegen die Verleumbung auf's Tapferste eingelegt —"

„Lassen wir diese Bagatellen," rief Marie mit neustrah= lender Liebenswürdigkeit. „Wie lange gedenken Sie in Prag zu bleiben?"

„Das hängt nicht von mir ab," antwortete der Graf. „Wenn ich aber einmal zum Stadtthore hinausfahre, wird es in einer höchst extremen Stimmung geschehen, entweder freudetrunken oder lebenssatt! Ich habe große Entschlüsse ge= faßt, ich habe mich nicht umsonst in Karlsbad eingekerkert, ich habe nicht umsonst nachgedacht und gekämpft! Doch die Zeit ist noch nicht da, mich Ihnen zu offenbaren. Mein Fräu= lein, die Oper ist aus!"

Sein Blick war auf die Bühne gefallen. Der Vorhang war im Sinken.

„Göttliche Oper!" rief Herr von Rosenstern, der Don Juan's Strafgericht in heiterster Stimmung beigewohnt hatte.

Mit den freundlichsten Einladungen entließen Vater und Tochter den Grafen.

Zweites Kapitel.

In Solm's Arbeitszimmer.

Solm's Wohnung in Prag befand sich auf dem Altstädter Ring; sein Comptoir im Nebenhause. Die Räumlichkeiten und ihre Einrichtung hatten denselben Charakter von Be= scheidenheit wie der Mann selbst, es war eine Reihe lichter, geräumiger Zimmer mit einfachen, hellen Tapeten und prunk= losen Mahagonimöbeln. Auf Solm's Arbeitszimmer war noch

die meiste Sorgfalt verwendet. Hier sah man schön ge=
arbeitete Bücherschränke und ein großes Büreau, das in
seinen mannigfachen Fächern die vielen Papiere und die engere
Correspondenz des großen Kaufmanns aufnahm. Mehrere
schöne Landschaftsbilder und die Portraits seiner längstver=
storbenen Eltern zierten die Wände als bescheidener Schmuck.

Solm war seit einigen Tagen in Prag, hatte aber noch
immer keinen Ausgang gemacht, wenn man einige unvermeid=
liche Geschäftsgänge abrechnet. Er war gewohnt, bis in die
geringsten Details seiner Angelegenheiten zu bringen, und
mußte daher, um Alles, was in seiner Abwesenheit vorgegangen
war, kennen zu lernen, auch seine sonstigen Mußestunden mit
Arbeit ausfüllen.

Sein einziger Hausfreund war Horsky. Dieser pflegte
alle Nachmittage eine Stunde bei ihm zuzubringen, auch
wenn ihn keine Geschäfte hinführten. Man saß bei einer
Tasse Kaffee, plauderte, politisirte, rauchte.

„Sie machen sich selten,“ sagte Solm, als der junge
Advocat, der zwei Tage hintereinander nicht erschienen war,
wieder bei ihm eintrat, „die Kaffeestunde ist längst vorüber,
auch Bertha ist ausgegangen.“

„Geschäfte! Geschäfte!“ gab Horsky zur Antwort, indem
er Hut und Stock bei Seite legte und neben Solm Platz nahm.

„Sie sind auch nicht mehr wie sonst!“ sagte Solm, „Sie
haben einen düstern Zug im Gesichte, den ich früher gar nicht
an Ihnen zu sehen gewohnt war.“

„Es ist wahr,“ versetzte Horsky. „Wenn ich an einer
wichtigen Sache mit ganzem Ernst arbeite, lasse ich zwar die
Acten zu Hause, den Ernst nehme ich aber jedesmal in die
Gesellschaft mit.“

„Soll ich das,“ fragte Solm, „als die einzige Ursache an=
sehen?“

„Gewiß,“ antwortete der junge Mann. „Ich wundere
mich, daß Sie es nicht schon früher bemerkt haben.“

„Ich will es glauben,“ versetzte Solm, „denn ich wüßte
nicht, warum Sie einem Freunde, der an Ihrem Wohl und
Wehe aufrichtig Theil nimmt, den wahren Grund verheim=
lichen sollten!“

„Ich würde damit," sagte Horsky, „nur gegen mein Interesse handeln. Als ich einen wirklichen Kummer auf dem Herzen trug, boten Sie mir großmüthig Ihre hülfreiche Hand!"

„Es ist hübsch von Ihnen, daß Sie mir das sagen," versetzte Solm. „Sie wissen also, daß ich immer da bin, um einen ehrlichen und nützlichen Eifer zu unterstützen."

„Da wir von Unterstützungen reden," sagte Horsky, „fällt es mir ein, daß ich gestern einen Brief von Schlaghammer erhalten habe."

Dies war der Name des Pächters, dem Solm das von Bertha's Eltern nachgelassene Gütchen bei Reichenberg als deren Vormund verpachtet hatte.

„Er schrieb mir," fuhr Horsky fort, „wegen einer Urkunde und erwähnte dabei, daß er von einem schweren Mißgeschick betroffen worden sei. Er hatte die Schnitter bereits auf einen bestimmten Tag gedungen, als sich ein so furchtbarer Wolkenbruch über die Gegend entlud, daß nun seine ganze Ernte so gut wie vernichtet ist."

„Ei, ei, das ist sehr mißlich!" rief Solm. „Ich bedaure den Mann."

„Er wird unfähig sein," sagte Horsky, „den demnächst fälligen halbjährigen Pachtzins zu entrichten."

„Kein Wunder!" gab Solm zur Antwort. „Aber bei dem Manne hat es gute Wege. Er hat für das Gut während zweier Jahre mehr gethan, als Bertha's Vater in siebzehn Jahren. Dieser nämlich betrieb die Oekonomie wie etwa unsere Väter zu Wallenstein's Zeiten, wie das bei uns in Böhmen ziemlich allgemein ist. Schlaghammer aber hat seine Lehrzeit auf einer norddeutschen Musterwirthschaft durchgemacht. Er ist ein höchst schlichter, aber intelligenter und grundehrlicher Mann. Ich kenne ihn aus der Zeit her, als ich in Pest wohnte. Damals verwaltete er die großen Herrschaften des Grafen Almasy —"

„Und wie kommt es," fiel Horsky in's Wort, „daß er eine so bedeutende Stellung mit einer weit kleineren vertauschte?"

„In Folge von Entsumpfungsarbeiten," antwortete Solm, „die er im großartigsten Maßstab unternommen hatte, be kam er ein böses Fieber und mußte nach längerer Krankheit ein Bad besuchen. Zuletzt hieß es, er müsse das Klima wech= seln, wenn er sein Leben erhalten wollte. Der Graf war zu jedem Opfer bereit, um ihn zu fesseln."

„Wo haben Sie ihn aufgegriffen?" fragte Horsky.

„Es geschah zufällig," erwiderte Solm. „Als er von Ungarn nach seinem Heimathsorte — er ist aus einem kleinen Dorfe in Deutschböhmen gebürtig, der Name ist mir entfallen — zurückreiste, begegnete ich ihm hier, in Prag, auf der Brücke. Er erzählte mir von seiner Krankheit, von seiner Furcht nach Ungarn zurückzukehren, und wir verständigten uns schnell. Ich konnte keinen besseren Pächter finden, und er be= gnügte sich mit den bescheidenen Verhältnissen eines kleinen Gutes, da er im Augenblick ohne Aussichten war und bei seiner Gewohnheit, thätig zu sein, es gar sehr fürchtete, längere Zeit brach liegen zu müssen."

Das Gespräch wandte sich zu anderen Gegenständen. Plötz= lich sagte Solm:

„Ich bin nun schon mehrere Tage hier. Ich sollte doch dem Rentier Rosenstern, den ich in Karlsbad kennen gelernt, einen Besuch machen."

„Ich will Sie nicht aufhalten", erwiderte Horsky und stand auf.

„Ich wollte eigentlich," sprach Solm weiter, „Bertha mit= nehmen, aber das wunderliche Mädchen scheint keine Lust zu haben, diese Bekanntschaft zu machen. Ich weiß nicht, welches Vorurtheil sie hat. Ich mag sie nicht zwingen, wenn es gleich gegen alle Höflichkeit verstößt."

Da klopfte es an die Thüre. Ein Mann von ungefähr vierzig Jahren, in der Kleidung eines bemittelten Landbe= wohners, trat schüchtern grüßend ein. Sein sonnverbranntes Gesicht hatte trotz der harten, derben Züge einen gewinnen= den Ausdruck, der Klugheit mit offener Sinnesart verband. Seine knorrigen Hände verriethen Einen, der jede Arbeit anfaßt.

Solm hatte ihn kaum bemerkt, als er freundlich auf ihn zuging.

„Grüß' Sie Gott, Schlaghammer!" rief er, dem Ankömm=

ling feine Hand anbietend. „Soeben haben wir von Ihne
gefprochen!"

„Ihr Advocat hat Ihnen wohl erzählt," begann Schlag=
hammer, „was mir zugeftoßen ift —"

„Der Advocat," unterbrach ihn Horsky, „hat Alles berich=
tet. Ich bin Horsky."

„Ich weiß Alles," fprach Solm. „Setzen Sie fich und
erzählen Sie die Sache umftändlicher."

„Es ift ein gar fchwerer Schlag für mich," fagte Schlag=
hammer, als er Platz genommen hatte. „Ich bin noch immer
wie betäubt davon. Ich war eben in Reichenberg, als fich
das furchtbare Unwetter über unferer Gegend entlud. Die
Saaten ftanden fo fchön, beinahe fchnittbereit, in der nächften
Woche follte die Ernte heimkommen! Gerade um die Mittags=
zeit kam's, zuerft ein Sturm mit Donner und Blitz, wie wenn
die Erde zu Grunde gehen follte, unmittelbar darauf der
Wolkenbruch, wie wenn uns Gott mit einer zweiten Sündfluth
hätte ftrafen wollen! Ein unwiderftehlicher Schrecken ergriff
Menfchen und Thiere, fo plötzlich kam es, fo furchtbar wuchs
es heran! — In einem Nu war das ganze Thal, wo die
Felder und Wiefen liegen, in einen See verwandelt. Mein
Knecht, der Sand fuhr, wurde bei der Sandgrube überrafcht.
Das Waffer kam fo plötzlich herangefchoffen, daß er gar nicht
Zeit hatte, die Pferde abzufpannen. Anfangs mußte er fie
am Zügel halten, denn fie fcheuten fich vor dem Orkan, das
Geräufch war ja fo betäubend, und der Anblick, wie das
Waffer von allen Seiten heranbrauste, mußte den Muthigsten
aus der Faffung bringen. Als er fah, daß das Waffer
immer höher wuchs, entfchloß er fich, die Pferde auszufpannen.
Kaum aber hatte er die Waage angefaßt, als die Pferde
einen wilden Ruck machten und ausriffen. Der Knecht bekam
dabei einen fo fchweren Schlag, daß er hinftürzte und fich
nur mit vieler Mühe weiterfchleppen konnte, bis er auf einen
ftarken Weidenbaum kletterte, um nicht vom Waffer fortge=
riffen zu werden. Die Pferde waren indeß eine Strecke in
der Thalfenkung hinaufgerannt, den halbzertrümmerten Wagen
nachfchleppend, bis fie an eine tiefe Grube kamen, in welche
fie hineinftürzten. Dort gingen beide zu Grunde. Während

auf diese Weise mein Getreide und mein Heu zerstört und mein bestes Gespann vernichtet wurde, wüthete der angeschwollene Bach und drang in meine Ziegelbrennerei. Er verdarb gegen zwanzigtausend Ziegel, die zum Trocknen aufgeschichtet waren, und schwemmte mir gegen fünfundzwanzig Klafter Brennholz fort. In weniger als einer Stunde war ich ruinirt. Was sagen Sie dazu?"

„Daß nur noch der Blitz fehlte," erwiderte Solm, „um auch das Haus und die Scheune in Asche zu legen!"

„Anfangs war ich rathlos," fuhr Schlaghammer fort, „ich hätte mit dem Kopfe gegen die Mauer rennen mögen. Mein kleines Betriebscapital hab' ich in meine Unternehmungen hineingesteckt, und als sich der Augenblick nähert, um die Zinsen und die Frucht meiner Anstrengungen zu ernten, bin ich plötzlich ärmer als zuvor! Wie soll ich meinen Verpflichtungen nachkommen, die Winterzeit zubringen', dem Schaden steuern und für das nächste Jahr sorgen? Wer leiht mir eine so große Summe, wie ich brauche, wenn ich keine andere Hypothek habe, als ein ehrliches Gesicht und meine fleißigen Hände! Und doch mußte ich den Versuch machen, Geld aufzutreiben! Gestern früh bin ich deshalb nach Prag gekommen. Nachdem ich den ganzen Vormittag herumgelaufen und überall abgewiesen worden war, eilte ich vollständig entmuthigt in meine Wohnung, den goldenen Engel. Dorthin hatte ich meinen Neffen, der jetzt in Prag lebt und den ich seit Jahren nicht gesehen, zum Mittagstisch bestellt. Ich wollte ihm zuerst nichts von meiner Bedrängniß sagen, denn ich dachte, er kann mir nicht helfen, und wenn es seine Mutter, die meine Schwester ist, erfährt, wird ihr mein Unglück nur unnützerweise das Herz schwer machen. Wie aber der Mund von dem überläuft, dessen das Herz voll ist, kramte ich nach und nach meine ganze Unglücksgeschichte aus. Mein Neffe hört mich theilnehmend an, plötzlich sagt er: Und wie viel braucht der Onkel? — Mindestens viertausend Gulden. — Er sagt darauf: Als ich ein hülfloser Junge war, weiß ich, daß Sie meiner Mutter von Ungarn aus so manche dringende Unterstützung zugesandt haben. Ich habe für meine Mutter fünftausend Gulden in Staatspapieren angelegt, nehmen Sie sie!

Bei Ihnen liegen sie in der besten Hand. — Ich glaubte, bei Gott, daß er Spott treibe, denn woher sollte er das Geld haben! Es hatte aber damit seine Richtigkeit. Da sehen Sie," — er zog eine Brieftasche hervor und öffnete sie, „da liegt das Geld!"

„Bei dieser Sachlage," sagte Solm, „hätte kaum Jemand geholfen, außer ein Freund oder ein naher Verwandter. Was hätten Sie gethan, wenn sich dieser wackere Neffe nicht gefunden hätte?"

„Darüber darf ich nicht nachdenken," meinte Schlaghammer.

„Wie kommt es," sprach Solm, „daß Sie nicht das geringste Vertrauen in mich setzen? Habe ich denn den Ruf, ein Geizhals zu sein?"

„Mein Gott — was denken Sie —" stotterte der Pächter und schlug die Augen nieder, ohne recht zu wissen, was er antworten sollte.

„Und wie ist der Neffe so unverhofft zu dem Gelde gekommen?" fragte Solm.

„Wie ein Glückskind!" erwiderte Schlaghammer. „Ein alter, kinderloser Herr, der ihn liebgewonnen, hat ihm gegen fünfzehntausend Gulden vermacht. So bringt ein Segen den andern!"

Bei diesen Worten des schlichten Mannes wurde Horsky von einer eigenthümlichen Unruhe befallen. Er wollte eine Frage thun, hielt aber gleich wieder inne.

„Was ist Ihr Neffe?" fragte Solm.

„Er ist Maler," erwiderte Schlaghammer, „gegenwärtig an der hiesigen Akademie angestellt und schreibt sich Wildengrün."

Eine tiefe Ueberraschung schlug in Horsky ein, dennoch blieb er, scheinbar gelassen, ruhig stehen, ohne seine genaue Bekanntschaft mit dem Genannten einzugestehen, mit dem er ja die gleiche Summe geerbt hatte.

„Künstler," sagte Solm, „sind in der Regel großmüthiger als Kaufleute. Ich will mir den jungen Mann merken!"

Schlaghammer erhob sich, zog die Brieftasche hervor und fing seinen am nächsten Tage fälligen halbjährigen Pachtzins auf den Tisch zu zählen an.

Finsterer Unmuth zuckte über Solm's Gesicht, als er es sah, und es war, als ob er eine Einwendung machen wolle, dennoch ließ er es geschehen.

„Hier, Herr Solm —" sagte Schlaghammer, als er fertig war, den Finger auf der ersten Banknote festhaltend, um das Geld vorzuzählen.

Solm drehte sich rasch dem Tische zu und rief, indem er das Geld hastig zusammenraffte und den ganzen Haufen dem Pächter hinschob, ziemlich ärgerlich:

„Ich will Ihr Geld haben und nicht fremdes Geld. So lange andere Leute borgen, kann wohl auch Solm borgen. Ich will von dem Erlös Ihrer Ernte, vom Ertrage Ihres Bodens bezahlt werden, nicht aus dem Seckel armer Verwandten, und werde deshalb bis zum nächsten Sommer warten. Streichen Sie Ihr Geld wieder ein, ich brauche keine Probe mehr von Ihrer Pünktlichkeit."

„Sie würden wirklich —" rief Schlaghammer froh erstaunt. „Ich sage es immer, die Welt ist besser, als man glaubt! Es giebt genug gute Leute, wenn man sie nur gleich erkennen würde! Lohne es Ihnen der Himmel, der ohnehin Alles segnet, was Sie anfassen!"

Gerührt schüttelte er Solm's Hand und verließ das Zimmer.

„Der Mann hat Ehrgefühl," sagte Horsky, als er mit Solm allein war.

„Ein vortrefflicher Mensch!" meinte Solm. „Wenn er in Ihre Kanzlei kommt, fragen Sie ihn, wie hoch er das Capital seinem Neffen verzinst. Wenn Sie das wissen, bieten Sie ihm die Summe zu einem niedrigeren Zinsfuß an. Sie leugnen hartnäckig, daß ich der Gläubiger bin, wenn er auf mich rathen sollte!"

„Ich werde mich darnach richten," gab Horsky zur Antwort, während sich Solm anzukleiden begann, um seinen Besuch zu machen.

„Weiß der Teufel, worin es steckt," sagte er plötzlich, „daß mich die Leute so oft für einen Knicker halten!"

„Eine so irrige Ansicht," versetzte Horsky, „können nur unverschämte Bittsteller über Sie ausstreuen, denen Sie ihr

Gesuch abgeschlagen haben. Freilich sind Sie in Allem das Gegentheil von Prunksucht. Man kann wirklich von Ihnen sagen, daß Sie das Edle eben so heimlich thun, wie Andere betteln!"

Mit diesen Worten verließ Horsky das Zimmer. Vor dem Hause trennten sie sich. Der Eine ging in seine Kanzlei, die in der Jesuitengasse war, der Andere dem Graben zu.

Eigenthümlich bewegt langte Solm nach kurzer Wanderung auf dem Graben vor dem Hause an, wo Herr von Rosenstern wohnte. Als er an die Treppe kam, fehlte nicht viel, daß er wirklich wieder heimgekehrt wäre. Alle möglichen Bedenken hatten ihn umlagert, Bedenken, über welche die bloße Höflichkeit, die er nach seiner Stellung zu der Familie Rosenstern in Karlsbad zu beobachten schuldig war, nicht allein obzusiegen vermochte. Aus diesem Schwanken riß ihn ein plötzlicher Einfall heraus, und er freute sich, auf denselben gekommen zu sein, da er fortan die Gründe seines Besuchs, bei dem die Höflichkeit ausreichte, auch mit dem Vorbringen einer geschäftlichen Angelegenheit verstärken konnte. Was man Besuche machen nennt, war nie seine Sache gewesen, er hatte ja bis dahin nur Geschäftsgänge gekannt. Es war daher natürlich, daß ihm der Weg wie überflüssig, müßig und leer vorkam, so lange er sich auf keinen praktischen Zweck berufen konnte, vorausgesetzt, daß er sich über die Natur dieser Bedenken und dieser Zaghaftigkeit nicht selbst täuschte. Mit einem frischen Anlauf stieg er die Treppe hinauf, die ein englischer Teppich bedeckte, bis er vor einer hohen, blendend weiß lackirten Thüre im ersten Stockwerk stand, auf welcher ihm ein ovales Täfelchen von Porzellan mit dem Namenszuge des Herrn von Rosenstern entgegenblinkte. Noch ehe er die Hand zu der mit einem bunten Glasgriff versehenen Klingel erhob, hatte ihn der in der Nachbarschaft der Küche befindliche kleine Groom durch's Fenster erblickt und mit respectvoller Verbeugung geöffnet. Auf seine Frage, ob die Herrschaften zu Hause seien, nickte der gut abgerichtete Jüngling mit stummer Devotion und führte ihn durch einen kurzen Corridor in das Empfangszimmer, welches mit beinahe fürstlicher Eleganz möblirt war. Man sah große Trumeaur in vergoldeten Rahmen, die herrlichsten Möbel. Die Parquets waren von Ahornholz, in der Mitte des Zimmers, unter dem Tisch, um den vier Fauteuils standen, lag ein kostbarer französischer Teppich ausgebreitet. Der Eindruck geschmackvollen Reichthums, der Solm schon an der Thüre angeweht hatte, erreichte hier seinen Gipfelpunkt.

Herr von Rosenstern ließ keinen Augenblick auf sich warten. Mit strahlender Liebenswürdigkeit und mit den schmeichelhaftesten Ausdrücken der Freude empfing er den Besuch, der ihm in der That eine höchst angenehme Ueberraschung bereitete.

„Ach, wie bedaure ich," sagte er, „daß meine Marie ausgegangen ist und nicht so bald wieder heimkommen dürfte! Sie hat sich so oft Ihrer erinnert. Ich glaube, noch gestern hat sie gefragt, ob Sie wohl noch die Kur brauchten! Sie wird unendlich bedauern — aber setzen wir uns."

Sie nahmen auf dem Kanapee Platz.

„Bei Gott!" rief Herr von Rosenstern, „wie wohl Sie aussehen! Wie vergnügt! Ihnen ist die Kur vortrefflich bekommen!"

„Finden Sie das?" fragte Solm. „Man hat es mir schon gesagt, aber ich pflege dergleichen meist für Redensarten zu halten. Freilich, wenn Sie es bestätigen —"

„Wissen Sie," hob Rosenstern wieder an, „daß Graf Wellenburg seit ein paar Tagen hier ist?"

„Nein," gab Solm in seiner ruhigen Weise zur Antwort, während ein flüchtiger Schatten über sein Gesicht flog. Herr von Rosenstern hielt es für eine kleine Verstimmung, daß der Graf Solm noch keinen Besuch abgestattet habe, und sagte, vom besten Willen beseelt, sehr ungeschickt:

„Der arme Graf ist vor lauter Einladungen noch gar nicht zu sich gekommen, seitdem er in Prag ist! Auch wir haben mitgeholfen, ihm die Zeit zu rauben, die er vielleicht nöthig hätte, um seinen anderweitigen Verpflichtungen nachzukommen; er wird aber gewiß nächstens — doch eine Frage! Haben Sie etwas von dem unglücklichen Künstler erfahren, der wenig Tage vor unserer Abreise so plötzlich starb — Levini?"

„Kein Wort!" sagte Solm. „Ich erkundigte mich vergeblich, doch Sie wissen, daß in den Bädern gar Niemand stirbt — man verschwindet."

„Es ist fast besser so," sagte Herr von Rosenstern. „Alles Schonung der Nerven, nur Schonung. Darf ich fragen, wie sich Ihre liebenswürdige Nichte befindet?"

„Ganz gut," sagte Solm, ging über den Gegenstand rasch hinweg und sagte: „Da wir zufälligerweise ungestört sind, erlauben Sie mir auch auf eine ernstere Sache zu kommen. Nicht wahr, Sie sind derselbe Herr von Rosenstern, der eine Hypothek auf der Herrschaft Tiboretz liegen hat?"

„Das bin ich allerdings," erwiderte Herr von Rosenstern, der gar nicht wußte, was diese Frage zu bedeuten habe, mit einem langen Gesichte, aus welchem alle Freudestrahlen mit einem Schlage weggefegt waren.

„Mein Advocat, Doctor Horsky, hatte also Recht," versetzte Solm. „Er hatte Ihren Namen in den Hypotheken-büchern gefunden. Wir haben schlechte Aussichten, zu unserem Gelde zu kommen!"

„Haben auch Sie einen Posten auf der Herrschaft!" fragte Herr von Rosenstern.

„Leider, leider!" versetzte Solm. „Einen fünffach größeren als Sie. Ueber die Hälfte davon kann ich ein Kreuz machen."

„Halten Sie es für so verzweifelt?" fragte Rosenstern und brachte die Worte kaum über die Lippen.

„Aeußerst bedenklich! Sehr schlimm!" sagte Solm. „Ich bin der Ansicht gewesen, daß Sie Ihre Abreise von Karls-bad so sehr beschleunigten, um sich Tiboretz anzusehen und es vielleicht zu kaufen. War meine Annahme richtig?..."

„Sie haben nicht ganz Unrecht," versetzte Rosenstern, der die günstige Meinung, die der große Bankier von seinen Finanzen hegte, nicht untergraben wollte. „Doch muß ich gestehen, daß mich auch andere Speculationen geleitet haben. Halten Sie die Herrschaft für preiswürdig?"

„Mein Advocat," erwiderte Solm, „hat sich an Ort und Stelle unterrichtet und ist sehr in mich gedrungen, den Kauf zu machen. Er meint, die Herrschaft sei freilich in hohem Grade verwahrlost. Dieser Umstand erkläre auch bei der herrschenden Geldnoth den Mangel an Käufern. Wer aber sie kaufte und ein hübsches Betriebscapital mitbringe, der müsse in fünf Jahren das beste Geschäft gemacht haben. Habe er aber erst so lange gewartet, bis die höchst umfangreichen Waldungen, die jetzt auf barbarische Weise gelichtet sind, sich erholt hätten, dann werde die Herrschaft bei dem immerfort steigenden Werthe des Holzes kaum um eine volle Million zu haben sein."

„Was Sie da sagen!" rief Herr von Rosenstern mit hell aufleuchtenden Augen, denn diese günstige Beschreibung belebte wieder seine sterbende Hoffnung, daß sich noch ein Käufer finden werde, der ihm sein Geld rette. Er selbst war unfähig, sich am Kauf zu betheiligen.

„Wäre ich so frei wie Sie," versetzte Solm, „ich kaufte die Besitzung! Sie hätten den angenehmsten Landaufenthalt, das Schloß ist neu und prächtig, dabei wohnlich aufgeführt, von einem Park umgeben und von der freundlichsten Lage begünstigt. Reisen Sie doch hin und sehen Sie es sich mit eigenen Augen an! In einem Tage läßt sich die Tour hin und her machen."

„Wahrlich, das sollt' ich thun!" rief Herr von Rosenstern mit gespieltem Eifer, ohne daß er im Ernst daran dachte. „Ich will mir die Sache noch einmal reiflich überlegen."

„Sie haben hohe Zeit," sprach Solm, indem er aufstand. „Am ersten August findet die Licitation statt, und bis dahin ist nur noch eine Woche."

„Gut, gut!" sagte Herr von Rosenstern. „Doch, Sie wollen schon aufbrechen?"

„Leider," sagte Solm, „werde ich zu Hause erwartet!"

„Ich hoffe," sprach Herr von Rosenstern, „daß ich Gelegenheit finden werde, meine neue Bekanntschaft, die mir so unendlich werth ist, zu pflegen und zu genießen!"

Mit den freundlichsten Händedrücken trennten sie sich draußen an der Treppe, und Herr von Rosenstern versicherte noch zu wiederholten Malen, wie unendlich seine Tochter bedauern werde, nicht zu Hause gewesen zu sein.

Als er in sein Zimmer zurückgekehrt war, sagte er zu sich:

„Wäre ich der reiche Mann, für den er mich hält! Wie sich selbst ein so tüchtiger Kaufmann über die Vermögens-

verhältniſſe anderer Leute täuſcht! Freilich iſt es eine Täuſchung,
bei der er keine Riſico eingeht; es iſt eher ein Verſuch, mit
fremdem Gelde ſein eigenes zu retten. Trotz ſeines harm=
loſen Ausſehens ſcheint er es hinter den Ohren zu haben!
Wäre es ihm am Ende aufgefallen, daß ich eine Summe in's
Waſſer fallen ſehe, ohne die Hand nach ihr auszuſtrecken, und
hätte er mit ſeinem Zureden zu dem Kaufe blos meinen
finanziellen Kräften auf den Zahn fühlen wollen? Man kann
es nicht wiſſen! Ich muß wahrhaftig Tiboretz beſuchen und
mich kaufluſtig ſtellen. In einer Kriſe, wie die meinige iſt,
liegt viel daran, daß Leute wie Solm mich für einen gut=
fundirten Geldmann halten... Ich ſollte mich überhaupt recht
oft in ſeiner Geſellſchaft zeigen, damit die Leute ſagen: Wie
kommt Herr von Roſenſtern, ein vollendeter Weltmann, ein
eracter Bonvivant, dazu, mit einem Menſchen wie Solm, der
nur in ſeinem Comptoir, wie ein Maulwurf in ſeinem Loche,
hauſt, umzugehen? Und wie kommt der menſchenſcheue Solm
dazu, ſich plötzlich einen ſo faſhionablen Umgang zu wählen?
Wie? wird die Antwort lauten, weißt Du nicht, daß Geld
das beſte Bindemittel der Freundſchaft iſt, daß vortheilhafte
Handelsſpeculationen nicht nur Menſchen, ſondern ganze
Länder aneinanderrücken? Warum ſucht der gebildete Euro=
päer den Umgang mit dem Japaneſen? Der Amerikaner den
Umgang mit dem ſchlichten Südſee=Inſulaner? Warum? weil
Geld die Lebensader unſerer Zeit iſt, ja die eigentliche Welt=
ſeele!"

Mit dieſer eiteln Selbſtbeſpiegelung ſuchte er die Wolken
ſeiner wirklichen Beſorgniß zu verſcheuchen.

∙

Drittes Kapitel.

Der Unbekannte.

Solm hatte kaum sein Haus in Horsky's Begleitung verlassen, als Bertha Wahlmuth nach Hause kam. Ein Liedchen
trällernd, setzte sie sich an ihren Schreibtisch, um — einen
englischen Aufsatz in's Deutsche zu übersetzen. Obwohl ihr
Tag von Unterrichtsstunden so überfüllt war, daß Horsky
sie, wie wir wissen, den „geplagten Studenten" zu nennen
pflegte, gönnte sie sich in der Zwischenzeit doch keine Ruhe
und griff freiwillig immer zu einem neuen Gegenstande, der
ihre Wißbegierde reizte.

Wer das junge Mädchen so selbstzufrieden und in das
Pensum vertieft am Schreibtisch sitzen und mit unermüdlicher
Hand im Wörterbuch blättern gesehen hätte, der wäre wohl
auch der Ansicht Solm's gewesen, daß man ein halbes Kind
vor sich habe.

Aber wir haben schon gesagt, wie leicht man sich über
junge Mädchen täuscht, wir haben ihr Herz, das heimlich die
Wellen seiner Gefühle treibt, dem unterirdisch fließenden
Wildbach verglichen, von dem man nicht eher Kunde hat, als
bis er zu Tage kommt.

Auch Bertha gehörte zu jenen Naturen, die den Vätern
und Erziehern die größten Ueberraschungen bereiten.

Ein braves Mädchen hat keine Geschichte, aus der sie
charakterisirt werden kann, sie darf keine haben. So bleibt
man bei der Beurtheilung nur auf das äußerliche Thun und
den physiognomischen Eindruck angewiesen. Sehen wir uns
noch einmal das schöne Kind an, das so oft schon mit Marie
Rosenstern in Parallele gebracht worden ist.

Ihre hohe und schlanke Gestalt kann sich keck mit Mariens
Wuchs messen, aber der Charakter der Haltung ist verschieden.
Bertha's Gestalt stellt die Anmuth vor, die andere drückt

Stolz und die Majestät der Herrin aus. Bertha's dunkel-
braune Augen haben nicht Mariens dämonisches Feuer, aber
sie grüßen so freundlich gewinnend und lauschen dem Be-
schauer bis in's Herz hinein. Ueber fremdes wie über eigenes
Glück können diese Augen leicht Thränen vergießen, und diese
gleichen dann den Tropfen, die bei Sonnenschein aus klarem
Himmel fallen. Mariens Haar ist dunkler, es muß sich zu
den verwegensten Coiffüren bequemen, Bertha's Haar ist immer schlicht geordnet, aber wie krönt es üppig und reich die
schöne, klare Stirn! Stellt man den Beiden zwei Blumen
gegenüber, so ist die Eine die vornehme, kalte Camelie, die
Andere die eben aufknospende, junge, thaufrische, duftige Rose.

Eben so weit weichen die geistigen Grundzüge der Beiden
von einander ab. Bertha ist ein enthusiastisches Wesen, eine
der echt weiblichen Naturen, die keinen einzigen Gedanken zu
denken vermögen, von welchem das Herz ausgeschlossen ist.
Sie ist nicht sentimental, sondern heiter, am heitersten aber
dann, wenn das Herz frohe Nachrichten hat. Mariens scharfe
Entschiedenheit fehlt ihr gänzlich, sie besitzt dafür jene edle
Passivität der Frauen, die äußerlich Ruhe und innerlich ein
Aufsammeln und Verarbeiten der Eindrücke ist. Nur in
starken Affecten kann sie Muth finden und sogar Kühnheit er-
reichen. Was Frische des Gemüths betrifft, ist ihr Herz ein
feuriger Stahl, wogegen Marie nur dem Kiesel gleicht, der
auf dem Grund eines eisigen Bergwassers liegt. Bertha
liebt Kunst und Literatur als ein Bedürfniß der Phantasie,
während Marie beides als ein Toilettenmittel des Geistes
betrachtet, mit welchem sie in den Salons geschmückt erscheinen
muß. Jene liest Bücher zuweilen zwei- bis dreimal, diese blät-
tert sie nur oberflächlich durch, um ein paar Namen auswendig zu lernen und einige Schlagworte zu behalten. Jene
drängt sich mit ihrem Wissen niemals vor, sie spricht nur
aufgefordert, wenn es die im Alltagsleben selten vorkommen-
den Situationen gestatten. Diese aber versteht es mit We-
nigem zu brilliren und das Gelesene hurtig aufzutischen, so
daß sie von den halbgebildeten Gecken, die sie umgeben, wie
eine moderne Staël gepriesen wird. Die Eine kann sich eines
Glücks, das sie in stiller Brust verbirgt, freuen, die Andere
15*

findet jeden Genuß unvollkommen, der in der großen Welt keinen lärmenden Wiederhall erzeugt.

Dieß Wesen, welches ihr Onkel für eine fleißige Schülerin und Horsky für ein halbes Kind hält, trägt, wie wir wissen, seit ein paar Monaten eine tiefe Liebe heimlich im Herzen. Tag und Nacht träumt sie von ihr, und während ihre Finger im englischen Wörterbuch so flink nachsuchen, irren ihre Gedanken sehnsüchtig in einer Zauberwelt umher.

Am Neujahrstage war in Solm's Geschäft ein junger Mann eingetreten, der von einem Pester Hause sehr warm empfohlen worden war. Obwohl erst ungefähr vierundzwanzig Jahre alt, bekundete er eine solche Geschäftskenntniß, solche Gewandtheit und solchen Eifer, daß ihn Solm in wenig Wochen zum ersten Buchhalter und im Falle seiner Abwesenheit zum freidisponirenden Stellvertreter erhob.

Der junge Mann sah so gewinnend, so interessant aus, er hatte etwas so Kräftiges, Männliches, Vornehmes, daß Bertha eine stille Neigung für ihn gefaßt hatte, ehe ihr noch bekannt war, welche vortreffliche Eigenschaften er in seinem Berufe besitze. Bei der ersten Begegnung Beider schien auch er von Bertha entzückt. Ohne viel zu fragen, wer sie sei, verliebte er sich in sie, und bald darauf bestand zwischen Beiden ein heilig beschworener Liebesbund. Der Umstand, daß sie sich nur höchst selten sehen konnten, schien das Feuer mit Sturmesmacht anzufachen, und es wuchs, bis es nicht mehr auszulöschen war.

Wenn Solm zu Tische kam, überfloß er von Lobeserhebungen, so oft die Rede auf den jungen Buchhalter kam. Er ahnte nicht, wie er damit eine heimliche Liebe im Herzen seiner Nichte befestigte und wie Bertha, während sie gleichgültig zuzuhören schien, seine Worte mit innigster Freude einsog.

An dem heutigen Nachmittage hatte Bertha nicht lange bei ihrem Wörterbuche gesessen, als Jemand in's Nebenzimmer eintrat. Sie glaubte, es sei ihr Onkel, der von seinem Ausgange zurückkäme.

„Onkel!" rief sie, indem sie in's andere Zimmer sprang; aber wie groß war ihr Erstaunen, als sie dort den Geliebten fand.

„Ich suche Ihren Oheim, mein Fräulein," redete er
sie an.

„Nicht mich — ich kann mir das denken!" gab Bertha mit
einiger Empfindlichkeit zur Antwort. „Ich hätte nicht geglaubt, daß es Ihnen mit Ihren Rücktrittsgedanken so furchtbarer Ernst ist!"

„Bertha," flüsterte er, „erschweren Sie mir nicht einen
Entschluß, der Ihnen heilsam, der nothwendig ist!"

„Ich sehe," versetzte Bertha, „daß Ihr Ehrgeiz größer
als Ihre Liebe ist!"

„Glauben Sie," erwiderte er, „daß mich der Entschluß
wenig kostet? Reden Sie mir nicht lange zu, wenn ich nicht
einem Rückfall erliegen soll!"

„Sie haben ihn nicht zu befürchten," antwortete Bertha.
„Seitdem ich in Karlsbad war, ist eine Verwandlung mit
Ihnen vorgegangen. Untreue will ich es nicht nennen, aber
eine Erkaltung ist es gewiß!"

„Sie kränken mich!" sagte er. „Sie wissen nicht, wie es
in mir aussieht! Wie mein Herz gegen meinen Verstand em-
pört ist! Seit ich lebe, war meine Kraft auf keine gleiche Probe
gestellt. Ich liebe Sie, ich bete Sie an, ich werde mich ewig
an diese Leidenschaft erinnern, aber meine Pflichten gegen Sie
verletzen werde ich nie! Ich sehe Conflicte entstehen und kommen, die uns vielleicht wider Willen auseinanderreißen.
Was bin ich, was habe ich erreicht, um diesen Kampf siegreich
zu bestehen? Sie selbst sind nicht so gestellt, daß Sie die
Großmuth Ihres Onkels verschmähen dürfen, und dieser bietet
Ihnen, wie wir Beide gut durchschauen, einen Bund an, der
uns feindlich ist!"

„Sie meinen Horsky!" unterbrach ihn Bertha laut und
heftig. „Ich schwöre Ihnen, eher werde ich eine graue Schwester,
eher werde ich mich in die strengste Klosterhaft als eine Bar-
nabiterin auf den Hradschin begeben, als jemals Diesen zum
Manne nehmen!"

„O Bertha," rief er mit Enthusiasmus, „Sie haben den
Muth einer Heldin! Aber das Schicksal pflegt so selten solche
hochherzige Aufwallungen zu beachten!"

„Ihr Muth dagegen," sagte Bertha, „ist aus der Verzweiflung geschöpft. Der Kleinmüthige zittert vor Opfern. Wen ich liebe, der hat mir Alles gegeben, wenn er mich liebt!"

Sie sprach es mit einem unwiderstehlichen Feuer, so daß sein trauererfülltes Herz plötzlich vor Bewunderung lachte.

„Bertha, liebstes Mädchen!" rief er, „ich nehme den Freudenkelch wieder aus Ihrer zauberischen Hand und setze ihn an meine durstenden Lippen! Das ganze Weltmeer sollte zwischen uns liegen, damit ich meinen Entschluß ausführen und nicht mehr umkehren könne!"

Er schloß sie mit stürmischem Ungestüm in seine Arme, während Bertha, tief bewegt und zugleich vor Freude strahlend, zu ihm aufblickend, lächelnd sagte:

„Treuloser, Dein Abfall ist vollständig mißlungen!"

„Ich verdiene es," gab er zur Antwort, „daß mich Dein schöner Mund verhöhnt! Da ich aber einer guten Sache willen zum Rebellen geworden, so begnadige mich!"

„Nein," rief sie mit einer ernsten Schelmenmiene, „so schwach will ich nicht sein! Du sollst zur Strafe in meinem Herzen in lebenslänglicher Haft sitzen!"

„Jede Strafe," rief er, „nur nicht die Verbannung, und schicktest Du mich auch von hier in das schönste Land!"

Ein Geräusch, das von draußen herüberbrang, weckte die Glücklichen, von der Exaltation der Liebe Verschlungenen aus dem süßen Traume.

Mit einem raschen, aber heißen Kuß auf die kleine weiße Hand verließ der junge Mann das Zimmer, während sich Bertha auf ihren vorigen Platz setzte und bei der ersten Berührung ihres Wörterbuchs sich wieder in eine fleißige Schülerin verwandelte.

Der junge Mann begab sich in's Bankgebäude, um dort ein Geldgeschäft abzumachen. Die Wolken, die seit einiger Zeit den Himmel seines Glücks umlagert hatten, waren verschwunden, und nur hie und da in hoher Ferne schwebte eine Flocke dahin, aber von Strahlen vergoldet.

Die Liebe zu Bertha Wahlmuth war wie ein Rausch über ihn hereingebrochen; ehe er zum Bewußtsein gekommen, daß er liebe, war die Leidenschaft Meisterin über ihn. Nach und nach aber wagten sich seine Vernunftgründe hervor, und als

Bertha nach Karlsbad gezogen war, drängte sich ihm, da er vom Zauber ihrer Nähe entfesselt war, die Frage gebieterisch auf, welchem Ziele er die Geliebte entgegenführe? Die nüchterne, trostlose Antwort, die sein Verstand darauf ertheilte, warf seine Hoffnungen zu Boden. Seine Eltern, die er vor Jahren verloren, hatten ihm nichts zurückgelassen, um seinen Lebens= weg zu ebnen. Ihm waren nur durch angeborenes Talent, das eine gute Erziehung gereift, und durch Weltkunde, die er sich jung auf langen Irrfahrten erworben, Waffen und Werk= zeuge in die Hand gegeben worden, sich eine Bahn zu brechen und, wenn ihn das Glück begünstigte, ein Mann seiner Thaten zu werden. Dieser Mission war er sich klar bewußt und hatte sie in keiner Lage aus den Augen verloren. Er hatte das Leben frühzeitig als einen Kampf kennen gelernt, und diese ernste Auffassung leitete alle seine Handlungen, ohne daß ein lieblicher Ruhepunkt, der sich ihm dargeboten, vermocht hätte, die Triebfeder seines vorwärtsstrebenden Geistes zu erschlaffen. Ein angeborener Muth, den kein Hinderniß beugte, verlieh ihm eine starke Ruhe und festes Vertrauen, ohne ihn jemals in unbesonnene Wagethaten zu stürzen, denn dieser Muth war von einem umsichtigen Willen beherrscht. So war er auch von jenem Dünkel, welcher jeden Erfolg, den er braucht, schon im Voraus mit lauter Anmaßung sein nennt, vollkommen frei; er war im Gegentheil aller ver= hängnißvollen Zufälle gewärtig, welche sich so oft den bestge= leiteten Absichten quer in den Weg legen.

Daß er es über sich gebracht, seiner Bertha entsagen zu wollen, war nicht Kleinmuth, sondern die Einsicht in schwer zu bewältigende Hindernisse, es war ein Versuch, sich auf Kosten seines Herzens von einer Fessel frei zu machen, die ihn in der Verfolgung seiner Laufbahn hinderte, und zugleich ein edles Opfer, einem zweiten Wesen dargebracht, das er mehr liebte als sich selbst, und für welches das Schicksal zu freigebig gesorgt zu haben schien, als daß er es auf seinen schwankenden Kahn locken und allen Wellen und Wettern aus= setzen sollte. Die Leidenschaft siegt und das Glücksvertrauen, er ladet die schwere Verantwortlichkeit wieder auf seine Schultern und geht heiter vorwärts, aber die Zukunft wird zeigen, wie weit er kommt und ob er die süße Last nicht wieder absetzen und unter Thränen zurücklassen muß.

In ernste Gedanken verloren, aber von jener der Liebe eigenen Macht gehoben, schritt er durch die Straßen und das Menschengedränge, ohne einen der ihm Begegnenden zu beachten. Er bemerkte daher auch nicht, als er eben in das große Thor des Bankgebäudes einzutreten im Begriffe war, daß er von einem Manne, der ihm entgegenkam, auf höchst auffallende Weise fixirt wurde. Dieser Mann, ein Vierziger, hatte eine Tracht, die zwischen der Kleidung eines armen Städters und eines Landbewohners schwankte. Sein Gesicht war nichts weniger als einnehmend, es war pockennarbig und hatte eine stark gelbsüchtige Farbe, ein breiter, schwarzer, ungepflegter Backenbart umgab es wie ein Rahmen und zwei unruhige Gauneraugen bewegten sich darin. Dieser Mann sah ihm nach, als er im Corridor verschwand, that ein paar Schritte in's Haus hinein und blieb dann am Thore stehen, wie wenn er seine Rückkehr erwarten wollte.

Der junge Mann ging die Treppen des Bankgebäudes hinauf. Die Amtsstunden waren längst vorüber, ihn aber führte sein Weg in das Cabinet des Directors, der für ihn zu dieser Zeit immer zu sprechen war. Der junge Mann meldete, inwiefern sich sein Chef an dem neuen Anlehen betheiligen wolle, leistete Einzahlung und nahm ein Bündel Obligationen in Empfang. Beide geriethen in ein langes Gespräch über die schweren Finanzkrisen des Landes.

So verging wohl eine Stunde. Der Mann unten auf der Gasse wurde unruhig und strich im Corridor bis an die Treppen herum.

„Er war's! er war's gewiß!" murmelte er auf Böhmisch. „Wie lang' hab' ich ihn gesucht! In allen Gassen, auf allen Plätzen. Er bleibt lange, aber ich lasse ihn nicht los!"

Endlich kamen Schritte heran. Es war der junge Mensch, der herabkam. Er hatte den Oberrock, in welchem er sein Portefeuille verwahrt, zugeknöpft und sah sich im Thorweg nach einem Fiaker um, der ihn heimbringen sollte.

Da näherte sich ihm der Mann, der ihn so ungeduldig erwartet, und zog den Hut.

„Ja, Sie sind es!" sagte er lebhaft. „Ich täusche mich nicht! Sie haben sich in den zwei Jahren fast gar nicht verändert! Das freut mich! Ich erkenne Sie an Ihrem gelockten Haar, ich erkenne Sie an dem kleinen Schnurrbärtchen, an dem werthvollen Siegelring, an Ihrer goldenen Uhrkette! Kennen Sie mich denn nicht mehr?"

Der Angeredete fühlte sich durch diese eigenthümliche Anrede, die ihn übrigens sehr überraschte, in eine beinahe heitere Stimmung versetzt und betrachtete sich seinen Mann. Die ganze Gestalt war abstoßend häßlich, die heisere Stimme geradezu antipathisch. Die Lebhaftigkeit des Worts und der Geberde, mit der er seine Erkennungsscene vortrug, wäre eines Blutsverwandten würdig gewesen, während doch das Aussehen des Menschen und die Art, wie er sein Signalement hersagte, an den Eifer eines spionirenden Polizeimanns erinnerte.

„Ich entsinne mich Ihrer nicht," lautete die Antwort. „Ich kann nicht einmal sagen, daß Sie mir bekannt vorkommen!"

„Das glaub' ich," rief der Andere, „die Zeit war zu kurz. Ich bin der ehemalige Hausmeister aus der Smetschka. Zabera ist mein Name."

„Sie sind —" sprach Jener langsam, während eine finstere Erinnerung über sein Gesicht hinfuhr.

„Ich bin der Hausmeister," sagte Zabera, „bei dem Sie nach dem Rath Eschburg fragten — gerade an dessen Begräbnißtage! Hier," er zeigte auf seine Stirne, „sitzt ein Gedächtniß, das jedem Gelehrten Ehre machen müßte!"

„Das war ein schrecklicher Tag!" rief der junge Mann, indem er den peinlichen Eindruck, der sich in seinen Zügen verrieth, zu verbergen suchte.

„Ich habe Sie gleich erkannt," sprach Zabera weiter. „Glauben Sie mir, daß ich mich hundertmal umgesehen habe, wenn ich durch die Straßen ging, ob ich Sie nicht irgendwo entdeckte! Waren Sie die ganze Zeit über in Prag?"

„Nein," war die Antwort. „Ich bin damals gleich abgereist und befinde mich erst seit diesem Neujahr wieder hier."

„Seht einmal!" rief Zabera frappirt. „Dacht' ich mir's doch immer! Sie wußten nichts vom Tode, Sie wissen sicher auch nichts von der Erbschaft?"

„Die hat Niemanden reich gemacht!" warf der junge Mann hin.

„Nicht?" rief der Mensch, ein gemeines Gelächter, das aus Hohn und Schadenfreude bestand, loslassend, so laut, daß er sich mit den Händen auf die Kniee stemmen mußte. „Da sind Sie schön berichtet! Wenn Sie nicht so reich sind, daß Ihnen das eine Kleinigkeit ist, dann muß ich Sie gerade für einen solchen Pechvogel halten, wie ich selber bin! Dumm bin ich und redlich, denn redlich ist dumm!"

„Welches Recht hätte ich," sprach der junge Mann, der einiges Interesse an der Sache zu nehmen anfing, „auf jene Erbschaft? Ich bin nur ein Seitenverwandter —"

„Welches Recht?" rief Zabera höhnisch. „Welches Recht hatten die Leute, die gar nicht mit ihm verwandt waren, ihn zu beerben? He! Man muß sich das Recht machen! Versteht man das, dann halte ich es für das beste Recht und die Tasche spürt's!"

„Sie werden doch im Irrthum sein," war die Antwort, „wenigstens was die Größe des Erbbetrags betrifft. Ich weiß bestimmt, daß der Rath Eschburg nur von seiner Pension lebte. Er hat es mir oft gesagt."

„Lirum, larum!" rief Zabera. „Warum ließen sich das die vier Kerle, die ihn beerbt haben, nicht von ihm einreden? Die haben es besser gerochen als wir! Jetzt leben sie vom Capital und spielen die Cavaliere!"

„Wer sind die Leute?" fragte Jener mit steigender Neugier, entschlossen nachzuforschen, ohne sich den Schein zu geben, daß er mit dem Gesellen, den ihm das Schicksal zugeführt und an welchem das Drollige das Widrige milderte, sich tiefer einlasse.

„Das kann ich Ihnen gleich sagen," erwiderte Zabera. „Der Eine, Kral mit Namen, war ein Schwerenothsdoctor; der Zweite ein Farbenklerer, er malte den ganzen Tag, aber Niemand wollte das Gemalte kaufen; der Dritte war ein ausgemachter Faullenzer, Kunosch mit Namen; endlich der

Vierte, und ich glaube der Gescheidteste, war Jurist. Ich sage Jurist! Verstehen Sie, wo ich hinaus will?"

„Ich kann es mir nicht denken," sagte der junge Mann.

„Sie müssen noch viel Schulgeld bezahlen," versetzte Zabera, „wenn Sie das nicht begreifen! Ich meine —" er näherte sich dabei vertraulich — „deshalb schaute ich seit zwei Jahren in allen Straßen umher, um Sie zu finden, das ist eben, was mir bei meiner Rechtlichkeit so schwer auf dem Herzen liegt — ich meine, ein Jurist ist ein Jurist, versteht tausend Kniffe, sagt den Leuten, wenn sie noch am Leben sind: das ist Euer, aber nach diesem Paragraph ist es mein! Verstehen Sie mich noch nicht?"

„Ich fange an zu begreifen," antwortete der junge Mann, nachdenklich zu Boden blickend, ohne aber recht zu wissen, was er davon denken solle.

„Da meine ich," versetzte Zabera, „ein Sterbender läßt sich noch leichter an der Nase herumführen. Man bespricht sich, man sitzt die ganze Nacht am Krankenbett; wenn es zur Reige geht, zieht man ein gefälschtes Testamentchen aus der Tasche und legt es in die Schublade, das Gericht versiegelt es, der alte Mann hat keine Seele, die ihn kennt — und die Spitzbüberei hat ihr Meisterstück gemacht!"

„Und diese vier Menschen," sprach der junge Mann, der sich erst jetzt mit Ernst zu betheiligen begann, „sind unmittelbar nach dem Tode des Rathes zu vielem Gelde gekommen?"

„Freilich!" rief Zabera, „freilich! Sie machen auch kein Hehl daraus. Sie prahlen den Leuten in's Gesicht. Geld ist dagewesen, mein Lieber, viel Geld!"

„Können Sie mir," fragte Jener, „die Wohnung eins der Vier angeben?"

„Gewiß!" gab Zabera zur Antwort. „Die von Kral kenne ich, wo die Uebrigen stecken, weiß ich nicht, weil ich seit achtzehn Monaten auf dem Lande lebe. Aber haben Sie den Einen, so finden Sie sie Alle. Der Doctor Kral wohnt neben dem Wenzelsbade — das zweite oder dritte Haus, Jedermann sagt es Ihnen, es ist ein verfallenes Haus, da wohnt er ganz allein. Gehen Sie hin und packen Sie die

Sache recht an! Sie, als Seitenverwandter, sind sogar ver=
pflichtet, nachzusehen!"

„Sollte Alles sich wirklich so verhalten, wie Sie sagen?"
bemerkte Jener mit neuen Zweifeln.

„Hm!" rief Zabera ungeduldig. „Was hab' ich davon,
Sie abzupassen und anzutreiben? Was hab' ich davon und
wenn Sie das ganze Geld kriegen? Kaum ein Trinkgeld!
Ich will aber Gerechtigkeit! Deshalb kümmere ich mich darum.
Doch sagen Sie mir, wo Sie wohnen, daß ich Sie finde,
wenn ich wieder in die Stadt komme!"

„Ich werde mich hier nicht lange aufhalten," sagte der
junge Mann ausweichend, „doch seien Sie gewiß, daß, wenn
Ihr Verdacht gegründet ist und die Sachen sich so verhalten,
mein Dank nicht ausbleibt. Wie heißen Sie und wo wohnen
Sie?"

Er zog bei dieser Frage sein Schreibtäfelchen hervor.

„Ich heiße Franz Zabera," war die Antwort, „und wohne
in Tiboretz. Mein Weib hat dort das Haus von ihrem
Vater geerbt, oder besser gesagt: eine Hütte, die nur dazu
gut ist, daß es uns nicht auf die Köpfe regnet. Packen Sie
die Sache also fest an, es ist Ihr eigener Schaden, wenn Sie
von den vier Spitzbuben ausgelacht werden! Gott behüte
Sie!"

Er reichte die Hand hin und ging seines Weges. Am
liebsten wäre er mit einem Sprung zu seinem Weibe ge=
flogen, um ihr zu erzählen, welches Strafgericht er über die
verhaßten Vier heraufbeschworen habe.

Der junge Mann blieb lange nachdenkend auf der Stelle
stehen, wo das Gespräch stattgefunden hatte. Zabera's Mit=
theilung schien den tiefsten Eindruck auf ihn gemacht zu haben.

Er war der vom eigenen Vater todtgeglaubte Sohn des
verstorbenen Raths — Victor Eschburg.

———————

Viertes Kapitel.

Ein Einfall Zabera's.

Gesenkten Hauptes und, wie ein Betrunkener, halblaute Worte zu sich murmelnd — freudetrunken war er ja — schritt Zabera dahin. Es war bereits dunkel geworden. Im Hofe der Kaserne auf dem Josephsplatze wurde der Zapfenstreich geschlagen; Zabera hört nichts davon, er eilt durch das Menschengedränge, das die Zeltnergasse füllt, achtlos dahin. Hier läuft er einem Soldaten, der heim eilt, in den Weg, dort rennt er beinahe einen Bürger um, der mit Weib und Kind vom Spaziergange heimkehrt — er achtet es nicht, steckt alle Flüche und Beleidigungen, die ihm zu Theil werden, ruhig ein und fährt fort mit sich zu reden:

„Den vier Kameraden hab' ich's eingetränkt! Die werden in ihrem Schmausen und Jubiliren gestört werden! Auf die hab' ich einen Hund losgelassen, der wird sie fassen, wo sie's nicht vermuthen! Sie sind sorglos; denken, der Verwandte ist in die Welt gegangen und wird vom Geld des Alten nie 'was erfahren! Da ist er nun, ich hab' ihn aufgefunden, und er läßt sie, nun da er weiß, daß etwas zu holen ist, gewiß nicht los! Da müßte ich die Menschen nicht kennen! Aber ob er den Proceß gewinnen kann? Ob die Vier das Erbe wieder herausgeben müssen? Ich weiß nicht! Ich weiß nicht! Eins aber ist gewiß: sie werden in schöner Angst zappeln! Und nun weiß ich auch, was ich zu thun habe! Ich will mir den Spaß machen und ihnen sagen, was sie erwartet!"

Er lenkte plötzlich von seinem Wege, der zum Augezerthor hinausführte, ab, um sich das teuflische Vergnügen zu gönnen, Kral und seine Genossen in Schrecken zu setzen, und sagte noch lauter zu sich:

„Ja, ich gehe, ich gehe! Ganz allmählich will ich's dem

Kral beibringen, wie wenn ich sein bester Freund wäre! Den
Schreck auf seinem Gesichte zu sehen, wird mir ein Hochgenuß
sein! Das wird auch mein armes Weib freuen, wenn ich's
ihr erzähle."

Von da ab wandert der finstere Geselle am Roßmarkt
vorbei, dem majestätischen Viereck, das weit hinan im Schein
der Gaslampen glänzt, geht die breite Gasse hinauf und er=
reicht den Karlsplatz, eine Gegend, wo die Stadt einen öden,
desolaten Charakter annimmt. Große Gebäude, das Criminal=
gericht, das Militairspital, nehmen einen großen Theil eines
weiten, ungepflasterten, theilweise hügeligen Platzes ein, in
dessen Mitte, fast unscheinbar wie ein Schutthaufen, eine kleine
Gruppe elender, baufälliger Häuschen steht. Unweit von
diesem Ruinenhaufen, aus einer bretternen Reiterbude blitzen
Lichter, bringt der gedämpfte Ton der großen Trommel und
das Schmettern des Horns herüber.

Mehrere verspätete Fußgänger und einige Fiaker mit
lustigen Gästen, Officieren und Civilisten, eilen in diese
Richtung. Es ist heute die Benefizvorstellung einer beliebten
Reiterin.

„Musik in allen Ecken!" ruft Zabera. „Dort in der
Bude, hier in den Brauhäusern! Es ist, als ob alle Men=
schen sich freuten! Nun, auch ich will mich freuen, will mein
Glas trinken, wenn ich mein heutiges Tagewerk gethan
habe!"

Doch da kommt etwas, das ihn auf andere Gedanken
bringt und offenbar sehr interessirt. Es ist ein langer Zug
von Zuchthäuslern in grauen Kitteln, die kettenklirrend zwischen
ihren Wächtern dahinschreiten, welche das Gewehr mit auf=
gepflanztem Bajonnet auf den Schultern tragen. Der Trupp
biegt in die nebenanmündende Straße ein, in welcher das
Strafhaus steht, und Zabera folgt, mit ihm Schritt haltend,
wie ein Volontär. „Dort springt der Bajazzo," ruft er, „und
hier schleppen sich die mit den Ketten! Dumme Kerle!
haben es täppisch angestellt, haben mit zu plumpen Fingern
zugegriffen! Arme Kerle, gewiß alle armer Leute Kinder!
Hätten ohne Magen auf die Welt kommen sollen! Von denen,
die dort in's Theater fahren, werden auch Viele nicht besser

sein, aber sie haben Bildung, wissen es anzugreifen! So geht's auf der Welt!"

Die Sträflinge ziehen in ein Haus ein, das mit seiner breiten, weitgedehnten Front dahersieht, Zabera hört den letzten Ton der Ketten verklingen und wandert nun durch eine breite und menschenöde Straße am Wenzelsbade vorbei, wo in einem weiten, fast immer einsamen Garten eine ruhe= lose Quelle rauscht. Von hier zu Doctor Kral's Wohnung ist nicht weit. Ihm gehört seit einem Jahre das kleine, graue, verfallen aussehende Haus fast am Ende der Straße.

„Ist der Herr Doctor zu Hause?" fragte Zabera eine alte Frau, die unter der Hausthüre stand.

„Nein," erwiderte die Alte, welche die Magd des Doctors war. „Ihr könnt ihn auch heute nicht sprechen. Morgen erst zwischen Zwei und Vier!"

„Die Sache ist dringend," sagte Zabera, „und dabei geht sie mich gar nichts an. Ich bin nicht krank, ich will nichts vom Doctor, ich will ihm einen Gefallen erweisen. Ich bin auf dem Smichow im Quartier und lasse mir den langen Weg nicht gereuen, um ihn zu sprechen. Ich will ihm nützlich sein."

„Ei, geht!" sagte die Alte, „Euch steht es nicht im Ge= sichte geschrieben, daß Ihr einen langen Weg macht, um Einem zu dienen. Geht nur wieder! Der Doctor kann bald, er kann aber auch lange nicht kommen. Morgen zwischen Zwei und Vier in der Ordinationszeit steht seine Thür Allen offen."

„Aber wer sagt mir, ob ich morgen Zeit habe?" entgeg= nete Zabera, „oder die Laune, hülfreich zu sein? Ich bin nicht von hier, ich bin vom Lande und gehe bald wieder zurück. Ich war einst ein Diener des Doctors —"

„Wohl damals, als er noch in der Smetschka wohnte?" fragte die Alte. „So, so! Dann kenne ich Euch! Ich hab' von Euch gehört. Hab' mir's fast gedacht, als Ihr hier vor= getreten seid!"

„Wirklich?" fragte Zabera. „Ist der Doctor jetzt so mit= theilsam, daß er von so unbedeutenden Dingen spricht?"

„Wenn Ihr Der seid," antwortete die Alte, ohne auf diese Frage näher einzugehen, „dann weiß ich nicht, ob Euch der Herr gerade sehr freundlich empfangen wird. Kommt morgen."

„Nun denn auf morgen!" sagte Zabera, als ihm die Thüre beinahe vor der Nase zugeschlagen wurde.

„Seltsam," sagte er zu sich, als er wieder auf der Gasse stand, „mir muß etwas im Gesichte geschrieben stehen, das die Leute vor mir warnt! Mir hat noch Niemand etwas Gutes zugetraut, seitdem ich auf der Welt bin... Soll ich's wirklich auf morgen lassen? Nein, besser ist's, ich spreche ihn heute!"

Er begann in der Nähe des Hauses herumzustreichen. Allenthalben wurden die Thüren geschlossen, die Läden zuge= riegelt und die Lichter ausgelöscht. Die Uhr schlug mehrere Viertelstunden, und nur die noch andauernde Erregung hielt den Hausmeister fest. Da kam aus dem kleinen Gäßchen, das hinter dem Wenzelsbad in die Tiefe gegen Podskal herführt, ein Mann heraus und ging gerade auf das einstöckige Haus los.

Es war Kral, der Hausmeister erkannte ihn sogleich an seinem Gange.

Er kam daher mit der gesenkten Haltung des Kopfes, welche die Gewohnheit des Nachdenkens erzeugt, mit den raschen Schritten, wie es seinem innerlichen, stürmischen Wesen entsprach, mit dem Anschein der Müdigkeit, wie sie bei ge= plagtem Leben natürlich. Das bleiche Gesicht, von den langen, schwarzen Haaren umgeben, hatte beim Sternenlicht den Ausdruck eines tiefen, unheimlichen Ernstes.

Zabera blieb vor ihm stehen und zog den Hut, eben als der Doctor mit der Hand nach der Klingel greifen wollte.

Kral war nicht wenig erstaunt, den Hausmeister von ehedem vor sich zu sehen, den er, so oft er sich seiner im Ge= spräch mit den Freunden erinnerte, die widrige Amphibie zu nennen pflegte.

„Was, Sie leben noch?" redete er ihn an.

„Mein Gott," versetzte Zabera, über Kral's unfreundliche Miene betroffen, „soll ich denn schon todt sein? Freilich, ich war sehr krank! Es ist ein schreckliches Uebel, die Gelbsucht! Ich wurde gelb, ich wurde grün, zuletzt wurde ich fast schwarz!

Mir widerstand Alles: Speisen und Menschen, ich hatte einen
Efel an allen Dingen, ich sah die ganze Welt gelb — so
grüngelb, wie wenn man sich ein Stück Flaschenglas vor's
Auge hält! Das war mir von Allem am lästigsten, Herr
Doctor. Nun, es ist vorbei. Sie sind auch öfter zu mir
heruntergekommen, Herr Doctor, als mein armes Weib sie
rief und bat! Es war doppelt schön von Ihnen, daß Sie
famen, denn wir hatten ja kurz zuvor einen unangenehmen
Auftritt. Ich hab' noch meinen Dank abzutragen — meinen
Dank —"

„Lassen Sie das!" sagte Kral. „Ich hatte es mit der
Krankheit zu thun, nicht mit Ihnen."

„Das muß wohl so sein," sagte Zabera ironisch, „denn
Sie plagen sich auch mit der Krankheit, wo nichts heraus=
schaut — kein Groschen, kein Dank! Nun, ich bin nicht so,
ich hab' ein dankbares Herz! Ich weiß, daß Sie oft bei mir
gesessen sind, und wenn Ihre Medicinen mir auch nichts ge=
nützt haben, der Wille, zu helfen, war da! Ich ward erst
wieder ein Mensch, als ich auf's Land hinauskam. Der liebe
Gott hat mir geholfen! Auch mein Weib hat viel gebetet.
So bin ich aufgekommen, da mich schon die Aerzte aufgegeben
hatten!"

„Um Sie wäre es Schade gewesen!" rief Kral, sarkastisch
lächelnd, denn es schien ihm gar zu komisch, daß der Mensch
seine Genesung der besondern Fürsorge Gottes und dem
kräftigen Gebete seines edeln Weibes zuschreibe. „Denken Sie
übrigens nicht," fügte er mit seinem finstern Humor hinzu,
„daß ich nicht meinen Eigennutz hatte, wenn ich an Ihrem
Bette saß! Sie hätten mir, wenn es zum Aergsten gekommen
wäre, 'was vermachen müssen!"

„Ich 'was vermachen!" fragte Zabera. „Was hätte ich
armer Teufel Ihnen vermachen können? Ihnen, dem Herrn
Doctor, der jetzt so reich geworden ist?"

„Ihren Spitzbubenkopf!" erwiderte Kral. „Der sollte nicht
in der Erde verfaulen! Das wäre ein Stück für meine Schä=
belsammlung!"

„Gebe Gott!" erwiderte Zabera mit Beziehung, denn des
Doctors unschmeichelhafte Worte brachten sein Gift zum

er hat Kochen, „gebe Gott, daß andere Leute nicht größere Spitzbuben sind als ich! Ich weiß nicht, was Sie wollen! — Ich
komme in der besten Meinung zu Ihnen — ich wollte —"

„So so!" rief Kral; „also war mir von Ihnen ein Besuch zugedacht? Ich dachte, daß nur der Zufall Sie in diese
Gegend führte —"

„Keineswegs" sagte Zabera, „keineswegs! — Mein Weg
führt zum Augezer Thor hinaus. Ich komme in guter Absicht, lasse es mich einen langen Weg kosten — und das ist
mein Lohn!"

Er stellte sich, als ob er wieder gehen wollte.

„Ihre gute Absicht!" rief Kral höhnisch. „Offen gesagt,
Euch traue ich nichts Gutes zu. Packt also Eure gute Absicht
wieder ein und geht, woher Ihr gekommen seid! Scheert Euch!"

Er wollte die Klingel ziehen und in's Haus eintreten.

„Sie sollen es bereuen, so mit mir zu sprechen!" geiferte
Zabera. „Ich wollte Sie und Ihre Freunde warnen. Ein
Sprichwort sagt: daß noch nicht aller Tage Abend ist! Sie
sollen sehen, was das heißt. Ich habe eben Herrn Eschburg
gesprochen —"

Bei der Nennung dieses Namens fixirte Kral den Re-
denden zum ersten Mal mit einer Aufmerksamkeit, die Zabera für eine Regung des Gewissens hielt.

„Herr Eschburg," fuhr Zabera ermuthigt fort, „ist der
nächste Verwandte des verstorbenen Raths, und zwar ein ganz
naher Verwandter. Er ist eigens nach Prag gekommen, um,
wie er mir sagte, die Testamentsgeschichte zu untersuchen. Ich
habe die Augen weit aufgerissen, als er sich über die Sache
ausließ. Ich bin zu dumm, zu unerfahren, zu treu, als daß
ich selbst einmal auf diesen Einfall gekommen wäre! Ich gestehe, daß ich es nicht glaube und auch nicht glauben werde,
bevor es vom Gericht abgeurtheilt ist!"

„Was plappert Ihr da!" sagte Kral befremdet.

„Das nennen Sie plappern?" versetzte Zabera frech; „es
ist von etwas die Rede, was in's Zuchthaus bringt! Das
nennen Sie plappern? Herr Eschburg will Ihnen sagen, wie
es beim Testament hergegangen ist! Mich geht es nichts an,
es zu verantworten! Er behauptet, das Testament sei gefälscht!"

Er hatte das Wort kaum ausgesprochen, als er von Kral's fester Hand am Kragen gefaßt und an die Wand des Hauses geworfen wurde.

„Lump!" sagte der Doctor ernst und ruhig, „wagt nicht wieder, mir unter die Augen zu kommen! Gegen Leute, wie Euch, giebt's schon noch Mittel auf der Welt!"

Er ging in sein Haus, dessen Thüre sich schloß. — —

Abends bei der Lampe, in seinem Stubirzimmer dachte der Doctor wohl noch über die seltsame Begegnung nach, aber er legte ihr keine besondere Bedeutung bei. Er nahm zwar an, daß der Hausmeister einen Verwandten des Raths gesprochen haben könne, stellte aber die gefährlichen Absichten desselben ganz auf die Rechnung dieser giftgeschwollenen Zunge.

Er dachte sogar nicht daran, den Freunden, von denen Horsky und Wildengrün in Prag lebten, den Vorfall mitzutheilen.

Fünftes Kapitel.

Schwiegersohn und Schwiegervater.

Graf Wellenburg hatte sein Hoflager im Gasthofe zum schwarzen Roß aufgeschlagen, welcher dem Rosenstern'schen Hause beinahe gegenüber lag. Er hatte den Gasthof nicht deßhalb gewählt, weil er etwa der eleganteste und comfortabelste war, oder weil er dort, wenn er an's Fenster trat, den Gegenstand seiner Liebe in Schußweite hatte, sondern weil derselbe für das uralte Absteigequartier des hohen Adels galt und eine vornehme Tradition für sich hatte.

Der Sprößling Lothar's von der Wellenburg wohnte sehr

16*

bescheiden und hielt sich sehr wenig zu Hause auf. Sein Zimmer war eigentlich nur das Hauptquartier, aus welchem er mit seltener Unermüdlichkeit bald da, bald dorthin Streif= züge machte, um heute ein feines Diner, morgen ein großes Souper einzunehmen.

Es fehlte ihm nie an Einladungen, um so mehr, als er in Prag und Wien bekannt war und in früheren Jahren in beiden Städten längere Zeit gelebt hatte. Er fühlte auch eine unermeßliche Vorliebe für Oestreich. Diese entsprang nicht etwa aus der Sympathie mit den Regierungsgrundsätzen des Kaiserstaats und aus Geschmack am dortigen Volksleben. Sie ging nur aus dem Umstande hervor, daß es in Oestreich einen sehr reichen Hochadel giebt, bei welchem die Küche noch in hohen Ehren steht. Der edle Graf sympathisirte aber auch trotz seiner hochtorystischen Ueberzeugungen mit einem auser= wählten Theil der Bürgerlichen. Diese wenigen von ihm Be= vorzugten waren Männer, die, beim Handel oder an der Börse reich geworden, ihren Stolz darein setzten, wenigstens an der Tafel mit hochgeborenen Herren umzugehen, und diesen Triumph mit Hülfe ihres Kochs glücklich davontrugen. Der Graf war in diesem Punkte über confessionelle Vorurtheile erhaben. Er hatte sogar eine Vorliebe für die Häuser der jüdischen Aristo= kratie und hätte nie einen Unterschied zwischen Christen und Juden gemacht, wenn das jüdische Volk ausschließlich aus großen, dinergebenden Bankiers bestanden hätte.

Auf diese Weise verging kein Tag, an welchem der Nach= komme Lothar's nicht eine Einladung erhielt und zugleich eine andere ausschlagen mußte. Von dieser Seite betrachtet, war es eine große Bevorzugung, auf welche sich Herr von Rosen= stern nicht wenig einbilden konnte, daß der Graf die ersten drei oder vier Tage nach seiner Ankunft ausschließlich bei ihm aß und trank und ihm somit nach Kräften behülflich war, den magern Ueberrest seiner Finanzen mit fabelhaftem Appetit zu vertilgen. Die Leidenschaft pflegt sonst den Magen der Liebenden zu schwächen, bei dem Grafen wirkte sie ausnahms= weise als ein kräftiges Reizmittel.

Erst als Herr von Rosenstern in Folge seiner Besprechung mit Solm auf ein paar Tage nach Tiboretz gereist war, in welcher Zeit es also keine Soupers und Diners bei ihm gab, erfreuten sich auch andere Sterbliche des Vorzugs, den Grafen an ihrer Tafel zu sehen.

Er hatte in des Vaters Abwesenheit zwar der Tochter einige kurze Besuche gemacht; seitdem war er sonderbarerweise im Hause des Rentiers, der darüber sehr unglücklich war, zwei Tage nicht erschienen.

Ein Spötter wäre bald fertig geworden und hätte es sich rasch damit erklärt, daß der Graf auswärts eine noch feinere und reichhaltigere Azung gefunden habe. Nun ist es wahr, daß Wellenburg unübertrefflich gegessen hatte, aber man erinnert sich, daß ihn nicht die Kost, sondern die Liebe in's Rosenstern'sche Haus gezogen hatte. Sein Magen besaß allerdings eine fast autokratische Gewalt über ihn. Dennoch aber konnte es Collisionsfälle geben, in welchem der Graf Widerstand geleistet hätte. Hier aber gab es nicht einmal einen Collisionsfall, denn hätte der Graf nicht in einem Hause essen und im andern lieben können?

Sein Ausbleiben konnte nicht anders als ein Räthsel angesehen werden. Marie und ihr Vater begannen schon einen langsam vorbereiteten Abfall zu wittern. In Wahrheit aber befand sich der Graf, dem trotzdem Alles schmeckte, in einer schweren Krise seines Herzens. Er hatte sich vorgenommen, nicht eher in Rosenstern's Hause wieder zu erscheinen, als bis dieser Conflict ausgefochten sei.

Man erinnert sich, daß Graf Wellenburg am Tage seiner Ankunft in der Loge von den großen Entschlüssen sprach, die er in Karlsbad gefaßt habe. Weit entfernt an einen Abfall zu denken, beschäftigte er sich mit diesen Entschlüssen, welche nichts Geringeres bezweckten, als ob er Marien heirathen solle oder nicht. Er war bei seiner Ankunft eigentlich fest dazu entschlossen, als aber der Augenblick kam, die Erklärung abzugeben, brachen tausend versteckte Zweifel hervor, und er brauchte eine neue Bedenkzeit, um über den verhängnißvollen Schritt zu entscheiden. Daher vermied er es, das Mädchen zu besuchen, er fürchtete, und mit Recht, daß er von ihrer Zaubernähe beeinflußt werden könne.

Die Frage: ob sie ihn liebe und seine Hand annehmen

werbe, legte er sich gar nicht vor, sondern hielt sie durch ihr liebenswürdiges Entgegenkommen für erledigt und beantwortet. Der Stolz auf seine Abkunft, überhaupt sein größter und einziger Stolz, begriff nicht, wie irgend ein Bürgermädchen der Verführung widerstehen könne, Frau Gräfin Wellenburg zu werden.

Der Conflict lag anderswo. Er wurde von dem Ge= banken gequält, ob er denn wirklich sein abliges Vollblut durch die Verbindung mit einer Bürgerlichen trüben und der Erste seines Stammhauses eine allen Traditionen seiner Fa= milie so grell widersprechende That begehen dürfe. Der Graf war, wie man schon vielfach gesehen haben muß, ein sonderbarer Kauz. Die Adelsidee lag starr, einem feudalen Fossil vergleichbar, in ihm und beherrschte ihn fast gänzlich; sie hatte nur einen, freilich furchtbaren Gegner: seinen eigenen Magen. Alles, Herz, 'Kopf und Magen riethen ihm, die Heirath einzugehen, aber er schreckte davor zurück, es war ihm, als müsse er seinen Vorfahren Lothar fragen, ob er ihm auch seine Einwilligung gebe? Die Sache hätte allenfalls ihre bedenkliche Seite gehabt, wenn der Graf durch eine hohe Staatsstellung behindert oder an große Besitzungen fidei= commissarischer Natur gebunden gewesen wäre. Er war aber ein Privatmann und hatte kein einziges Fideicommiß, über= haupt gar keine Besitzungen. Sein Vermögen bestand in einer kleinen Jahresrente von ungefähr zweitausend Thalern. Nur Diejenigen konnten ihn für reich halten, die ihn nicht kannten und nicht wußten, daß das Haus Wellenburg in zwei Linien zerfalle, von denen die jüngere allerdings enorme Reichthümer besaß, die ältere aber, von unserem Grafen als letztem Sprossen repräsentirt, im Lauf der Zeiten ganz herab= gekommen war. Seinen Voreltern war schon seit dem dreißig= jährigen Kriege der berühmte Nirenring abhanden gekommen, und von da ab ging es mit ihnen immer tiefer berunter. Die Linie Wellenburg=Tannenhofen mußte ihn wohl durch List oder Gewalt errungen haben, denn sie war seitdem rasch und stätig emporgekommen. Unser Graf hatte eigentlich nichts als seine Legitimität und den freilich herrlichen Namen: Wellenburg=Nirenhausen.

Nach schwerem Kampf entschloß er sich dennoch, um Marie Rosenstern anzuhalten. Das viele Geld, das er mitzukriegen glaubte, hatte, wie man sieht, keinen unbedingt bestechenden Einfluß auf ihn. Er hielt eine halbe Million — und auf so viel schätzte er Rosenstern's Vermögen nach einer Andeutung Flittenbach's, der davon genau unterrichtet sein wollte — für eine höchst angenehme Sache, welche aber Derjenigen, welche sie ihm brächte, kein Vorrecht und keinen Vorzug gebe. Möglich, daß dieser Entschluß erst zur Reife gelangte, als er sich an Lothar erinnerte, welcher eine Nixe heirathen wollte, die ihm Proviant in die Festung geschafft. Was der Stammvater gethan, konnte der Enkel wiederholen. Ihm erschien die Nixe in Gestalt einer vermeintlich reichen Bankierstochter, um ihn in seiner Bedrängniß mit ihrem Capital zu retten.

Es war gegen Abend, als der Graf einen Besuch bei Herrn von Rosenstern zu machen beschloß. In dem Augenblicke aber, da er sein Zimmer verlassen wollte, erschien Herr von Rosenstern, den die Unruhe und Mariens Auftrag hingetrieben, bei ihm. Der Rentier war in einer elenden Stimmung. Er hatte heute Mittag erfahren, daß am gestrigen Tage — es war der 1. August gewesen — abermals keine Käufer bei der Versteigerung der Herrschaft Tiboretz erschienen seien. Er sah im Geiste, wie auf dem letzten Termin, der auf den 27. September firirt war, irgend ein Jude das schöne Besitzthum um ein Spottgeld erstehen und seine Hypothek mitverschlingen würde.

„Welch angenehmer Besuch!" rief der Graf, dem Rentier entgegen eilend. „Eben wollte ich zu Ihnen hinüberfliegen!"

Bei diesen Worten fiel Herrn von Rosenstern ein Stein vom Herzen.

„Lieber Graf," sagte er „wir haben Sie heute bei Tische erwartet. Marie hatte nämlich einen Traum, welchem sie, wider ihre Gewohnheit, eine große Bedeutung beilegte."

„So! so!" sprach der Graf. „Erzählen Sie doch den Traum!"

„Ihr träumte," begann Herr von Rosenstern, „wir hätten Sie zu Tische gebeten. Ehe aber die angesagte Stunde kommt, tritt die Moldau so furchtbar aus, daß das Wasser eine

Klafter hoch über den Graben läuft. Es ist aber kein Kahn zu sehen. Da plötzlich stößt etwas draußen an unser Haus. Marie blickt schnell zum Fenster hinaus. Was sieht sie? Sie, Graf. Sie kommen auf den schäumenden und tobenden Wassern am Hause an, gerade wie Lohengrin, in einer Muschel, von zwei Schwänen gezogen!"

„Sehr hübsch, sehr poetisch!" rief der Graf, über den Vergleich geschmeichelt und erfreut. „Und Fräulein Marie deutete den Traum buchstäblich? Weil ihr träumte, ich werde zu Tische kommen, glaubte sie, der Traum werde sich so einfach erfüllen? Sagen Sie im Ernst, hat sie keine andere Auslegung versucht? Offen, offen, theuerster Freund!"

„Ich hatte," versetzte Herr von Rosenstern, „die Deutung für sehr natürlich und ungezwungen gehalten. Warum wäre es denn nicht möglich gewesen?"

„Setzen Sie sich!" rief der Graf, den Rentier auf das Kanapee drängend. „Jetzt erzähle ich etwas, dann erst will ich Ihnen sagen, wie ich Träume deuten kann."

„Mit Vergnügen!" erwiderte Herr von Rosenstern und setzte sich.

„Ich schreite," begann der Graf, „ohne Umwege auf die Hauptsache los! Vielleicht ist es Ihnen nicht entgangen, welche tiefe Verehrung ich vom ersten Augenblick an für Fräulein Marie gefühlt. Diese Verehrung ist so groß, so innig, daß ich mir kein schöneres Loos denken kann, als das Bild Ihrer Tochter ewig vor Augen zu haben! Ich habe eine harten Kampf gekämpft und stehe endlich als Sieger vor Ihnen! Meine Standesbegriffe, Standesvorurtheile, wenn Sie wollen, sind gänzlich erlegen. Ich frage Sie nun als Vater und Freund: hätten Sie eine Einwendung zu machen, wenn ich um Fräulein Marien's Hand anhielte?"

Bei diesen Worten wäre Herr von Rosenstern beinahe vor Freude ohnmächtig geworden. Die Ueberraschung war gar zu groß! Er kommt her, auf den Abfall des Grafen gefaßt, und findet einen Schwiegersohn, der alle seine kühnsten Erwartungen realisirt!

„Herr Graf," stotterte er, nach Fassung ringend, „eine unendliche Ehre —"

„Ich glaube," meinte der Graf, siegesgewiß lächelnd, „von Fräulein Marie geliebt zu sein!"

„Dann, liebster Graf," rief Herr von Rosenstern, „dann meinen Segen! Ich werde stolz sein, Sie Schwiegersohn zu nennen! Sie stehen mir als Cavalier eben so hoch, wie als Charakter!"

Er fiel dem Grafen in die Arme, Einer war selig wie der Andere.

„Ihrer Zustimmung gewiß," sprach der Graf, „bitte ich Sie, Ihrer Tochter noch nichts zu sagen. Dies Amt werde ich selbst übernehmen."

„Wie Sie wünschen," gab Herr von Rosenstern zur Antwort.

„Lassen Sie sich auch sonst nichts anmerken," sagte der Graf. „Marie hat einen Falkenblick, der bis in die Tiefen der Seele dringt! Bis spätestens morgen werde ich mich ihr erklärt haben, und dann wollen wir zum Contract schreiten, eine bloße Formalität, auf der ich nur im Interesse Ihrer Tochter bestehe."

„Gut, gut," rief Herr von Rosenstern, mit Allem zufrieden und vor Freude über das unverhoffte Glück wie berauscht. Er wollte, konnte aber nicht sprechen. Der Umschlag war zu plötzlich, zu gewaltig, über jede Erwartung. Eine kleine Weile zuvor hatte er sich noch in der Angst seines Herzens das düsterste Bild von seiner Zukunft gemalt. Er sah noch eine kleine Reihe von Jahren vor sich, in welchen er, gleich= wie in den vergangenen, alle Anstrengungen und Anläufe machen würde, um Marie zu einer glänzenden Partie zu ver= helfen, ohne diese Anstrengungen von einem Erfolg gekrönt zu sehen, bis endlich der furchtbare Tag herankommen mußte, der ihm das Ende seiner luftigen Illusionen ankündigen und eine traurige Realität wie einen starren, kalten, unbewegbaren Felsen auf das Grab seiner übermüthigen Hoffnungen setzen werde. Eine so trübe Perspective eröffnete sich vor seinem besorgt nachsinnenden Geiste vor noch kaum einer Viertelstunde, er sah seine gegenwärtige Finanzklemme zu einer stabilen Finanznoth herangewachsen und seine einst beneidete, schöne Tochter von allen jungen Männern gemieden, das Gespött aller verheiratheten Freundinnen geworden, als alte Jungfer freudlos in einem verschollnen Winkel sitzen...

Ach, wie traurig war ihm da zu Muthe gewesen! Seufzer waren seiner Brust entstiegen, Thränen waren ihm beinahe in die Augen gekommen. Nein, das anzusehen, hätte ihm das Herz brechen müssen...

Das hatte sich nun mit einem Zauberschlage geändert! Das Dunkel wurde hell, der Schatten zum blendenden Glanze, ein Schwiegersohn war gefunden und welcher! Einer, wie ihn seine Phantasie seit Jahren überall gesucht, seine Eitelkeit ge= fordert hatte! Marie war Gräfin, und seine Finanzklemme so gut wie nicht mehr vorhanden! Kein Wunder, daß sich seine Gedanken verwirrten und die Worte ihm ausgingen!...

„Theuerster Graf —" nur dies vermochte er zu stammeln, indem er sich ihm in seliger Rührung von Neuem an die Brust warf.

Der Graf erwiderte die Umarmung auf das Herzlichste, aber als eine ruhigere und weniger sanguinische Natur war er doch erstaunt, daß seine Werbung mit einer gar so jubeln= den Acclamation aufgenommen wurde. Seiner Auffassung gemäß konnte er diese Wirkung nur seinem Stammbaum zu= schreiben, dessen balsamischer Blüthenduft die besonders feinen Nerven seines künftigen Schwiegervaters in eine so süße Be= täubung versetzte.

„Ich bin glücklich!" sagte er mit seiner gewichtigen Miene, aus welcher sich die Siegesfreude ganz in seine hellglänzenden Augen zurückgezogen zu haben schien. „Jetzt deuten wir den Traum, den Marie gehabt. Der Tisch war kein gewöhnlicher Tisch, sondern — eine Hochzeitstafel!"

„Bei Gott, das war es!" rief Herr von Rosenstern, auf das Heiterste beistimmend. „Und Sie sind der Ritter, der als Lohengrin mit dem Schwanengespann herangefahren kommt! Es war wirklich ein merkwürdiger Traum, und das Merk= würdigste dabei ist, daß er in Erfüllung gegangen. O, wenn Marie das ahnte!"

„Oder glauben Sie," sprach der Graf nach einigem Nach= sinnen, „daß es zweckmäßiger wäre, wenn Sie Fräulein Marie auf meine Bewerbung in vertraulicher Unterredung vorbereiteten,